ESSAI
sur
STÉPHANE MALLARMÉ

POÈTES
d'aujourd'hui

94

ESSAI SUR

MALLARMÉ

par Pierre-Olivier Walzer
Bibliographie, portraits, fac-similés

EDITIONS PIERRE SEGHERS

I

MALLARMÉ AVANT MALLARMÉ

Signe d'eau • « Etre Chateaubriand ou rien », proclamait, à douze ans, un poète en herbe qui se tint parole et devint Victor Hugo. Au même âge, le vœu de Mallarmé indique une ambition aussi pleine, mais doublée d'une prudence qui se réserve une agréable porte de sortie : « Etre Béranger, ou évêque. » Ces projections sur l'avenir, pour gratuites qu'elles soient à cet âge, n'en découvrent pas moins, très tôt, les propensions essentielles d'un tempérament et mesurent d'emblée ce qui sépare quelques têtes élues du commun des garçons, lesquels ne songent guère qu'à devenir pilotes d'essai ou trappeurs sous le cercle arctique.

Gloire littéraire, gloire ecclésiastique, ce double rêve plonge ses racines dans l'eau lustrée d'une enfance bourgeoise. Béranger, le petit Mallarmé l'a rencontré une fois dans une maison amie; il a vu le vieux maître entouré des prévenances, des respects, des admirations de l'assemblée. Il a jugé ce sort enviable, autant que celui de l'évêque qui préside, dans de rutilants habits d'apparat, selon des gestes rituellement réglés, aux cérémonies des dimanches. Ces cérémonies immuables, ornées et magnifiques, satisfont dans le jeune Stéphane un goût profond de l'ordre, en même temps qu'elles lui permettent d'échapper au terne quotidien des jours. « Tourner l'épaule à la vie » : cette fameuse décision future est déjà significativement en germe dans ses rêves de douze ans, car ni Béranger, ni l'évêque ne sont de ce monde; l'ouate de la vénération les en sépare. Toute sa vie, et sans accéder jamais à quelque situation en vue, Mallarmé réussira à faire régner autour de lui une atmosphère de cérémonie; contre autrui, il se drape dans des apparences de gestes étudiés, toujours les mêmes, qui créent la distance convenable entre le célébrant et les ouailles. La figure célèbre du Mallarmé des mardis nous apparaît comme celle d'un exécutant obéissant aux règles d'un culte réglé auquel n'ont part que des initiés qui sont aussi des fidèles, venus pour recevoir des paroles revêtues en quelque sorte d'un sceau sacré. Ainsi le rêve de l'évêque s'est réalisé à sa manière dans la destinée de Mallarmé, dont certains ont dit qu'il y avait en lui quelque chose d'un fondateur de religion.

Pour l'heure, il n'a encore que douze ans. C'est un petit bourgeois de Paris où il est né, 12, rue Laferrière, le 18 mars 1842, à sept heures du matin. Son signe, dominé par Neptune, est un signe d'eau, quatrième du Circuit de l'Intelligence, annonciateur d'une destinée où la pensée est conductrice. L'astrologie lui promet tous les dons, toutes les connaissances, toutes les facultés de rythmes d'images et de pensée, en même temps que tous les complexes. Il aura des affinités avec ces autres illustres natifs des Poissons que sont Hugo, Banville, Montesquieu, Gogol, et l'amour des couleurs et de leur chatoiement qui inspire les peintres neptuniens, de Nattier à Juan Gris. Le nouveau-né fut inscrit à l'état civil sous le nom d'Etienne, mais la famille l'appela d'emblée Stéphane, pour faire plaisir à la grand-mère qui répondait au nom de Stéphanie. Son père, Numa Mallarmé, alors âgé de trente-trois ans, était sous-chef à l'administration de l'Enregistrement.

Ces Mallarmé étaient monotonement fonctionnaires de père en fils; un seul mérite une mention historique, François-Auguste, conventionnel que le Comité de Salut Public chargea d'instruire l'affaire des « Vierges de Verdun » — des demoiselles qui fraternisèrent trop vite avec les troupes prussiennes, et qui furent condamnées et aussitôt exécutées, sauf les deux plus jeunes, en 1792. Napoléon fit de cet ancêtre un sous-préfet, et la Restauration un exilé pour cause de régicide. En 1885, répondant à une demande de Verlaine, le poète composa lui-même une précieuse *Autobiographie*, dans laquelle il s'est penché curieusement sur sa lignée ancestrale dans l'espoir d'y découvrir le secret de ses penchants littéraires. Mais la moisson est maigre :

Je retrouve trace, écrivait Mallarmé, du goût de tenir une plume, pour autre chose qu'enregistrer des actes, chez plusieurs de mes ascendants : l'un, avant la création de l'Enregistrement sans doute, fut syndic des libraires sous Louis XVI et son nom m'est apparu au bas du Privilège du roi placé en tête de l'édition originale française de Vathek de Beckford que j'ai réimprimé. Un autre écrivait des vers badins dans les Almanachs des Muses et les Étrennes aux Dames. J'ai connu, enfant, dans le vieil intérieur de bourgeoisie parisienne familiale, M. Magnien, un arrière-petit-cousin, qui avait publié un recueil romantique à toute crinière appelé Ange ou Démon, lequel reparaît quelquefois coté cher dans les catalogues de bouquinistes que je reçois. Je disais famille parisienne tout à l'heure, parce qu'on a toujours habité Paris; mais les origines sont bourguignonnes, lorraines aussi et même hollandaises (O. C., 661-662).

La mère du poète, Elisabeth Desmolins, mourut cinq ans après la naissance de son fils, au retour d'un voyage d'Italie, d'une affection tuberculeuse. On la connaît mal. Cependant une lettre de la grand-mère Desmolins, en 1864, fait état de « cette vive imagination qui a tant usé son organisme ». Stéphane et sa petite sœur Maria, née trois ans après lui, furent alors confiés à leurs grands-parents maternels qui se chargèrent de leur éducation, dans une atmosphère de vieilles gens tranquilles, religieux et autoritaires. Par quelques lettres de la grand-mère, qui a la plume facile et assez élégante, quelques détails des enfances du petit-fils nous ont été conservés. On sait, par exemple, qu'il avait bon cœur, mais qu'il ne pouvait pas autrement prétendre au titre de garçonnet studieux. C'est sans doute pour remédier à cette déficience qu'on plaça l'enfant, à la rentrée de 1852, dans une pension religieuse, à Passy. C'était alors un garçon d'une taille svelte, timide et maladif, qui avait hérité la nervosité excessive de sa mère. Ses manières étaient extrêmement polies, presque maniérées. Cette préciosité l'accompagnera, mais corrigée, consciente de ses moyens et de ses effets, tout au long de son existence. Cette complexion féminine n'est pas de celles qui arment un enfant pour tenir tête aux camarades de classe. Malheur à celui qui se distingue par quelque don ou quelque manière d'être originale! André Gide fut rossé à peu près chaque jour, à Montpellier, pour avoir mis trop de feu dans la récitation d'un poème. Stéphane Mallarmé fit une expérience du même genre quand il fut admis, en mai 1854, dans une nouvelle pension, beaucoup plus aristocratique que la première, à Auteuil; ses condisciples se firent un plaisir de persécuter, malgré une distinction naturelle déjà éclatante, ou à cause d'elle, le descendant de l'exécuteur de la Convention. Mallarmé n'eut la paix que lorsqu'il se fut avisé de révéler qu'il était en réalité comte de Boulainvilliers, et qu'il avait ses raisons pour observer l'incognito. Les coups, dès lors, cessèrent. Mais pour que rien de l'histoire ne transpirât au sein de la famille, quand la tante qui l'avait fait recevoir dans cet institut huppé venait l'y voir, le petit garçon laissait résonner assez longtemps dans le grand parc les nobles syllabes de Boulainvilliers, avant de se présenter au guichet.

L'internat d'ailleurs ne serait rien si les vacances rachetaient

tout, si la présence d'une mère vous payait d'un coup de quelques mois de solitude. Pour Stéphane, on le sait, ce recours
n'existait plus, et c'est un sentiment de privation qui se développe dans son jeune cœur, au fur et à mesure qu'il en ressent
davantage les effets dans l'isolement où le confine la comba-
tivité de ses épais condisciples. C'est alors que la douleur qu'il
n'a pas ressentie à la mort de sa mère, et qu'il a feinte, ainsi
qu'il l'avoue lui-même, dans une comédie de larmes et de désespoir, semble enfin retentir en lui comme un malheur réel et
vécu, comme une injustice et une malédiction. C'est ce que semble indiquer la première pièce qui nous ait été conservée de
Mallarmé, une brève rédaction écrite à douze ans et qu'il con-
serva toute sa vie, l'*Ange gardien*, dont voici le passage central :

Car, ici-bas, chacun a son bon ange, depuis le berceau jusqu'à la
tombe. C'est l'ange qui étend son aile protectrice sur le berceau de
l'enfant et le protège contre mille et mille petits dangers. Qui est-ce
donc aussi lorsque le jeune enfant commence à marcher dans la
verte prairie, qui donc détourne la vipère de la fleur qu'il cueille ?
si ce n'est son bon ange! Qui est-ce donc aussi lorsque l'enfant
commence à étudier les premiers éléments des sciences, qui donc lui
donne du courage quand il est abbatu ?... Si ce n'est son bon ange!
Et quand l'écolier est devenu homme et qu'il médite un brillant
avenir, oh! pourquoi bon ange cachez-vous votre tête sous votre
blanche aile, et pourquoi pleurez-vous ainsi ?... Ah! je le comprends,
c'est que vous avez aperçu que l'avenir du jeune homme ne sera pas
comme il le pense et qu'il doit vous coûter bien des chagrins. Et
lorsqu'il est lancé au milieu du monde, seul vous veillez autour de
lui, seul vous ne le quittez jamais, vous remplacez une mère qu'il
a peut-être perdue (O. C., *1381*).

Il serait dangereux de faire fond sur une telle pièce, dont
on ne sait ce qu'elle doit à la commande scolaire et qu'a pu

aussi bien motiver l'imitation de quelque pieuse page, pour affirmer que la privation de la mère fut l'ébranlement fondamental de l'enfance de Mallarmé et que le pressentiment d'une vie manquée l'a visité bien avant son entrée effective dans l'existence. Mais il est indéniable que les réclusions de son jeune âge, et les deuils qui l'ont assombri, n'ont pu qu'offenser sa délicatesse native et donner à son imagination les colorations de la tristesse. « Orphelin, déjà, enfant avec tristesse pressentant le Poète, j'errais vêtu de noir, les yeux baissés du ciel et cherchant ma famille sur la terre », lit-on dans la première version de *Réminiscence*, qui s'intitulait d'abord l'*Orphelin*. Que Mallarmé soit pleinement conscient que l'imagination poétique reste toute la vie directement reliée à ce substrat de souvenirs premiers, c'est ce qui ressort d'une phrase de la *Revue Blanche* (« Le poète puise en son Individualité secrète et antérieure, plus que dans les circonstances ») et du développement sur *Hamlet*, dans *Divagations*.

Pendant ce temps, le père de Stéphane et de Maria s'était remarié, à trente-neuf ans, un an à peine après la disparition de sa première femme (en 1848, et non en 1852, ainsi que l'indique la chronologie de la Pléiade). Il avait épousé une charmante jeune fille de Sens, Anne Mathieu, âgée de dix-neuf ans. Bien sûr, ce veuvage succinct, ce remariage précipité et un peu inconvenant remplissent d'amertume et d'appréhension la brave grand-mère Desmolins, dont quelques lettres encore trahissent les sentiments. « Mes chers petits m'ont quitté hier matin pour aller avec leur père accomplir l'œuvre désolante dont je t'ai parlé, et nous voilà réduits tous deux à une solitude qui ne nous apporte pas le calme du cœur... je cherche à me résigner à cette triste pensée et jusqu'ici mes efforts ont été vains. » Aux yeux des grands-parents, ce remariage est naturellement un accident funeste dans la vie de leurs deux chers petits, que leur

imagination leur peint d'avance aux prises avec une marâtre
redoutable. Et Stéphane, que pense-t-il ? La conduite de son
père, la mère trop tôt oubliée, ressent-il ces déterminations de
grande personne comme une injure personnelle, comme un nouveau choc dans sa vie sentimentale, qui rendraient encore plus
douloureux son sentiment de frustration ? Se prépare-t-il à revivre les affres par où passa le beau-fils de M. Aupick ? Sur
ces données classiques, que renforceront bientôt la mort de la
petite sœur et celle d'une petite amie, la psychanalyse a beau
jeu pour échafauder de brillantes constructions à partir d'un
éventail de documents où cependant les yeux ordinaires ne lisent rien que d'ordinaire. La nouvelle Mme Mallarmé, en effet, « petite maman », comme l'appellent Stéphane et Maria, se
révéla une mère très attentive, très affectueuse et très com-
préhensive, aussi bien à l'égard des deux demi-orphelins que
pour les quatre enfants nouveaux qui lui naîtront bientôt, dans
les quatre premières années de son mariage. Intelligente, assez
entendue à la peinture (elle prenait plaisir à copier de grandes
machines religieuses qu'elle offrait aux sacristies ou à la famille), elle fut pour Mallarmé, en maintes occasions capitales,
une très précieuse alliée. Elle fut à peu près la seule dans
son entourage, par exemple, à le laisser décider librement de
sa carrière. Elle n'aura qu'un défaut, selon son beau-fils : elle
tenait trop serrés les cordons de la bourse familiale. (« Du
reste, la bourse est dans le secrétaire de ma belle-mère, assez
jeune femme, qui n'a jamais compris ce que c'est qu'un jeune
homme et n'a qu'un mot affreux sur les lèvres : Economie »
(*Corr.*, 3o). Mais on l'absout facilement de ce travers si l'on
songe que la situation de son mari, bientôt à la retraite, ne
lui permettait aucune largesse.

   Peu de temps après son mariage, Numa Mallarmé fut nommé
conservateur de l'Enregistrement, avec résidence à Sens, dans
l'Yonne. Maria resta à Paris, chez les grands-parents Desmo-

lins; mais Stéphane, dont les études continuaient à n'être pas spécialement brillantes, fut bientôt également transféré à Sens. Il n'y fut pas accueilli du reste dans le nouveau foyer de son père, mais placé à l'internat du lycée municipal. Nous sommes en 1856, Stéphane a quatorze ans. Il arbore le costume officiel de l'établissement : tunique bleue avec liséré rouge au collet, palmes d'or et boutons brillants. Le jeune potache a-t-il souffert de son emprisonnement dans ce nouvel internat ? Rien ne permet de l'affirmer. Il dut trouver sa place tant bien que mal, avec un peu plus de difficulté qu'un autre, parmi la collection d'humains moyens qu'offre une classe laïque normale, parmi les entêtés, les paresseux, les brutaux, les timides, les forts en thème, les fantaisistes, les loustics, les rêveurs.

Il fut d'ailleurs en tout un élève moyen; il eut cependant, en seconde, l'unique prix de langue anglaise, accompagné d'un second prix pour la narration française et la version latine. En rhétorique, en 1859, même position : prix de langue anglaise et second prix de discours français. Mais plus Mallarmé grandit, et moins ces classements scolaires semblent l'intéresser. Jamais il n'entre en révolte contre l'internat, la discipline, les répétiteurs. Jamais le nom d'un de ses maîtres ne viendra plus tard sous sa plume — comme celui de Darlu chez Proust, ou de Burdeau chez Claudel — pour l'exécration ou pour la louange.

Avec la souplesse naturelle de sa nature, Mallarmé a trouvé le secret de passer à travers les mailles des embarras scolaires quotidiens; il fut indifférent, et absent, tout occupé à surprendre en lui une voix inattendue qui s'apprenait aux sons et aux rythmes de la poésie. Mais, même ici, ses tentatives n'excèdent nullement les normes habituelles; rien, chez lui, de la précocité fulgurante de Rimbaud. Ainsi, l'image que nous pouvons nous faire de Mallarmé lycéen est celle d'un enfant qui s'inscrit dans la moyenne commune. Il fut un garçon somme toute équilibré, et qui avait son âge. Ni sublime, ni génial, ni maudit.

Le complexe d'Apollon • En août 1857, à quinze ans, Stéphane eut la douleur de perdre, dix ans après sa mère, sa petite sœur Maria, alors âgée de treize ans, enlevée comme la mère par la tuberculose, ou peut-être par un rhumatisme articulaire, on ne sait trop. Deux ans plus tard, dans l'été de 1859, c'est une jeune amie anglaise, Harriet Smyth, qui est enlevée à son tour. Elle aussi mourut de la poitrine, et c'est en souvenir d'elle que le jeune rhétoricien composa l'éloquent diptyque intitulé : *Sa fosse est creusée, Sa fosse est fermée* (juillet 1859). Sur le chagrin de Stéphane lors de ces deux deuils, nous n'avons aucun témoignage direct; mais une grande partie de sa production poétique de lycéen se réfère directement à eux. Malgré leur ton et leur technique très différents, la première classicisante, la seconde romantique, des pièces comme la *Cantate de la Première Communion* (1858) ou le diptyque *Sa fosse est creusée, Sa fosse est fermée* relèvent assurément du même ébranlement et opposent antithétiquement le réalisme des tombes et des cercueils à une imagerie sucrée évoquant de jeunes vierges montant au ciel entourées d'anges et de lys. Le métier est encore bien imparfait, et patente, dans la seconde pièce, l'imitation du Victor Hugo des *Contemplations*, lequel sera le grand maître du pensionnaire de Sens dans son apprentissage littéraire. Auréolé de sa gloire de proscrit, Victor Hugo exerce alors une attraction irrésistible sur la plupart des jeunes potaches de France et de Navarre, et le jeune Stéphane ne témoigne pas d'une originalité particulière en s'attachant, dans ses heures de loisir, à refaire selon ses faibles forces *Charles Vacquerie* ou *A Villequier*.

Jusqu'il y a peu, on n'avait, de la production de jeunesse de Mallarmé, que les quelques pièces réunies dans l'édition de la

Pléiade sous le titre : *Poèmes d'enfance et de jeunesse*, quand, en 1954, le professeur Henri Mondor publia d'un seul coup près de deux mille vers inédits de Mallarmé lycéen. Dans son *Autobiographie*, Mallarmé confesse qu'il essaya longtemps de se hausser à la hauteur de Béranger « dans cent petits cahiers de vers qui m'ont toujours été confisqués, si j'ai bonne mémoire ». En fait, la « petite maman » de Sens en avait heureusement sauvé quatre, qui furent pieusement conservés. Le premier contient, sous un titre « de circonstance et de rancune » (Mondor), *Entre quatre Murs*, une quarantaine de pièces écrites au lycée dans les années 1859-1860. Les trois autres cahiers constituent, sous le titre général *Glanes*, une intéressante anthologie des auteurs préférés de l'apprenti poète, qui a recopié de sa main, d'une calligraphie soignée, plus de huit mille vers de poètes français, de Villon à Baudelaire, en réservant une place à quelques contemporains. En outre, on trouve déjà ici quelques pièces d'Edgar Poe dans une première traduction de Mallarmé. Les noms qui tiennent le plus de place dans cette anthologie personnelle sont ceux de Poe, Baudelaire, du Bellay, Villon, Baïf, Belleau, Desportes, Théophile de Viau, Sainte-Beuve, Hugo (*Châtiments*), Barbier. Si l'on ajoute que sa modeste bibliothèque de collégien contient André Chénier, Victor Hugo, Lamartine, Musset, Gautier, Keats, Shelley, Shakespeare (en anglais), on aura une idée assez complète des sources auxquelles s'alimenta, pendant ces années de formation, l'inspiration du jeune poète.

Le jeu de diverses influences dénonce, chez le jeune Stéphane, un esprit en formation qui s'essaie un peu au hasard dans les différentes voies tracées par les poètes qu'il admire, et qui passe, d'une façon plutôt déconcertante, du classicisme le plus pondéré au romantisme le plus échevelé. Cette hésitation est d'autant plus sensible si l'on se souvient qu'en ce même été 1859, il compose cette grande machine en trois parties, la

Prière d'une Mère, qui se distingue surtout par l'inspiration conventionnelle et les vers doucereux motivés par le néo-classicisme alors en usage dans les établissements d'éducation religieux, où pullulaient les émules de Louis Racine.

> *Que ce jour soit pour toi comme au ciel une fête!*
> *Ta joie est de sourire au bonheur fraternel,*
> *D'attacher à son front l'étoile qu'à ta tête,*
> *Au matin de ta vie, attacha l'Éternel!*

Il s'agit, sans doute, dans cet exemple, d'une prière de commande, c'est-à-dire d'un devoir d'élève, car il semble que Mallarmé ait pris assez rapidement en horreur ce style (qu'il avait utilisé déjà dans la *Cantate de la Première Communion*, la plus ancienne pièce que nous ayons de lui, datée de « juillet 1858 » — si l'on excepte un poème marotique, écrit à treize ou quatorze ans, à propos d'un vague incident scolaire), à en juger par la boutade insérée dans un des morceaux de *Entre quatre Murs* :

> *J'aimais le sucre d'orge et les vers de Racine.*
> *Le plus fade des deux? — Devine si tu peux.*

Entre dix-sept et dix-huit ans, à une cadence beaucoup plus lente que celle de Rimbaud au même âge, Mallarmé fait le tour des styles poétiques sans arriver à dégager encore sa propre personnalité. L'ensemble de son recueil de lycéen donne l'impression d'une mosaïque assez laborieuse et maladroite, déparée à tout instant par des gaucheries de langage ou de prosodie, des cacophonies, des hiatus et des obscurités (non voulues). Si l'on y constate quelques dons originaux, comme parfois un heureux emploi des assonances et des allitérations, ou une aptitude marquée aux phrases longues coupées d'adroites incidentes, si l'on y découvre une réjouissante variété de formes, quelques métaphores frappantes et quelques réussites prometteuses, force est bien d'avouer que ces consciencieuses et enthousiastes compositions du rhétoricien de Sens ne laissent guère présager l'admirable rigueur à laquelle se tiendra le poète futur.

Complexes divers ● Mallarmé, à quinze ans, en août 1857, perd donc sa sœur Maria, de deux ans sa cadette. Cette petite sœur, il l'aimait bien, et gentiment ainsi qu'il apparaît dans les lettres qu'il lui adressait de son collège, lettres où il se pose en grand frère un peu pédant, qui distribue les conseils et les bons points. Mais nulle part, il ne s'agit d'amour débordant, ni d'adoration (si même le mot apparaît plus tard, dans la lettre du 1er juillet 1862 à Henri Cazalis : « ... ce pauvre jeune fantôme, qui fut treize ans ma sœur, et qui fut la seule personne que j'adorasse, avant de vous connaître tous », *Corr.*, 35), ni non plus de ces communautés enthousiastes que formèrent Lucile et René de Chateaubriand, Maurice et Eugénie de Guérin, ni de cette communauté pédagogique de Stendhal et Pauline. Il est clair, bien sûr, que la mort d'une sœur laisse des traces dans la mémoire d'un frère normalement constitué. Mais il n'y a pas lieu de psychanalyser Mallarmé sous prétexte que des images de l'enterrement de Maria s'inscrivent tout à coup dans la très belle prose de 1864, *Plainte d'automne* (« ... un orgue de Barbarie chanta languissamment et mélancoliquement sous ma fenêtre. Il jouait dans la grande allée des peupliers dont les feuilles me paraissent mornes même au printemps, depuis que Maria a passé là avec des cierges, une dernière fois... ») Rien de plus naturel que la résurgence de souvenirs de ce genre, par où s'exprime davantage la permanence d'images visuelles attachées à un moment douloureux, mais passé, de l'existence, que la souffrance lancinante causée par une blessure toujours ouverte.

Parmi les productions du lycéen de Sens, il n'en est guère qu'une dont la qualité puisse déjà faire penser aux réussites à venir; c'est le conte en prose intitulé : *Ce que disaient les trois Cigognes,* publié par le professeur Mondor dans *Mallarmé plus intime,* puis de nouveau dans *Mallarmé lycéen.* Le manuscrit porte une indication tardive, de la main du poète, qui précise qu'il s'agit d'une « narration sur un sujet libre » et qu'elle fut écrite « en seconde ou en troisième du lycée de Sens », c'est-à-dire en 1856-1857 ou 1857-1858, quand Mallarmé avait quinze ou seize ans. Or ce texte comporte un certain nombre d'expressions ou d'images qui sont d'évidentes réminiscences des *Fleurs du Mal* (ainsi : « je t'adore à l'égal... », la queue d'un chat « pleine de nonchaloir », un hibou qui « dardait ses yeux rouges », « l'aurore grelottante », etc.), alors que les pièces réunies dans *Entre quatre murs* n'accusent encore aucune influence précise de Baudelaire. Si l'on s'en tient à la déclaration de Mallarmé, et si l'on admet que le conte a une origine scolaire, il ne peut guère dater que de la première moitié de 1860; premier texte mallarméen à révéler une influence baudelairienne, il serait contemporain de l'époque où le jeune lycéen recopiait dans son anthologie personnelle trente poèmes des *Fleurs du Mal.*

La narration elle-même, que le poète conservera pieusement toute sa vie, constitue un morceau intéressant, témoignant d'une sensibilité encore toute meurtrie par la disparition de Maria et d'Harriet. Il s'agit d'une jeune morte, Deborah, qui sort de sa tombe par une froide nuit d'hiver, pour venir rendre visite à son père, le misérable bûcheron Nick Parrit, qui rêve dans sa cabane auprès d'un pauvre feu, en compagnie du chat Puss, aux beaux jours d'autrefois et à l'injustice du sort.

Oh! s'exclame-t-il, *c'était le bon temps, quand nous courions au soleil* [...] *Pourquoi cela n'a-t-il pas duré ? On dit que Dieu le Père*

est bien vieux : il s'est trompé sans doute et l'a fauchée du coup
qui m'était destiné [...] Nous étions vagabonds comme deux papillons,
aujourd'hui tout est changé : elle est couchée dans la mort et dans
la terre, et moi je m'ensevelis chaque jour dans la solitude désolée
de mon bois, et dans la vieillesse... Enfin, bohémien, bûcheron, deux
métiers où l'on n'appartient qu'à Dieu !

Le jeune fantôme danse comme autrefois une joyeuse salta-
relle en s'accompagnant d'un tambour de basque, et partage
avec son père le gâteau des Rois qu'un séraphin leur apporte
tout droit du ciel et que Deborah paie d'une larme. Littérairement, avec son décor d'hiver, de lune, de cimetière et de
neige, avec ses anges, ses roses et ses lis, c'est déjà tout un
aspect du futur vocabulaire de Mallarmé qui se révèle dans ce
conte. Sans compter des expressions isolées comme : « la naïveté questionneuse du regard », le chat « grand penseur fourré
de dignité », « l'aurore grelottante » qui, pour sacrifier parfois
à l'imitation, n'en indiquent pas moins une volonté de recherche et d'originalité et une jeune haine du banal. Sentimentale-
ment, cette ancienne narration traduit le choc éprouvé par le jeune
homme devant des morts qui le touchent de près, en même temps
qu'elle fait pressentir l'attitude future du poète mystique qui
se défendra, par l'obsession du rêve, contre les puissances
extérieures du froid et de la mort.

Cette « morte qui parle », dans la narration du lycéen, apporte naturellement de l'eau au moulin psychanalytique. Léon
Cellier, dans un livre qui a le grand mérite de replacer Mallarmé
dans la poésie de son temps, la retrouve chez « tous les écrivains qui sont tenus pour les maîtres de Mallarmé, Lamartine,
Hugo, Balzac, Gautier, Poe, Baudelaire, Villiers », qui tous
« ont été hantés par la mort et ses mystères », qui tous « ont
rêvé à la Visite de l'Ombre » — liste à laquelle Kurt Wais
ajoute une foule de références mineures qui attestent au moins

l'expansion du mythe jusqu'à la fin du XIX⁰ siècle. On trouverait donc ici le point de départ d'un des thèmes obsédants du poète : les apparitions. « Apparition, Deborah Parrit; apparition, la visite de *Pour votre chère morte;* apparition, la « fée au chapeau de clarté », le fantôme nu ou la nixe dans le miroir, la constellation derrière la fenêtre, « l'hoir de maint riche mais chu trophée » qui pourrait bien « survenir par le couloir ». Les spectres que le *Toast funèbre* exorcise en les niant peuplent les trois quarts des poèmes » (Mauron). Mais il y a des gens qui voient des fantômes partout.

Pour copie conforme • Trois cahiers de *Glanes* enfin, composés de quelque huit mille vers recopiés pieusement en 1860, attestent d'autre part l'extraordinaire attirance qu'exerce la poésie sur notre lycéen.

Choix attentif et passionné. Il transcrit dix pièces des *Châtiments*, qui avaient alors la saveur du fruit défendu; neuf pièces des *Poésies de Joseph Delorme*, parmi lesquelles les fameux *Rayons jaunes* qui allaient illuminer le symbolisme de leur lueur blafarde; trois pièces, dont l'*Idole*, extraites des *Iambes* d'Auguste Barbier; des pièces de Murger, de Féval, de Soulary, plus des «poésies amoureuses modernes » de qualité très douteuse (Janin, Vitu, Dumas fils...); une seule pièce de Musset, une seule de Lamartine, mais le jeune homme possède dans sa bibliothèque leurs œuvres publiées, à côté de celles de Gautier, de Banville, de Béranger, de Leconte de Lisle, de Mathurin Régnier. Rien de Ronsard, sans doute pour la même raison; en revanche, de très nombreux textes des poètes de la Renaissance qui sont tous empruntés (ainsi que l'a démontré L.-J. Austin) au *Tableau de la Poésie française au XVI⁰ siècle*, de Sainte-Beuve, dans l'édition de 1843.

Plus intéressantes encore à nos yeux les trente pièces que Mallarmé détache des *Fleurs du mal* (dont il acquerra, en 1861, la seconde édition, qu'il complétera de sa main des six pièces condamnées). Choix partial et partiel, dû à un goût encore mal assuré qui va de préférence aux compositions noires, outrées ou morbides, au romantisme macabre plutôt qu'à l'esthétique des correspondances. La découverte de Baudelaire n'en est pas moins capitale, puisqu'elle va informer toute la première époque de la poésie mallarméenne. De Baudelaire, le jeune lycéen fut naturellement amené à Edgar Poe; s'il a voulu apprendre l'anglais, c'est même uniquement, a-t-il avoué, « simplement pour mieux lire Poe ». Le premier cahier de *Glanes* s'ouvre sur huit poèmes de Poe, parmi les plus célèbres (*A Hélène, Ulalume, Annabel Lee, Le Corbeau, Léonore...*), dans une « traduction littérale » de Mallarmé, dont le professeur Mondor ne donne malheureusement pas la transcription.

A recopier tant de vers, Mallarmé mesure les faiblesses et les manques des premiers essais poétiques ingénument recueillis dans *Entre quatre Murs*, éprouve ce qu'il y a de nécessairement relâché dans la poésie à programme, et de dangereux dans l'éloquence, l'enseignement et même l'humour. En découvrant les scolies du *Corbeau*, il saisit toute l'importance que revêtent, aux yeux de celui qu'il appelle volontiers le « Maître », l'analyse critique et la volonté d'effets et d'abstraction : tout ce que Poe résume dans les mots *genèse* ou *composition*. Même quand il apprendra, beaucoup plus tard, que ces fameuses scolies ne sont sans doute qu'une mystification, Mallarmé n'en cessera pas moins d'en louer l'admirable leçon :

Non. Ce qui est pensé, l'est : et une idée prodigieuse s'échappe des pages qui, écrites après coup (et sans fondement anecdotique, voilà tout), n'en demeurent pas moins congénitales à Poe, sincères. A savoir que tout hasard doit être banni de l'œuvre moderne et n'y peut être

que feint; et que l'éternel coup d'aile n'exclut pas un regard lucide
scrutant l'espace dévoré par son vol (O. C., *230*).

Il comprend peu à peu que le salut lui viendra de l'exemple
de Baudelaire et de Poe, en tournant le dos à la poésie ora-
toire, sentimentale, désordonnée. Se faire *rare*, à tous les sens
du mot, voilà la règle qu'il pressent devoir être désormais
au centre de son éthique poétique, laquelle règle ne variera plus
sensiblement. En 1865, avec sa lucidité ordinaire, il analysait
parfaitement la décisive métamorphose qui s'était opérée en
lui :

Je trouve que Taine ne voit que l'impression comme source des
œuvres, et pas assez la réflexion. Devant le papier, l'artiste se fait.
Il ne croit pas par exemple qu'un écrivain puisse entièrement chan-
ger sa manière, ce qui est faux, je l'ai observé sur moi. Enfant, au
collège, je faisais des narrations de vingt pages, et j'étais renommé
pour ne savoir pas m'arrêter. Or, depuis, n'ai-je pas, au contraire,
exagéré plutôt l'amour de la condensation ? J'avais une prolixité vio-
lente et une enthousiaste diffusion, écrivant tout du premier jet,
bien entendu, et croyant à l'effusion, en style. Qu'y a-t-il de plus
différent que l'écolier d'alors, vrai et primesautier, avec le littéra-
rateur d'à présent qui a horreur d'une chose dite sans être arrangée ?
(Corr., *154-155*.)

Ainsi Mallarmé prenait congé de son adolescence. Il la condamne sans appel, tant est vive sa conscience, en accédant à
l'âge d'homme, d'avoir subi une mutation spirituelle radicale
et d'être devenu déjà celui qu'il se sait être.

II

POÉSIE ET PAUVRETÉ

Spleen et rococo • La compagnie brillante d'Emmanuel des Essarts, d'Henri Cazalis et d'Eugène Lefébure distrait heureusement, on veut le croire, le jeune Stéphane; ses nouveaux amis, qui se grisent des délices de l'esprit, le changent agréablement de sa famille où l'on ne connaît que celles de l'économie. On a la preuve, par sa correspondance, qu'il fut retenu quelquefois, faute de pécune — ce qu'il appelle son « fil à la patte » — d'accompagner ses camarades dans leurs divertissements de plein air. Mais aussi qu'il s'en console aisément, car il a le caractère bien fait, et jamais il n'est aussi heureux qu'entre quatre murs, entouré des poètes qu'il aime, parmi lesquels Baudelaire tient maintenant la première place. Tout en continuant de contrôler des colonnes de chiffres comme surnuméraire chez le receveur de l'Enregistrement de Sens où il s'est laissé docilement placer après son baccalauréat et où il travaille depuis le 14 décembre 1860, Mallarmé profite de tous ses instants de loisir pour se livrer à son vice favori : l'imitation des *Fleurs du Mal*, qui supplantent alors dans son esprit les *Contemplations* si longtemps admirées. S'il connaît et honore Baudelaire dès 1860, puisqu'il en recopie déjà trente pièces dans ses *Glanes*, c'est surtout dès qu'il a en main l'édition de 1861 qu'il se laisse envoûter totalement par la mélancolie baudelairienne et qu'il travaille à se créer des extases assaisonnées de rêve et d'ennui. C'en est fini d'un coup avec ses exercices de collégien, avec les déclamations romantiques et les ballades orientales; il découvre le prix d'une poésie sérieuse, dense et concise, enfermée dans une seule tonalité. Pendant quelques années, jusqu'en 1864, il va emprunter à son nouveau maître ses paysages livides, son besoin d'évasion, son érotisme morbide, et tenter pour son propre compte l'expérience du déchirement qui fait la grandeur du lyrisme baudelairien, partagé entre l'attirance du gouffre et la soif de l'infini :

> *Chez celles dont l'amour est une orange sèche*
> *Qui garde un vieux parfum sans le nectar vermeil,*
> *J'ai cherché l'Infini qui fait que l'homme pèche,*
> *Et n'ai trouvé qu'un Gouffre ennemi du sommeil...*

Ainsi débute l'*Enfant prodigue*, une pièce de cinq quatrains, qui se signale par ses thèmes et son vocabulaire presque entièrement baudelairiens, et une alliance, de même source, et forcée, entre l'extase mystique et la rêverie libertine :

> *Après avoir chanté tout bas de longs cantiques*
> *J'endormirai mon mal sur votre fraîche chair.*

Les rapprochements que l'on peut faire entre cette pièce et les *Fleurs du Mal*, spécialement la pièce *Au lecteur* (cf. la comparaison de l'orange), sont si patentes qu'on a presque l'impression de lire un pastiche, et c'est d'ailleurs sans doute la raison pour laquelle Mallarmé a laissé dormir cette pièce dans ses tiroirs. On peut en dire autant de *Galanterie macabre*, où

« caravanes » rime avec « courtisanes », qui date apparemment de la même année 1861, et supposer que le jeune surnuméraire dut faire cette année-là pas mal d'autres exercices du même genre, attestant l'influence de Baudelaire ou celle des nouvelles étoiles poétiques qu'Emmanuel des Essarts lui faisait découvrir dans le même temps. Ces étoiles dont le jeune éclat était en train d'offusquer toutes les autres se nommaient Leconte de Lisle, Théodore de Banville, Villiers de l'Isle-Adam.

Vers le même temps, il fait connaissance avec un état qui l'étonne lui-même; alors que jusque-là le souffle de l'inspiration ne lui avait jamais manqué — à preuve l'abondance de sa production poétique juvénile — il ressent alors les premières atteintes de cette fameuse « impuissance » contre laquelle il aura à lutter toute sa vie. Certains se hérissent si l'on met l'accent sur ce sentiment d'impuissance, et avec raison s'il est clair que seule l'exigence de perfection, la haute conception qu'il se faisait de l'art ont acculé Mallarmé à cette « curieuse stérilité ». Il n'empêche que le poète l'a ressentie à mainte reprise comme une faiblesse et s'en est plaint comme d'un manque, voyant en elle une des caractéristiques diaboliques de son esprit. Mais le trait de génie c'est d'avoir immédiatement compris qu'il y avait un parti à tirer de ce blanc intérieur, c'est d'en avoir fait un thème personnel et original qui réapparaîtra souvent dans l'œuvre littéraire, de *Vere Novo* à *Igitur*.

Non omni homini reveles cor tuum (*Imitation*) •

Cette première victoire remportée sur son tempérament est exemplaire en ce qu'elle est victoire de la lucidité. A vingt ans, c'est bien une manière d'exploit. Et il faut admirer comme il se doit le bel équilibre de ce jeune provincial qui est capable dans le même temps de goûter aux plai-

sirs de son âge et à ceux de la campagne, de se livrer à l'amitié et bientôt à l'amour, de trousser des madrigaux du dernier
galant ou des « scies » d'étudiants, tout en observant en lui-
même les progrès d'une conscience poétique des plus rares et
des plus exigeantes. Ballotté depuis deux ans entre des influences diverses, séduit tour à tour par l'éloquence de Hugo, par
la mélancolie de Baudelaire, par la fantaisie de Banville, par
l'esthétisme de Gautier, par le mysticisme de Villiers de l'Isle-
Adm (dont il vient de découvrir l'*Isis*), et surtout par les secrets et les recettes poétiques d'Edgar Poe qui reste son maître
essentiel, il sent le besoin de se définir et de savoir enfin selon
quelle trajectoire édifier son œuvre. D'où un effort de réflexion
accrue, et la naissance d'un premier art poétique. C'est le fameux article de l'*Artiste*, du 15 septembre 1862, intitulé : *Héré-
sies artistiques : l'Art pour tous* — fameux seulement depuis
que Mme Noulet l'exhuma, en 1940, de la revue oubliée où il
avait été lui-même oublié durant quatre-vingts ans.

L'idée fondamentale de cet intéressant morceau de bravoure,
important aussi en ce qu'il fournit au moins une des clés de
l'hermétisme de Mallarmé, c'est que le poète ne peut que s'avi-
lir en recherchant les suffrages de la foule et qu'il ne sera digne
du grand nom qu'il porte qu'en s'adressant à une élite, seule
capable de le comprendre. Que le philosophe répande dans le
public des vérités morales, c'est fort bon, mais que les poètes
s'abstiennent de vouloir y faire pénétrer des idées esthétiques.
Il n'en pourrait naître que des malentendus. Le postulat initial,
qui ouvre l'article, a grande allure : « Toute chose sacrée et
qui veut demeurer sacrée s'enveloppe de mystère. Les religions
se retranchent à l'abri d'arcanes dévoilés au seul prédestiné :
l'art a les siens. » La musique, par exemple, reste indéchiffrable
au profane qui n'a pas appris à lire « ces processions macabres
de signes sévères, chastes, inconnus », qui ont pour heureux
effet de plonger le contemplateur ingénu d'une partition de

Wagner ou de Beethoven dans un « religieux étonnement ». Eh bien, c'est tout à fait ce qu'il faut, proclame notre esthéticien. Malheureusement, la poésie ne connaît pas ces heureuses défenses et les *Fleurs du Mal* sont aussi ouvertes à tous que les colonnes du premier journal venu; la pire des poésies s'imprime avec les mêmes caractères que la plus haute. D'où le soupir : « O fermoirs d'or des vieux missels! ô hiéroglyphes inviolés des rouleaux de papyrus! »

S'il y a originalité chez Mallarmé, elle est moins dans le dogme d'une littérature antibourgeoise que dans la précision avec laquelle il évoque, dès 1862, les procédés pratiques qui peuvent préserver l'œuvre des approches communes. L'espèce de mystère qu'il préconise devrait reposer sur un système de signes conventionnels, non immédiatement traduisibles, et qui constitueraient les défenses extérieures du sanctuaire, ses garanties d'inviolabilité en même temps que de permanence. Mallarmé devine d'emblée qu'il n'est qu'un moyen pour le poète de provoquer par son écriture le même « religieux étonnement » que suscitent les signes de l'écriture musicale, c'est d'utiliser les sigles de son langage, c'est-à-dire les mots eux-mêmes, à la même fin, en leur donnant l'apparence du secret, en leur refusant la communicabilité immédiate. Que l'œil distrait n'en puisse pas faire sa proie! Que le poème ne se confonde pas avec le journal! Qu'il soit, au contraire, « hiéroglyphe inviolé », missel à « fermoir d'or », quelque chose de difficile et de rebutant qui n'ouvre ses arcanes qu'à la force du zèle et à la patience de l'amour. Les signes poétiques devraient revêtir l'efficacité des signes magiques : grimoires, cercles, carrés, anneaux, talismans, talasmasques, charmes et contre-charmes. Plus tard, cet aveu : « Il existe entre les vieux procédés de magie et le sortilège que restera la poésie une parenté secrète. » Ainsi Mallarmé dès la vingtième année de son âge, pose le principe d'un discours poétique à l'accès sévèrement défendu, principe qui va

l'engager dans la voie du raffinement aristocratique, de l'obscurité volontaire, de l'hermétisme sacré. Toute l'originalité de
Mallarmé sera de tendre tous ses efforts vers l'invention des
ressources poétiques les plus propres à assurer l'inviolabilité
de son langage. Celles de la métaphore, de la sémantique,
de la syntaxe seront celles auxquelles il recourra le plus souvent, mais il ira jusqu'à supprimer la ponctuation, jusqu'à
bouleverser la typographie. Tous ces procédés ont leur origine dans la prise de conscience initiale exposée dans l'*Art pour
tous*, dont l'éminente dignité repose sur la croyance que la poésie est un sacre et que toute haute poésie est nécessairement
en quelque mesure un *trobar clus*, un art fermé.

L'illusion pédagogique • Dans le même temps qu'il
découvre les prémisses de sa
poétique, encouragé par la publication de ses premières productions, soutenu par Emmanuel des Essarts, Stéphane Mallarmé, à vingt ans, entre en lutte ouverte avec sa famille pour
acquérir le droit de fausser compagnie à l'Enregistrement et
de faire une carrière pédagogique, dans l'idée que celle-ci ne
serait que le prétexte à une carrière — inavouable dans un
climat bourgeois — d'homme de lettres. La première escarmouche est du 17 janvier 1862 (c'est la première lettre de la
Correspondance) : Mallarmé déclare crûment au grand-père
Desmolins, qui avait atteint un haut grade dans cette administration, que l'Enregistrement lui est décidément « tout à
fait antipathique »; qu'il souhaiterait l'abandonner pour faire
des études de lettres étrangères, ce qui lui permettrait d'être
professeur en 1863 déjà, avec « 2 000 francs de fixe »; il songerait alors à la licence, et ensuite au doctorat; « une fois docteur, l'avenir s'ouvre », et il se voit d'avance « professeur de
langues étrangères en une faculté ». Le grand-père ne l'entend

pas de cette oreille; il n'est pas autorisé à obliger Stéphane à persévérer dans l'Enregistrement, mais c'est de son devoir de l'empêcher de faire des sottises; il est persuadé, avec raison, qu'il est très difficile d'entrer dans l'Université sans passer par l'Ecole normale, et que son petit-fils, qui est d'une famille où l'on est faible de la poitrine, a peu de chance de réussir dans une profession — d'ailleurs ennuyeuse (« exercer les élèves (à force de répéter et de redire, ce qui est mortellement ennuyeux et fatigant) à lire et à prononcer convenablement, à comprendre quelques auteurs faciles, à composer des phrases de conversation, voilà tout ce qu'on exige d'un maître de lycée ») — qui oblige à parler fort plusieurs heures par jour. La voix de la seconde Mme Mallarmé se mêle assez souvent au concert familial pour tempérer les rigueurs du grand-père, calmer les inquiétudes de la grand-mère, expliquer l'incompréhensible détermination du petit-fils, et se plaindre en général des difficultés de l'existence. Pour Stéphane, la victoire est acquise assez aisément, encore que tout son entourage considère qu'il est en train de faire une sottise irrémédiable. Dès le début de février, il prend chaque jour une leçon d'anglais d'une heure avec le professeur d'anglais du lycée de Sens, tout en continuant à fréquenter son bureau. En juin, il subira un premier examen, puis il passera une année en Angleterre. En même temps, il s'est pris d'une passion tardive pour les auteurs latins du programme, qu'il relit pour son plaisir, et à qui il découvre subitement un « charme exquis ». Jamais on ne mit plus d'obstination tranquille à vouloir être professeur — et jamais on n'eut si peu les moyens de sa vocation.

La pauvre bien-aimée errante • Autre événement décisif de cette année 1862 : la rencontre avec Marie Gerhard. Dans ses rapports

avec celle qui devait devenir sa femme, même entraînement
pressé, même esprit de décision qui frappent chez ce rêveur.
On dirait qu'il veut se hâter d'expédier ce qu'il est convenu de
considérer en général comme les grandes affaires de la vie —
établissement, mariage — pour avoir le plus tôt possible toute
licence de s'adonner sans entraves à son démon intérieur. En
juin, frappé de la grâce d'une étrangère qu'il rencontre dans les
promenades de la ville ou à la cathédrale le dimanche, et qu'il
prit d'abord pour une Anglaise (son ami Cazalis venait justement de lui confier la naissance de son amour pour Ettie Yapp,
une Anglaise authentique, et leur amie commune, et Mallarmé
lui conseillait : « Donc, aime Ettie, et laisse-toi aller à la dé-
rive. Le fait est que les Anglaises sont d'adorables filles. Cette
blondeur douce; ces gouttes du lac Léman, enchâssées dans
de la candeur et qu'elles veulent bien appeler leurs yeux,
comme les autres femmes... »), le jeune prétendant au profes-
sorat lui écrit, le 26 juin, sa première lettre d'amour : attente,
désespoir, mélancolie, adoration, tout y est. En juillet, deux
nouvelles lettres, tout aussi enflammées; mais en même temps
il avoue à Cazalis, qui se désespère de son côté du départ
d'Ettie, qu'il prend de l'eau dans sa cuvette pour en asperger
ses billets doux et y feindre des pleurs. Il lui avait confié déjà,
le 1er juillet : « J'ai dressé des miroirs à alouettes dans le champ
de la galanterie et l'oiselle se contente de gazouiller de loin,
invisible. Cela m'a distrait. » Marie n'est encore pour lui qu'une
« gentille Allemande » qu'il « s'entête à avoir ». La gentille
Allemande de ses rêves habitait depuis six mois Sens où elle
était institutrice dans une riche famille, les Libert de Presles;
elle était originaire d'un petit bourg du Wurtemberg, Camberg,
où son père occupait les fonctions d'instituteur et de cantor;
elle s'appelait Christina-Maria Gerhard, était la cinquième de
dix enfants, et, née en 1835, avait par conséquent sept ans de
plus (et non quatre, comme dit charitablement Henri Mondor,

ni deux, comme dit le contrat de mariage de 1863) que son soupirant sénonais, qui n'en entreprend pas moins « une cour acharnée ». « Comme toutes les gouvernantes et institutrices, qui sont toujours déclassées, avoue-t-il, elle a un charme mélancolique qui produit son effet sur moi. » Mais il n'éprouve d'abord de la part de Marie que « refus, fuites, épouvantes, rougeurs ». Stéphane insiste, mêlant à sa mélancolie véritable une pointe de cynisme adolescent : « Je serai moins seul en vacances. » En attendant ses conquêtes futures, il se passionne pour l'allemand et prononce déjà « fantastiquement : *Ich liebe dich!* » Mais il suffit de trois semaines d'absence de Marie, pendant le mois de septembre, pour transformer l'amourette en un amour dévorant : « Je ne sais plus faire autre chose que penser à Marie. » Et Marie elle-même se laissait prendre peu à peu aux charmes très réels de cet adolescent à la douceur de fille, qui se donnait des allures d'esthète distingué, avec des pendeloques à son gilet, une large cravate, une moustache avantageuse, et une soyeuse chevelure brune s'épaississant sur la nuque : une espèce de Tennyson aux sourcils rêveurs, estimait Lefébure. Là-dessus, Henri Cazalis dut s'inquiéter de cette passion soudaine et faire entendre à son ami la voix de la raison bourgeoise : elle n'est pas belle, elle n'est pas cultivée, elle n'est pas riche; mais ces avertissements venaient trop tard : « Ce que j'ai au cœur, je ne le raisonne pas; j'aime mieux pleurer, souvent. J'admets que pour tout autre, elle ne soit pas très jolie, que ce ne soit pas une grande âme d'artiste — quoiqu'elle ait un grand charme sympathique répandu sur son visage et une intelligence très délicate, et l'esprit du cœur — j'admets cela. Ce n'est pas ce que j'ai cherché en elle. J'ai voulu être aimé et je le suis plus qu'on ne peut l'être. » Il n'y avait plus rien à objecter; aussi bien que répondre à un amoureux entêté qui proclame : « Ce bloc d'or pur, c'est Marie » ?

L'automne arrivé, et l'examen préalable d'anglais probablement réussi, vint le temps du voyage en Angleterre. Plus tard Mallarmé expliquera : « Ayant appris l'anglais simplement pour mieux lire Poe, je suis parti à vingt ans en Angleterre, afin de fuir principalement, mais aussi pour parler la langue, et l'enseigner dans un coin, tranquille et sans autre gagne-pain obligé... Je m'étais marié et cela pressait... » En fait, le mariage n'était encore qu'en projet quand Mallarmé et Marie Gerhard quittent la France, le 8 novembre 1862, et s'installent à Londres, à Panton Square (disparu depuis lors), dans les environs de Leicester Square. Ils viennent y chercher le bonheur, mais hélas! ce n'est pas encore là que leur tendresse trouvera l'heure et le lieu de son épanouissement. Leur hiver fut une saison de solitude, de drame et de détresse. Pourtant la petite chambre qu'ils s'étaient aménagée présentait des agréments — « un vrai ménage anglais » — et le quartier, du pittoresque : « C'est le rendez-vous de tous les orgues de Barbarie, les singes en casquette rouge, les nègres gratteurs de guitare, les bandes de Lancashire; Polichinelle y donne chaque jour une représentation. Je suis une averse de pence et de farthings, mais aussi que de joie, et que j'aime cela. » Mais il y a aussi le brouillard, l'humidité, la pluie, la toux, le manque d'argent. Mallarmé pensait vivre en donnant des leçons de français, et sa famille lui avait bourré les poches de lettres de recommandation pour toute la catholicité anglaise, y compris le cardinal Wiseman lui-même. Mais il semble bien que le jeune exilé ne s'en soit jamais servi et se soit contenté de la petite rente que lui versait son notaire français. (« Je reçois à Londres de 3 600 à 4 000 francs par an. J'ai ici un appartement de 1 200 francs. Combien d'employés mariés à quarante ans n'ont pas plus! » *Corr.*, 76). La pauvreté ne l'a jamais inquiété, et il préfère à toute sollicitation ou démarche une ombrageuse indépendance. Seules distractions : les promenades régulières avec Marie à Saint James Park ou ailleurs, ou, mais cette fois sans Marie, quelque soirée chez les Yapp, qui est pour le poète un peu de « bleu » dans tout ce « gris ».

Dès le début de décembre, les drames éclatent, dont nous avons le récit circonstancié dans de longues lettres à Henri Cazalis. Marie Gerhard semble comprendre qu'elle a fait fausse route; sa situation irrégulière lui paraît de plus en plus insupportable; peut-être aussi a-t-on parlé de mariage à Sens — « Elle n'a jamais dit un mot de ces imprudentes conversations où je lui parlais de mariage » (Corr., 65) — et qu'on n'en parle plus, maintenant, à Londres... Bref, bien que son poète soit tout pour elle — « elle ne vit que par moi » — elle dit doucement un jour, le 4 décembre : « Il faut que je parte. » Elevée dans de sévères principes moraux, sans doute aussi souffre-t-elle de se laisser détourner de ses devoirs et de détourner Stéphane des siens. A Sens déjà, sa première réaction devant l'amour avait été la fuite; si elle avait cédé tout de même, ç'avait été uniquement « par bonté », pour ne point blesser son jeune amoureux. Stéphane se voit dans une situation dramatique : s'il la laisse partir, il brise son existence, et elle en mourra; s'il l'épouse, c'est la guerre ouverte avec sa famille (au regard de la loi française, il n'est pas encore majeur), et il tue son père et son grand-père, qui « ne survivraient point à ce qu'ils ne comprendraient pas ». Selon la maladresse ordinaire aux poètes, Stéphane s'arrange pour faire successivement l'un et l'autre : il abandonne d'abord, il épouse ensuite. Et personne ne meurt, bien sûr. Cependant les deux amants connaissent des semaines atroces. Marie se réfugie à Paris; Stéphane l'accompagne jusqu'à Boulogne, où ils arrivent malades de dégoût et d'épuisement. « A une heure du matin, par une bruine sombre, je l'ai menée à la gare, et, quand la porte s'est ouverte, elle a glissé de mes bras à moitié morte... Et quand je suis parti, je hurlais comme un loup. Je me suis arrêté sur le pont à voir l'eau

STÉPHANE
MALLARMÉ
(1862)

*(Phot.
Constantin.)*

TOURNON

La maison qu'habita Mallarmé. A la hauteur des fenêtres du premier étage, à droite, la plaque commémorative.

noire où j'avais envie de mourir. » Ensuite, pendant de longs
jours, ayant regagné son petit appartement de Londres, l'abandonné remuera de sombres réflexions, clamera sa solitude et
son désespoir, cherchant une solution. A ses yeux, Marie est
sublime de sacrifice, une vraie martyre. La raison lui dit qu'a-
vec le temps, il serait capable d'oublier les affres présentes et
de vivre égoïstement, « calme, libre, relativement heureux »;
mais en même temps il élabore toute une morale du *devoir* qui
lui commande d'épouser Marie. Ce sera de sa part une « chose
noble ». Mais au lieu d'avertir simplement Marie de cette détermination, il imagine encore d'imposer à sa pauvre petite Allemande une épreuve supplémentaire : il la supplie de revenir,
mais sans lui parler de mariage. Par générosité, Marie avait refusé d'entraîner son jeune amant dans les complications qu'en-
traînerait une union avec elle; mais ce n'est pas assez pour lui;
il exige de Marie un ultime sacrifice, un retour sans condition :
« Elle ne refusera pas de se perdre. Il y a là un sacrifice d'elle-
même à faire, il y a à se jeter dans un abîme pour moi, — elle
n'hésitera pas. » Marie refuse. Stéphane est abasourdi de ce
refus. Marie calculerait-elle ? Au fond, bien décidé à l'épouser de
toute manière, il recule devant l'offre la plus simple. Il fait trans-
mettre à celle qu'il aime, par le truchement de Cazalis qui se
trouve alors à Paris où il rencontre Marie et la console comme
il peut, les quatre curieuses propositions suivantes : « 1° Rester
à Paris, absolument. 2° Venir passer quelque temps ici et nous
nous entendrons ainsi mieux que par lettre. 3° Revenir, comme
je le lui avais demandé il y a huit jours et comme elle m'a refusé d'abord, c'est-à-dire sans que je lui fasse aucune pro-
messe. 4° Et enfin, revenir pour se marier. » A bout de ressources nerveuses, Marie finit par se rendre; elle revient à
Londres, reprend la vie commune, se débat dans les problèmes
sans solution, pour opérer finalement une nouvelle fuite, vingt-
trois jours plus tard, à Bruxelles cette fois. La séparation sem-

2

ble alors absolument irrémédiable. Mais en fait, elle amène chez Mallarmé la détermination inébranlable d'épouser : il part pour Bruxelles, convainc Marie, annonce la chose à sa famille, ou du moins à sa belle-mère qui lui manifeste, en cette occasion encore, une compréhension remarquable. Un mariage aussi discret que possible fera tout à fait l'affaire de Stéphane; il n'éprouve pas le besoin de faire autour de l'événement le fracas mondain ordinaire. Il a ce joli mot : « Ce sera un baiser de plus. »

Ces trois mois de souffrances aiguës ont créé chez Mallarmé un état d'âme janséniste et l'ont doué d'une conscience prussienne du devoir. S'il avait rêvé, autrefois, d'unir deux mélancolies pour en faire un bonheur, il est persuadé maintenant de la vanité de son projet. S'est-il laissé influencer par les conseils de Cazalis et de des Essarts, qui sont persuadés tous les deux que leur ami fait une bêtise ? Est-il fatigué lui-même de tant de contrainte et de débats ? Quand il épouse, à Londres, le 10 août 1863, Maria Christina Gerhard, c'est uniquement, dit-il pour accomplir un devoir, ainsi qu'en témoigne la lucide confession qu'il adresse alors au fidèle Cazalis :

Si j'épousais Marie pour faire mon bonheur, je serais un fou. D'ailleurs, le bonheur existe-t-il sur cette terre ? Et faut-il le chercher, sérieusement, autre part que dans le rêve ? C'est le faux but de la vie : le vrai est le Devoir. Le Devoir, qui s'appelle l'art, la lutte, ou comme on veut [...]

Mon Henri, je n'agis pas pour moi — mais pour elle seulement. Toi seul au monde sauras que je fais un sacrifice : aux yeux de mes autres amis, je ferai semblant de croire que je cherche par cette union à échafauder mon bonheur — afin que Marie grandisse à leurs yeux (Corr., 87-88).

Avant son mariage, il avait atteint sa majorité le 18 mars, était entré le lendemain en possession des 20 000 francs qui

lui revenaient sur l'héritage de sa mère, avait perdu son père
le 12 avril. Dès lors, tout alla très vite : après avoir songé un
moment, à l'instigation de Cazalis, à aller donner des leçons
en Suisse (« Il y a tant de bleu là-bas, autre que le ciel, — et
les yeux de Marie qui m'y suivrait — que ce rêve est un de
ceux dont je caresse le mieux la crinière et que je chevauche
avec le plus de joie »; et il résume la Suisse dans cette formule déjà toute mallarméenne : des « glaciers vierges et la neige
qui y est une fleur comme les lys », *Corr.*, 90), il s'en tint
finalement à son option première : être professeur dans un
coin de province. En juillet, malgré une espèce de jaunisse qui
l'affaiblit beaucoup, il travaille tant bien que mal à ses exa-
mens. En août, mariage; en septembre, certificat d'aptitude
pour l'enseignement de l'anglais; en octobre, offre de service
au ministre de l'Instruction publique. Le 7 novembre, Mallarmé
est chargé d'un cours d'anglais au lycée, ou plutôt collège
impérial de Tournon, avec le titre de suppléant. Au lieu des
2 000 francs escomptés, il n'en touchera que 1 540, ce qui est
peu, même à Tournon, même en 1862. Ses débuts dans l'enseignement datent du 23 novembre.

Tournon, Ardèche ● A travers la crise violente qu'il
vient de traverser, malgré les atta-
ques de la maladie, les heures de spleen et les nuits de larmes,
le jeune étudiant d'anglais n'en a pas moins toujours tenu très
haut le flambeau de la poésie. Plus la réalité l'étreint, plus il
éprouve le besoin de lui échapper en affirmant sur toutes choses
la primauté du Rêve. C'est aussi pourquoi il tient tant à la vie
de professeur, qu'il imagine « simple, modeste, calme » : c'est
celle qui offre le moins de prise à l'assaut des événements,
c'est celle qui échappe le plus à la dispersion et à la superficia-
lité dans lesquelles l'ami des Essarts est en train de se perdre,

précisément parce qu'il confond trop « l'Idéal avec le Réel ». Du poème des *Fenêtres*, ne retenons pour l'instant que cette affirmation, déjà indiquée précédemment dans ses essais poétiques, mais ici toujours plus nette, qu'il existe une coupure entre le monde des choses et le monde du ciel, et qu'être poète, c'est être capable de « voir, au-dessus de ce plafond de bonheur, le ciel de l'Idéal ». Cet Idéal est fait du sacrifice des petits bonheurs de l'existence qui sont indignes d'une nature noble. Le Rêve n'est pas un vain mot; c'est lui qui doit ordonner toute la vie et justifier une démarche tournée tout entière vers la réalisation du Beau. D'où cette affirmation, contemporaine des *Fenêtres*, et qui ne fait que condenser dans une formule absolue les réflexions développées dans l'*Art pour tous* : « Il n'y a de vrai, d'immuable, de grand et de sacré que l'Art » (*Corr.*, 94).

C'est la tête pleine de ces grandes idées qu'il se trouve brutalement prisonnier de Tournon. Les débuts y furent durs. Après quelques jours passés à l'hôtel, le jeune ménage trouve à s'installer 19, rue Bourbon, dans un appartement très fruste (« Je n'ai même pas trouvé un logement qui ne fût une étable »). Ce n'est que vingt mois plus tard que Mallarmé pourra obtenir une demeure plus confortable, 2, allée du Château, dans cette maison des bords du Rhône sur laquelle une plaque de marbre rappelle aujourd'hui les deux grands poètes qui y passèrent :

En cette maison
élevée sur les ruines de la Tour du Château,
où PIERRE DE RONSARD
rejoignit en août 1536
le Dauphin mourant,
STÉPHANE MALLARMÉ,
professeur au lycée,
composa ses plus beaux poèmes
(1863-1866)

C'est là, en effet, que Mallarmé composa l'*Azur*, les *Fleurs*, *Soupir*, *Brise Marine*, *Don du Poème*, *Sainte*, *Hérodiade* et le *Faune* qui sont bien, en un sens, « ses plus beaux poèmes ». Mais si Tournon reste un des grands lieux, et même le lieu capital de sa biographie, c'est pour une autre raison encore : c'est que c'est là, en effet, qu'il a en outre entrevu tout le développement de son existence et jeté les bases de son œuvre future, selon une dialectique dont la formule ne pouvait trouver place sur la plaque commémorative, mais qu'il a lui-même attestée dans cette phrase considérable de sa *Correspondance* : « C'est là, affirme-t-il, que j'ai rêvé ma vie entière. »

Pourtant il prit d'emblée Tournon en grippe.

L'odeur de cuisine • On peut y ressentir, en effet, un manque de stabilité. Tournon est un défilé et un lieu de passage pour les routes, le fleuve, le vent. Dès sa première lettre écrite de Tournon, Mallarmé s'est tout de suite plaint du vent : « Je suis perclus de rhumatismes, et par eux cloué à mon fauteuil. Je paie une dette à l'affreuse bise qui désole éternellement Tournon. Il fait un vent à décorner les maris de quatre lieues à la ronde » (*Corr.*, 97). Et à quelque temps de là : « Le temps est gris et glacial, ici, cela seul me rend maussade. Tournon est sur la route de tous les vents d'Europe : c'est un relais, et leur rendez-vous » (*Corr.*, 100). Dès lors il est sur le pied de guerre contre tout son entourage. Sans les tribunaux, avoue-t-il, dans un accès d'humeur noire, il mettrait le feu aux « ignobles maisons » qu'il voit de sa fenêtre, et logerait une balle dans le crâne de ses « misérables voisins ». Il y met, reconnaissons-le, beaucoup d'évidente mauvaise volonté : « Ici, je ne veux connaître personne. Les habitants du noir village où je suis exilé vivent dans une intimité trop touchante avec les porcs pour que je ne les aie en horreur. Le cochon est ici l'esprit de la maison comme le chat autre part » (*Corr.*, 98).

Il y avait alors, au lycée de Tournon, une pléiade de professeurs fort distingués. Mais Mallarmé n'en distingue aucun, sauf son collègue d'allemand, Fournel, auteur de curieux poèmes archaïsants, avec qui il restera toujours en amicales relations. Il ignore tous les autres et se calfeutre dans une solitude gratuitement ombrageuse. « Frileux comme un chat », il passe l'hiver « blotti sur le tapis devant un grand feu ». Marie ne lui est que d'un faible secours. « Tu me diras que nous sommes deux. Non, nous ne sommes qu'un. Marie pleure quand je pleure et s'ennuie quand j'ai le spleen. C'est mon ombre angélique, paradisiaque, mais sa douce nature ne saurait faire d'elle ma Lady Macbeth. »

Toute la vie familiale du poète à Tournon se trouve admirablement résumée dans la première ligne de la première lettre qu'il adresse, de Tournon, à son cher Cazalis, le mercredi, 9 décembre 1863 : « Ma petite Allemande Marie est sortie un instant, laissant ses bas raccommodés sur mon Baudelaire. » Jamais Mallarmé, professeur modeste, n'échappera à ces interférences de rêve et de raccommodages, mais il sut presque toujours s'en arranger grâce à la politesse exquise qui faisait le fond de son être, et avec d'autant moins de révolte qu'il s'agissait pour lui d'un destin orgueilleusement revendiqué : pauvreté et poésie. Il est vrai qu'il lui arrive parfois de laisser échapper quelque plainte. Brodant sur la formule de Joseph de Maistre, *Quelle odeur de magasin!* (citée par Baudelaire dans la préface des *Histoires extraordinaires*), « Ici-bas a une odeur de cuisine », soupire-t-il en style bas, et en style noble, dans les *Fenêtres* : « Ici-bas est maître. » Ou bien il lui arrive de faire des calembours, ce qui est chez lui le comble du désespoir : « Demain, je fuirai l'Ardèche. Ce nom me fait horreur.

Et pourtant il renferme les deux mots auxquels j'ai voué ma vie : Art, dèche... » (*Corr.*, 130). Mais son « j'ai voué » implique bien un choix.

Le réel pédagogique •

Ces conditions de vie difficiles se trouvèrent aggravées d'ailleurs par les déceptions et les rancœurs que le jeune professeur éprouva dans son enseignement. Ce métier, dans lequel il avait vu pour lui la seule chance de salut, lui devint bientôt un supplice quotidien. Sans autorité sur ses élèves, à cause de ses manières trop raffinées et de sa voix trop féminine, Mallarmé se révéla d'emblée incapable de maintenir la discipline dans ses classes. Dès lors ce fut l'enfer, et ce le fut toute sa vie, à Tournon comme à Besançon, à Avignon comme à Paris. Hélas! c'est le grand-père Desmolins qui avait raison : « Un professeur ne doit jamais broncher devant ses élèves, sous peine d'en être bafoué. » Le pauvre Stéphane n'échappa point à ce cruel destin, et fut bafoué tant et plus. D'où des plaintes et dégoûts sans cesse réaffirmés : « Enchaîné sans répit au plus sot métier et au plus fatigant... mes classes, pleines de huées et de pierres lancées, me brisent. » On le serait à moins.

Certains ont mené des enquêtes généreuses et bien intentionnées pour savoir si Mallarmé avait été réellement un aussi piètre pédagogue que l'ont dit ses inspecteurs. Parmi les anciens élèves interrogés, les uns n'avaient conservé aucun souvenir de leur maître; d'autres se rappelaient qu'on chahutait beaucoup avec lui et qu'on n'apprenait rien; d'autres encore trouvaient à ses méthodes quelque chose d'original. L'un d'entre eux reconnaît qu'il s'abstenait de poursuivre le moindre résultat pratique; il soumettait ses élèves à « un entraînement singulier qui consistait à traduire, apprendre et expliquer grammaticalement —

quoi ? Les seules choses qui soient à peu près intraduisibles
d'une langue à l'autre, et souvent même inexplicables dans
toutes : les proverbes! Pour plus de sécurité, Mallarmé nous
choisissait ceux que colligea Shakespeare. Dans le délicieux
A la manière de... qu'ils publièrent avant la guerre, Reboux
et Muller, s'attaquant au grand Will, imaginaient une scène
burlesque où l'un des personnages s'écriait : « Je crois que le
merlan est recuit sur la table. » Et les parodistes d'ajouter
en note : « Proverbe intraduisible en français. » Pareille ga-
geure eût alléché Mallarmé pour ahurir ses élèves. »

On s'est même demandé si Mallarmé savait bien l'anglais.
Il n'en faut point douter. Du moins en a-t-il une connaissance
livresque très solide, ainsi qu'en témoigne son ouvrage sur
les *Mots anglais*. Cette *Petite philologie à l'usage des classes
et du monde* nous instruit, par tout un ensemble d'aperçus originaux, non seulement de la genèse de l'anglais et de son vocabulaire, mais encore nous introduit dans le laboratoire même
du poète, en nous montrant comment il établit des rapports inédits entre les syllabes, comment il décompose le langage et le
reconstruit. En tout cas, la science très réelle de Mallarmé
en matière de vocabulaire et de linguistique anglo-saxons est
indéniable, de même que l'originalité de ses méthodes d'explo-
ration. Que sa possession de l'anglais dans son usage courant
ne fût pas aussi assurée, comme on l'a laissé entendre, ce n'est
pas sûr du tout. Il est vrai que, le 1er mars 1894, à ses auditeurs
d'Oxford et de Cambridge, le poète avouait en présentant sa
conférence sur *la Musique et les Lettres* :

*Je prends la parole, aujourd'hui, en ma langue, pour vous montrer
jusqu'à quel point je suis incapable de parler anglais en public :
d'où, pour moi, un immense regret, tempéré par l'honneur que je
sens profondément, d'entendre mon ami, M. York Powell, vous présenter, dans une traduction, la conférence que je vous redirai demain
simplement en français.*

Mais si Mallarmé confesse son embarras — après tout, quoi de plus compréhensible que de reculer devant la difficulté de mettre du Mallarmé en anglais ? — à s'exprimer *en public* dans une langue étrangère, il faut ajouter à sa décharge ce que rapporte l'un de ses auditeurs d'alors : « Il nous a dit qu'il parlait autrefois l'anglais *dans l'intimité* : mais, en même temps, je lui ai entendu parler quelques mots anglais avec un accent irréprochable. » Donc il semble bien que le poète savait très suffisamment l'anglais pour en assurer l'enseignement; mais ce qui lui manquait, c'était essentiellement l'autorité nécessaire pour tenir en main ses élèves.

Vève ● Après un hiver de solitude, Mallarmé brûle, au printemps suivant, de revoir Paris et de retrouver tous ceux qui lui sont chers. « J'ai besoin d'hommes, écrit-il en faisant ses projets de vacances, de Parisiennes amies, de tableaux, de musique. J'ai soif de poètes. J'irai d'abord voir un peu Soulary à Lyon, puis Glatigny à Vichy, où il se pavane avec le musicien Debillemont, Coquelin et Gustave Flaubert (aucun document ne permet d'admettre que la rencontre Flaubert-Mallarmé ait jamais eu lieu), enfin Cazalis à Paris » (*Corr.*, 122). Mais avant de réaliser ces plans, il passa en juillet par Avignon où, par l'entremise d'Emmanuel des Essarts, il entra en contact avec les félibres; ainsi Aubanel, Roumanille, Jean Brunet, et quelques mois plus tard Mistral entrèrent dans le cercle de ses fidèles amitiés. En automne, à l'occasion d'un séjour à Versailles chez ses grands-parents, il rendit visite, à Choisy-le-Roi, à Catulle Mendès, avec qui il était en correspondance depuis 1861, et y rencontra, pour la première fois peut-être, Villiers de l'Isle-Adam, en qui il devine immédiatement une âme sœur.

Si Mme Mallarmé n'accompagne pas son mari dans ces pèlerinages amicaux, c'est qu'elle est alors enceinte et qu'elle ne saurait voyager sans « risquer deux santés ». Elle est donc condamnée à rester « exilée dans ce misérable Tournon ». « Tu me parles de la *petite plante*, confie-t-il à Cazalis. Je la veux femme. Elle naîtra en automne. Joins à cela qu'elle *est née* dans mes plus tristes heures d'ennui de ce printemps. J'ai bien peur que ce ne soit, comme son père, une créature spleenétique et misérable. Enfin, je promène ma Marie au soleil et je lui rends la vie aussi peu dure que ma méchanceté le permet » (*Corr.*, 123). C'est une fille, en effet, qui sera donnée au poète, le 19 novembre : Stéphanie-Françoise-Geneviève, qui fut baptisée au printemps suivant, avec des Essarts comme parrain, remplaçant le père de Marie, et Mme Brunet comme marraine, remplaçant la grand-mère Desmolins. Cette petite Geneviève, dite familièrement Vève, va naturellement tenir une grande place dans la vie du ménage. Avec l'originalité exquise qui n'est qu'à lui, le poète prend plaisir à annoncer la nouvelle à ses anciens comme à ses nouveaux amis. A la bonne grand-mère d'abord : « La fillette imite sa mère et se porte à merveille : elle est d'une force surprenante, belle enfant, rose et blanche, avec de longs yeux bleus et de grands cheveux noirs. Je suis très fier » (*Corr.*, 138). Même annonce à Cazalis, à Mendès, à Aubanel.

Le cheval de l'Arioste • Parlant encore de la naissance de sa fille, il avoue à Frédéric Mistral, le 30 décembre 1864 : « Cette joie ne m'a pas cependant vivifié. Je suis dans une cruelle position : les choses de la vie m'apparaissent trop vaguement pour que je les aime et je ne crois vivre que lorsque je fais des vers, or je m'ennuie parce que je ne travaille pas et d'un autre côté, je ne travaille pas parce que je m'ennuie. Sortir de là! » *Corr.*, 149). Non seulement durant le séjour d'Avignon, mais jusqu'à près de trente ans, Mallarmé sera presque constamment déchiré par cette cruelle alternative. La surmonte-t-il pendant quelques mois, le travail aussitôt va mieux et l'humeur s'ensoleille; mais un nouvel affaissement se produit bientôt, et le découragement et la torpeur reprennent le dessus. Ces jeux de l'impuissance et des saisons confèrent à la vie du poète un tempo particulier qui n'avait pas échappé au fidèle Lefébure, lequel porte sur ce phénomène, en 1867, un diagnostic remarquablement sûr : « Vous savez que votre existence poétique se compose de magnifiques jets de vie alternant avec des périodes de prostration, de sorte que votre corps me paraît l'échelle graduée de votre âme, et qu'il serait facile de deviner, d'après l'intensité de vos souffrances physiques, la passion que vous avez mise dans vos accointances avec la Muse. Je vous assure que cela peut se prévoir et si votre dernière lettre ne me le certifiait, je conjecturerais chez vous quelque vaste débauche intellectuelle. Vous me paraissez donc au bas point de ce jeu de bascule qui vous est naturel, quitte à vous relever après quelque temps d'un bon repos sans pensée, d'un parfait Nirvana cérébral » (*Corr.*, 247, n. 1).

Violents contrastes, dont la correspondance, spécialement entre les années 1860-1870, permet de suivre les oscillations. Il est même possible d'en esquisser le calendrier : le drame de Londres, les débuts à Tournon correspondent à des époques de graves dépressions, dont témoignent surtout la lettre à Cazalis du 3 juin 1863 : « Le bonheur d'ici-bas est ignoble... » (*Corr.*, 90), et celle du 23 mars 1864 : « Oui, je le sens, je m'affaisse chaque jour sur moi-même : chaque jour le découragement me domine, je meurs de torpeur. Je sortirai de là abruti, annulé » (*Corr.*, 111). Mallarmé se sent alors si terriblement prisonnier de cette espèce de stagnation somnambulique qu'il s'étonne d'être encore capable des gestes quotidiens; pour un peu, il se comparerait à ce cheval de l'Arioste qui était mort, mais qui avançait toujours. Il écrivait encore à Albert Collignon, le 11 avril 1864 : « Vous me considérez comme un mort et, au fond, je ne puis que vous donner raison » (*Corr.*, 113). A l'automne de 1864, grâce aux vacances, grâce aussi aux nouvelles amitiés qui y sont nées, la crise paraît surmontée : « J'ai repris courage et, grâce à ce qui m'entoure, j'espère que je ne retomberai pas de sitôt dans les lourdes ténèbres où j'ai si longtemps vécu » (*Corr.*, 133-134). Mais cette résurrection fut encore de courte durée, en dépit de la joie que lui apporta la naissance de sa fille. Dès janvier 1865, les pensées sombres se font une fois de plus envahissantes. A Cazalis encore : « Je recule devant les glaces, en voyant ma face dégradée et éteinte, et pleure quand je me sens vide et ne puis jeter un mot sur mon papier implacablement blanc. Etre un vieillard, fini, à vingt-trois ans, alors que tous ceux qu'on aime vivent dans la lumière et les fleurs, à l'âge des chefs-d'œuvre! Et n'avoir pas même la ressource d'une mort qui aurait pu faire croire, à vous tous, que j'étais quelque chose et que, si rien ne reste de moi, le Destin seul qui m'eût emporté doit être accusé! » (*Corr.*, 150).

Il a commencé *Hérodiade*, mais les affres auxquelles l'accule cette entreprise inhumaine ne font que l'enfoncer davantage dans le désespoir. « Mais pourquoi te parler d'un Rêve qui ne verra peut-être jamais son accomplissement, et d'une œuvre que je déchirerai peut-être un jour, parce qu'elle aura été bien au-delà de mes pauvres moyens » (*Corr.*, 161). L'été 1865 lui est de nouveau plus bénéfique; avec une facilité relative il compose, dans un bel élan, l'intermède du *Faune* — « expansions estivales » — et l'automne est agrémenté d'un heureux changement de domicile : « Nous sommes délicieusement, et je ne me crois plus à Tournon du tout » (*Corr.*, 177). En hiver, il reprend

le « cher supplice » d'*Hérodiade*, et en été 1866, il improvise
une nouvelle version du *Faune*. A la fin de l'année, c'est le
transfert à Besançon et les ennuis consécutifs à tout changement
de domicile : « J'ai tant souffert depuis deux mois — tant
souffert de tracas d'argent et de la poussière, dans une installation qui n'est pas encore terminée (...) tant souffert d'un mor-
cellement désolant de mes heures par le lycée (...). que je ne
me suis plus senti moi-même, et me suis abandonné — jusqu'à
l'heure où je commencerai un poème dans ma chambre recompo-
sée — à la saleté désespérante des choses, parmi les meubles
brisés » (*Corr.*, 237-238). Mais une angoisse spirituelle bien
plus profonde s'était installée depuis de longs mois dans l'âme
de Mallarmé, qui n'en fit la confidence à Cazalis qu'au printemps
1867; c'est la fameuse lettre du 14 mai : « Je viens de passer
une année effrayante : ma Pensée s'est pensée... », etc. C'est
l'aveu d'une crise insoutenable, qui va pourtant durer près de
trois ans, durant lesquels il connaît, tant physiquement que moralement, un épuisement complet qui l'amènera au bord de la
folie et du suicide.

Cette dernière crise, à la fois existentielle et métaphysique,
introduit Mallarmé dans un univers nouveau, où nous essaierons
de le suivre. Jusque-là la cyclothymie ancienne se fonde sur
un ensemble de causes que le poète lui-même a analysées à
plusieurs reprises avec une remarquable clairvoyance. Ce qui
importe d'abord et toujours, pour le jeune poète, c'est l'œuvre
à faire. Mallarmé ne trouve pas, dans son exil provincial, l'ensemble d'excitants spirituels — livres, contacts humains, peinture, musique — qui lui serait nécessaire, et toujours il place
si haut son idéal littéraire qu'il s'interdit presque de pouvoir y
atteindre. D'où ses piétinements et son apathie quasi totale devant la page blanche. Isolement et impuissance, tels sont ses
deux ennemis intimes. « Malheureusement, écrit-il à Cazalis, en
évoquant le charmant tableau que forment sous ses yeux Marie

et Geneviève, je ne jouis pas de tout ce charme qui voltige autour d'un berceau. Je le disais à Armand Renaud l'autre jour, je suis trop poète et trop épris de la seule Poésie pour goûter, quand je ne puis travailler, une félicité intérieure qui me semble prendre la place de l'autre, la grande, celle que donne la Muse; et, avec cela, trop impuissant, trop faible de cerveau pour pouvoir sans cesse, comme d'autres que je jalouse, m'adonner à cette seule occupation qui soit digne d'un homme, les Poèmes » (*Corr.*, 160).

Les premières crises de Tournon sont donc encore essentiellement des crises de caractère littéraire. C'est la poussée créatrice, ses succès et ses insuccès, qui engendrent l'instabilité du tempérament de Mallarmé et le soumettent à ce curieux tempo cyclothymique qui le définit. Ces conditions, les plus déplorables qui soient pour mener à bien une œuvre, ne font que mieux mettre en lumière l'héroïsme du poète pour qui prendre une plume, dans ses moments de dépression, était un véritable travail de Sisyphe. Son œuvre fut une œuvre toujours recommencée. La force lui manquant pour aborder de nouveaux thèmes pour fouler de nouvelles voies, il préférait souvent reprendre des pièces déjà écrites, souvent déjà publiées dans de discrètes revues, et en donner de nouvelles versions, au prix de refontes souvent importantes. Cette méthode de composition est caractéristique de tous les poètes chez qui la technique l'emporte sur l'inspiration. Elle s'explique d'autant mieux chez Mallarmé que son tempérament créateur inégal était en outre prisonnier des gênes redoutables qu'il s'imposait. Aussi l'œuvre de ces années-là est-elle née d'une perpétuelle victoire du poète sur lui-même, en un temps où composer une simple lettre lui paraissait excéder ses forces («Tu sais qu'une lettre m'agace au point que pendant deux jours je ne peux plus travailler — quand elle ne me brise pas », *Corr.*, 122). Et pourtant, en dépit de tant d'obstacles accumulés, c'est à Tournon que Mallarmé est devenu lui-même, qu'il a écrit ses poèmes les plus directement séduisants, qu'il a ébauché ses grandes compositions et jeté les bases de l'œuvre de toute sa vie. La première part de cette production se trouve presque tout entière rassemblée dans le *Parnasse contemporain* de 1866. L'étude de cette publication permet de faire le point sur la première manière de Mallarmé.

III

LE PARNASSE CONTEMPORAIN

L'œuvre première • Le 1ᵉʳ novembre 1865, Catulle Mendès écrivait un bref billet à Sté-
phane Mallarmé pour lui réclamer des vers, si possible plus
de quatre cents, qui formeraient un fascicule d'une revue nouvelle, *Le Parnasse Contemporain, recueil de vers nouveaux*,
lancée par l'éditeur Lemerre et dont lui, Mendès, avec L.-Xa-
vier de Ricard, assumait la direction. On sait la fortune de cette
publication dont les trois séries (1866, 1869, 1876) forment en
quelque sorte la charte de fondation de l'Ecole parnassienne,
moins d'ailleurs par la volonté délibérée des collaborateurs, que
par une certaine conception commune de la poésie qui se faisait jour là pour la première fois, et qui allait enfermer pour
l'avenir dans le même cercle esthétique les noms de Leconte
de Lisle, José-Maria de Heredia, Théodore de Banville, Baudelaire, Verlaine, Mallarmé, François Coppée, Théophile Gautier,
Catulle Mendès, L.-Xavier de Ricard, Henri Cazalis (qui ne si-
gnait pas encore Jean Lahor), Léon Dierx, Emmanuel des Essarts, André Lemoyne, Albert Mérat, Sully Prudhomme, Léon
Valade, Philoxène Boyer et de bien d'autres. Le premier recueil
faisait surtout ressortir l'apport de Gautier, de Baudelaire et
de Leconte de Lisle.

La collaboration de Stéphane Mallarmé à ce premier *Parnasse* consistait en dix pièces, dont quelques-unes avaient d'ailleurs paru précédemment dans des revues, parfois même à plusieurs reprises. Il s'agit des poèmes suivants : *Les Fenêtres, Le Sonneur, A celle qui est tranquille (Angoisse), Vere Novo (Renouveau), L'Azur, Les Fleurs, Soupir, Brise marine, A un Pauvre (Aumône), Epilogue (Las de l'amer repos).* Une onzième pièce, *Tristesse d'Eté,* parut également dans le *Parnasse,* mais incorporée à un cahier final contenant des sonnets de différents collaborateurs.

Le Placet, La négresse • Une partie de cette première production s'inscrit encore avec évidence sous le signe des *Fleurs du Mal.* Des thèmes, des titres, des termes, des procédés de Baudelaire se glissent tout naturellement dans l'inspiration du jeune Mallarmé. Cette influence s'exerce surtout en 1861-1862 et intéresse particulièrement des pièces comme le *Guignon,* le *Sonneur, Aumône;* elle est encore manifeste, deux ans plus tard, dans *Tristesse d'Eté* et dans *Angoisse,* qui sont de 1864, du moins dans les manuscrits que nous possédons. Par la suite, un des soucis de Mallarmé, chaque fois qu'il retouchera ce cycle de poèmes, ce sera d'en faire disparaître les influences, ce sera de les « débaudelairiser ». A peine un peu plus tardive, une autre influence, celle de Théodore de Banville, marque également la production mallarméenne; mais elle ne fut jamais aussi tyrannique que celle de Baudelaire; elle fournit seulement au jeune poète quelques images et quelques symboles, en même temps qu'elle l'autorise à user parfois d'un ton qui surprend par son agréable légèreté; elle l'encouragera aussi plus tard à se lancer dans l'évocation du *Faune.*

En outre, deux pièces constamment maintenues par Mallarmé dans « l'œuvre première » témoignent d'orientations différentes et de deux tentations constantes qui tiennent à la nature même du poète : le maniérisme et l'érotisme. Le maniérisme est représenté par le *Placet futile*, chef-d'œuvre de grâce Louis XV. Tout au long de sa vie, Mallarmé conservera ce goût pour une poésie de salon, une poésie pour dames, et on le verra à maintes reprises déployer tout son talent à orner d'un sonnet un album de jeune fille, ou d'un quatrain l'éventail d'une amie. Le *Placet* fut envoyé à Verlaine, pour ses *Poètes maudits*, en 1883, et parut avec la date de 1762 qui le vieillissait exactement d'un siècle. Dans l'édition de 1887, la pièce reparaît, mais avec des remaniements considérables qui en font une production plus mallarméenne que rococo. L'auteur a corrigé surtout le vers 7, mettant un voile et une litote sur des réalités d'abord crûment évoquées (*Et qu'avec moi pourtant vous avez succombé* devient, en 1883, *Et que sur moi, pourtant, ton regard est tombé*, et en 1887 : *Et que sur moi je sais ton regard clos tombé*), et introduit une faute d'orthographe au vers 2 (*poind*) qui se maintient solidement à travers toutes les éditions, des *Poésies* de Deman (1899) aux *Œuvres complètes* de la Pléiade (je ne vois que Pierre Beausire, dans ses *Gloses*, qui ait rétabli la seule orthographe possible : *point*). Debussy et Ravel, en 1913, mettront tous deux en musique la délicate piécette.

Mallarmé dut éprouver une certaine joie ironique à faire voisiner, dans son recueil définitif, le *Placet* et *Une négresse par le démon secouée*. Si le *Placet* est dans la tradition de Voiture ou de Cotin, la seconde pièce se rattache plutôt à la tradition de Saint-Amant ou de Régnier, à la tradition de la poésie satyrique que le jeune poète connaissait dès le lycée par la lecture attentive des *Grotesque*s de Théophile Gautier. A côté des raffinements exquis de l'esprit de salon, voici le dévergondage des instincts les plus grossiers de la nature. Le poème fut écrit à Tournon, probablement fin 1864 ou début 1865, et envoyé à Armand Renaud; il était alors accompagné d'une seconde pièce de même inspiration, qui n'a pas été retrouvée. « Demande à Armand Renaud des vers que je lui ai griffonnés, écrit Mallarmé à Cazalis, en mars 1865, et dont il a parfaitement senti la cruauté, malgré que la description soit toute plastique et extérieure : j'avais essayé d'arriver à cela. Je les destine, avec deux autres que j'ai en tête, au *Parnasse satyrique* de Malassis sous le nom de : *Tableaux obscènes* » (*Corr.*, 162). C'est en effet dans le *Nouveau Parnasse satyrique du XIXe siècle*, préparé par Poulet-Malassis pour le compte d'un éditeur marron, et qui parut en 1866, que vit le jour la pièce de Mallarmé, sous un titre qui n'était pas de lui : *Les Lèvres roses*. Dans son édition de 1887, Mallarmé maintint le poème, mais fortement remanié; en revanche, il le fit disparaître de l'édition Deman. Crainte de choquer ?

Il est vrai que cette négresse, nue et n'ayant conservé que ses bottines, renversée sur le dos « tel un fol éléphant », et s'apprêtant à faire servir à son plaisir une enfant blanche et innocente, « aux maigreurs de gazelle », évoque les images d'une assez gaillarde ménagerie. Mais cette gaillardise, notons qu'elle appartient à l'imagination de Mallarmé et qu'elle laissera des traces, aussi bien que la préciosité, dans des poèmes appartenant à toutes les époques de sa production, du *Faune* à *M'introduire dans ton histoire*. Si dans ce premier poème érotique son inspiration est encore directe et dévoilée — par souci, comme il l'indique, de description « plastique et extérieure » — il saura par la suite exprimer son érotisme latent par des voies beaucoup plus indirectes. (Etonnons-nous en passant que les psychanalystes ne fassent pas état de cette « étrange bouche — Pâle et rose comme un coquillage marin » assimilée au sexe féminin, pour doter Mallarmé d'un solide complexe de castration. Il n'y a guère que Roger Caillois qui s'en soit avisé. Les complexes de castration, remarque-t-il, « ont communément pour origine, comme on sait, la terreur du vagin denté susceptible de couper, dès sa pénétration, le membre viril. Etant donné le caractère pour ainsi dire classique de l'assimilation du corps tout entier à celui-ci et de l'identification inconsciente de la bouche et du vagin, il ne paraît pas impossible de considérer la peur de la castration comme une spécification plus particulièrement humaine de la crainte du mâle d'être dévoré par la femelle pendant ou après l'accouplement, représentation fournie objectivement par les mœurs nuptiales des mantidés, tant va loin la symétrie, ou, pour mieux dire, la continuité de la nature et de la conscience ». De quoi il trouve un « saisissant exemple » — dans notre « sonnet », qui n'est d'ailleurs pas un sonnet. Quant à savoir comment il s'arrange du fait que la pièce ne met en scène que deux personnes appartenant exclusivement au sexe féminin, c'est ce qui reste indécis. Voyons plutôt, dans cette bouche qui s'ouvre ici comme un gouffre, une exaltation du sexe auréolée des cruelles couleurs du vice et de l'animalité, l'essentiel restant l'affirmation de sa toute-puissance dans le domaine de l'imaginaire.)

Mais les pièces moins liminaires, auxquelles il faut maintenant en venir en prêtant une attention soutenue à leur chronologie, nous en apprendront certainement davantage sur le développement spirituel du jeune Mallarmé, sur ses angoisses, ses rêves et ses obsessions majeures.

Le Guignon, le Sonneur, Aumône •

Le *Guignon*, qui ouvre le recueil, se signale par une forme particulière, la *terza rima*, importée d'Italie en France au XVIe siècle par Jodelle et Desportes, et remise à la mode, à l'époque du Parnasse, par Théophile Gautier. Si la forme de la pièce vient de Gautier, le titre

vient de Baudelaire. Dans les *Fleurs du Mal*, le *Guignon* est
un sonnet sur le thème : « L'Art est long et le Temps est
court », sur le tourment du poète qui craint de disparaître avant
d'avoir amené son œuvre à chef. La volonté et le travail
devraient l'en rendre capable. Ceci n'est plus dans le sonnet,
mais dans les *Conseils aux jeunes Littérateurs* : « Il n'y a pas
de guignon. Si vous avez du guignon, c'est qu'il vous manque
quelque chose, connaissez-le, et étudiez le jeu des volontés voi-
sines pour déplacer plus facilement la circonférence. » En fait,
le poète lui-même n'est pas toujours à même d'atteindre à cette
pleine possession de soi-même, presque heureux, au contraire,
d'être passif, d'être souillé, d'être victime, et nombreuses sont
les pièces des *Fleurs du Mal* ou des *Poèmes en Prose* qui présentent le poète comme un personnage marqué par le destin et
poursuivi par la mauvaise chance, un étranger parmi les hommes,
un exilé sur cette terre comme l'albatros, à la fois « ridicule
et sublime » comme le cygne. C'est dans cette perspective que
Mallarmé situe les deux races de poètes qu'il peint dans son
Guignon, dans une espèce de fresque volontairement sombre.
D'abord un paysage sinistre, comme celui de *Chacun sa Chimère*, des terres montagneuses et glacées, percées de défilés
« nocturnes » et balayées par un « vent noir ». Dans ce décor,
deux troupes en marche vers la mer introuvable. D'abord celle
des « mendieurs d'azur », des poètes dévorés d'idéal, des assoif-
fés d'absolu auxquels font allusion les dix premiers tercets :
ces malheureux se heurtent à l'hostilité du monde, mais trouvent
dans leur souffrance même la force ou l'orgueil de la surmonter et de la transformer en un chant qui assurera leur élection
aux yeux des peuples et des familles : « Le peuple s'agenouille
et leur mère se lève. » Au contraire, dans le poème liminaire
des *Fleurs du Mal*, que Baudelaire appelle par antiphrase *Béné-
diction*, la mère ne trouve à l'égard de sa progéniture exécrée
que des paroles de malédiction.

A ces poètes, trop grands pour pouvoir s'adapter aux conditions ordinaires de l'existence humaine, mais qui du moins ont trouvé, même au prix du sang et de la mort, le secret des consolations que prodigue l'Art, Mallarmé oppose, dans les strophes suivantes, les malheureux qui, en butte aux mêmes obstacles et aux mêmes difficultés, ne se découvrent ni les forces ni le génie qu'il faudrait pour les surmonter et qui, au lieu de surmonter leur souffrance, s'y abîment. Ceux-là sont les vraies victimes, les vrais ratés, sur lesquels s'acharne « le fouet d'un monarque rageur — le Guignon ». Et ces tristes victimes sont légion :

> *Mais traînent à leurs pas cent frères qu'on bafoue,*
> *Dérisoires martyrs de hasards tortueux...*

Ces hasards maléfiques empoisonnent leur existence. Tout le monde court pour les persécuter, des enfants aux déshérités de tout poil. Leurs amours ratent, leurs œuvres ratent, et ils n'ont pas l'orgueil qui nourrirait en eux une révolte salvatrice. Ils sont même l'objet des persécutions des poétaillons qui prostituent leur plume, qui « les disent ennuyeux et sans intelligence ». Ce sont ces dévoyés qui parlent dans les deux strophes entre guillemets, pour engager les autres à rejoindre leur troupe, et le tercet final évoque la pauvre fin de ces baladins qui, comme Nerval et quelques autres,

> *Vont ridiculement se pendre au réverbère...*

Le sonnet du *Sonneur* est également de 1862 et parut en même temps que le *Guignon* dans l'*Artiste* du 15 mars 1862. La pièce est construite sur le schéma d'une comparaison très classique, les deux quatrains étant consacrés au sonneur, les deux tercets au poète. Il y a d'autres comparaisons développées dans les poèmes du *Parnasse Contemporain*, par exemple dans *Las de l'amer repos*, dans les *Fenêtres* et dans le *Pitre châtié*, mais une telle

organisation de la matière poétique apparaîtra à Mallarmé
comme un procédé de plus en plus rudimentaire. En retravail-
lant ses poèmes, il s'efforcera donc de faire disparaître le tracé
trop rigoureux de la comparaison initiale. Dans le *Sonneur*,
elle subsiste pourtant, même après les remaniements intervenus
en 1866 pour la publication dans le *Parnasse*. Les deux quatrains nous montrent donc le sonneur, à califourchon sur une
pierre attachée à la corde et assurant le contrepoids de la cloche; en même temps qu'il tire sur la corde et que les sons de
la cloche se répandent joyeusement dans la fraîcheur du matin,
il récite en haletant ses prières latines et ne perçoit, dans la
voix des cloches, qu'un tintement étouffé par la distance et les
murs. Le poète se voit dans une semblable situation. Il a beau
tirer sur « le câble de l'Idéal », seule une rumeur confuse parvient à ses oreilles; le poète est incapable de capter la voix de
l'Idéal et de la faire résonner par le monde. C'est tout le drame
de l'impuissance, qui trouve sa solution dans le suicide. Comme
le *Guignon*, le poème s'achève sur l'évocation du poète pendu.

Aumône est de la même date et de la même veine, également
dans le sillage de Baudelaire. Apparenté en outre au *Guignon*
par la communauté de la forme, la *terza rima*, qui disparaîtra
ensuite de l'œuvre de Mallarmé. Le poète jette ici son aumône
à un mendiant, non pour lui permettre de se préparer des funé-
railles décentes,

> *Afin de pièce à pièce en égoutter ton glas,*

mais pour lui permettre de s'adonner à « quelque péché bizarre », dont les tercets suivants évoquent les attraits : tabac,
opium, femmes, vin, dévotion, tous paradis artificiels que Baudelaire avait désignés dans la pièce *Le Poison*, que Mallarmé
suit d'assez près. On voit bien comment le mauvais vers

> *Et boire en la salive heureuse l'inertie,*

qui est censé résumer les plaisirs de l'amour, rejoint le modèle baudelairien :

> *Tout cela ne vaut pas le terrible prodige*
> *De ta salive qui mord,*
> *Qui plonge dans l'oubli mon âme sans remords...*

Mais c'est de Baudelaire surtout que vient l'essentiel, cette idée que, pour les mortels condamnés aux travaux forcés de la vie, la seule aumône conséquente est l'oubli, dût-on payer les plaisirs qui l'assurent. L'amour vénal, l'opium, le vin, autant de drogues bienvenues pour l'homme en proie aux fléaux du spleen et du temps.

Renouveau • En juin 1862, Mallarmé, qui vient d'écrire un sonnet, en adresse presque immédiatement copie, à son habitude, à son ami Henri Cazalis, avec cette espèce de commentaire : « Emmanuel t'avait peut-être parlé d'une stérilité curieuse que le printemps avait installée en moi. Après trois mois d'impuissance, je m'en suis enfin débarrassé et mon premier sonnet est consacré à la décrire, c'est-à-dire à la maudire. » Le sonnet — *Vere Novo*, titre emprunté à Hugo, et qui deviendra *Renouveau* — dit en effet dans sa version définitive :

> *Le printemps maladif a chassé tristement*
> *L'hiver, saison de l'art serein, l'hiver lucide,*
> *Et dans mon être à qui le sang morne préside*
> *L'impuissance s'étire en un long bâillement.*
>
> *Des crépuscules blancs tiédissent sous mon crâne*
> *Qu'un cercle de fer serre ainsi qu'un vieux tombeau,*

> *Et, triste, j'erre après un rêve vague et beau,*
> *Par les champs où la sève immense se pavane*
>
> *Puis je tombe, énervé de parfums d'arbres, las,*
> *Et creusant de ma face une fosse à mon rêve,*
> *Mordant la terre chaude où poussent les lilas,*
>
> *J'attends, en m'abîmant que mon ennui s'élève...*
> *— Cependant l'Azur rit sur la haie et l'éveil*
> *De tant d'oiseaux en fleur gazouillant au soleil.*

« C'est un genre assez nouveau que cette poésie, ajoutait le commentaire de Mallarmé, où les effets matériels, du sang, des nerfs, sont analysés et mêlés aux effets moraux, de l'esprit, de l'âme [...] Quand la composition est bien harmonisée et que l'œuvre n'est ni trop physique ni trop spirituelle, elle peut représenter quelque chose » (*Corr.*, 31). D'abord le thème même de l'impuissance, annoncé dans la lettre à Cazalis. On s'est emparé du mot, autrefois d'ailleurs plus qu'aujourd'hui, pour accabler le poète de sarcasmes et en faire une espèce de cerveau desséché, un esthète distillant sa poésie au compte-gouttes et rapetassant indéfiniment les quelques mêmes pièces. Or tout prouve, et spécialement l'extrême facilité dont témoigne le Mallarmé lycéen qui nous a laissé deux mille vers, ou les charmantes piécettes réunies dans les *Vers de Circonstance*, et qu'on sait que le poète aurait pu multiplier à l'infini, tout prouve que Mallarmé aurait pu produire beaucoup davantage. S'il ne l'a pas fait, c'est simplement que son ambition était ailleurs, dans une poésie d'une telle qualité qu'elle en devenait quasiment inaccessible. Sur les causes de sa stérilité relative, comme sur les refus que son exigence oppose à l'inspiration spontanée, Mallarmé est évidemment parfaitement au clair. Confrontant son sort à celui de l'ouvrier manuel, par exemple, pour qui la sécurité de l'effort est assurée à tout coup, il écrira plus tard :

« La page écrite tantôt, va s'évanouir, selon — n'envie pas, camarade — qu'en moi un patron refuse l'ouvrage, quand la clientèle n'y voit de tare » (*O.C.*, 409). D'où un drame perpétuel chez Mallarmé qui se trouve déchiré entre une vocation impérieuse et un idéal presque inaccessible. D'où aussi des plaintes, souvent reprises :

Dans le terrain avare et froid de ma cervelle

(LAS DE L'AMER REPOS)

J'ai beau tirer le câble à sonner l'Idéal,
De froids péchés s'ébat un plumage féal,
Et la voix ne me vient que par bribes et creuse!

(LE SONNEUR)

Le poëte impuissant qui maudit son génie
A travers un désert stérile de Douleurs.

(L'AZUR)

Sur le vide papier que la blancheur défend

(BRISE MARINE)

La solitude bleue et stérile a frémi...

(DON DU POÈME)

Si l'impuissance est devenue une sorte de chapitre obligé de la critique mallarméenne, il faut bien avouer que le poète est le premier a y avoir prêté la main.

Ce thème de l'impuissance va souvent de pair avec celui des saisons, à qui Mallarmé assigne d'ailleurs un ordre antitraditionnel et tout intellectuel. La « belle » saison, pour lui, ce n'est ni la saison des fleurs nouvelles, ni l'épanouissement splendide de l'été, mais la saison qui lui paraît la plus favorable aux travaux de l'esprit et aux jeux de l'inspiration : « L'hiver, saison de l'art serein, l'hiver lucide. » Vue d'ailleurs assez théorique, semble-t-il : dans ces années 1860-1870, les hivers seront presque toujours, pour le poète, des saisons de prostration, tandis que l'été et les vacances provoquent en général une heureuse résurgence de son tonus vital. Néanmoins le printemps lui paraît « maladif », et il écrira bientôt un poème intitulé : *Tristesse d'Eté*, qu'il réunira, dans un manuscrit, à *Renouveau* sous ce titre significatif : *Soleils mauvais*. Toute cette imagerie se fonde peut-être sur une inaptitude véritable de Mallarmé à supporter le printemps qui lui apporte en effet souvent maux de tête et troubles divers. Mais, avoue-t-il à Cazalis : « Moi, — si ma santé ne touchait pas au Rêve (et c'est là son malheur), je n'en parlerais jamais » (*Corr.*, 294). Cette position est motivée d'ailleurs bien davantage par cette idée, fondamentale chez lui — comme elle le sera plus tard chez Valéry — qu'il existe une opposition radicale entre la Conscience et la Vie. Le penseur se trouve ainsi dans l'obligation de récuser la Vie et les formes de renouvellement qu'elle peut revêtir, printemps ou aurore, pour s'en tenir à la pensée absolue, celle dont la pureté ne peut être symbolisée que par l'hiver, ou les glaciers. S'abandonner à la Vie, c'est céder au plaisir de l'éparpillement, à l'oubli des diversions, aux jeux du hasard. Plus tard, Mallarmé cherchera à dépasser cette contradiction essentielle, mais dans ses commencements nous le voyons traiter tout ce qui touche à la vie de l'esprit en farouche janséniste. La nudité du Rêve, de l'idéal entrevu exige simplement une ascèse de tous les instants, la concentration la plus extrême qu'il se puisse de toutes les forces spirituelles et leur engagement au service unique de l'œuvre à faire. Tout le reste est trahison envers la plus haute idée que l'on se fait de soi. Dès qu'on a mis une fois le pied dans ce chemin, impossible de revenir en arrière : un idéal fascinant va entraîner inexorablement Mallarmé sur des routes que personne n'avait jamais mis un tel acharnement, et une telle abnégation, à ouvrir.

Le troisième thème mallarméen révélé par *Renouveau*, c'est

le thème de l'Azur qui, deux ans plus tard, se développera dans tout un poème, en utilisant les mêmes éléments de décor et le même symbolisme. L'Azur, pour Mallarmé, représente le pur Idéal vers lequel tendent tous les efforts du poète. La coupole bleue du ciel — le ciel de Sens pour *Vere Novo*, celui de Tournon dès 1864 — emprisonne en quelque sorte le poète au centre d'une perpétuelle insulte étincelante, renforcée encore, dans le poème, par le spectacle de la nature en son plein épanouissement printanier. A vrai dire, cette interprétation n'est pas la seule possible, encore qu'elle puisse s'appuyer sur l'insolente ironie que le printemps met à « se pavaner » à travers la nature; l'on peut admettre néanmoins que les charmes spontanés du renouveau, indiqués dans les deux derniers vers, marquent l'abandon momentané du poète aux simples tentations de l'existence. Pour échapper à la prostration que procurent l'impuissance et l'ennui, il abandonnerait pour un temps le « rêve vague et beau » pour se soumettre aux puissances maladives des « soleils mauvais ».

Les Fenêtres, l'Azur • Comme les *Fleurs*, comme l'*Azur*, les *Fenêtres*, écrit pendant les sombres jours de la période londonienne, en mai 1863, forme un poème relativement long en stances de quatre alexandrins. Comme le *Sonneur*, il obéit à une composition classique en deux temps, représentant les deux termes d'une comparaison développée; les cinq premières strophes nous présentent un moribond, prisonnier d'un hôpital, se traînant de son lit à la fenêtre, où il va rêver au soleil couchant et retrouver, dans sa rêverie, un semblant de vie.

> *Las du triste hôpital, et de l'encens fétide*
> *Qui monte en la blancheur banale des rideaux*

> *Vers le grand crucifix ennuyé du mur vide,*
> *Le moribond sournois y redresse un vieux dos,*
>
> *Se traîne et va, moins pour chauffer sa pourriture*
> *Que pour voir du soleil sur les pierres, coller*
> *Les poils blancs et les os de la maigre figure*
> *Aux fenêtres qu'un beau rayon clair veut hâler,*
>
> *Et la bouche, fiévreuse et d'azur bleu vorace,*
> *Telle, jeune, elle alla respirer son trésor,*
> *Une peau virginale et de jadis! encrasse*
> *D'un long baiser amer les tièdes carreaux d'or.*
>
> *Ivre, il vit, oubliant l'horreur des saintes huiles,*
> *Les tisanes, l'horloge et le lit infligé,*
> *La toux; et quand le soir saigne parmi les tuiles,*
> *Son œil, à l'horizon de lumière gorgé,*
>
> *Voit des galères d'or, belles comme des cygnes,*
> *Sur un fleuve de pourpre et de parfums dormir*
> *En berçant l'éclair fauve et riche de leurs lignes*
> *Dans un grand nonchaloir chargé de souvenir!*

La troisième strophe, à la syntaxe un peu heurtée, s'éclaire comme souvent par comparaison avec le texte primitif, ici celui du manuscrit Aubanel :

> *Et sa bouche fiévreuse et d'azur bleu vorace,*
> *Comme un luxurieux dont la lèvre s'endort*
> *En respirant la fleur d'une peau jeune, encrasse...*

L'imagerie vient en général de Baudelaire, spécialement du quatrain des *Phares* consacré à Rembrandt, ou peut-être aussi d'un poème de W. Bowles, déjà adapté en français par Sainte-

Beuve, et où se retrouvent le malade, la vitre, le rayon de soleil (cf. O. C., 1420).

Les strophes 6-10, introduites par un classique *ainsi*, placé au centre du poème, apportent l'explication de l'image : ce malade, c'est le poète incapable de supporter le triste monde où il est condamné à attendre la mort, dégoûté par ce que les hommes cherchent sous le nom de bonheur — « cette ordure » — et résolu pour sa part à « tourner l'épaule à la vie » pour trouver, au-delà des vitres, l'idéal de Beauté qui correspond à ses rêves profonds : « Le matin chaste de l'Infini ». On constate ici une tentative d'angélisme, reliée à l'orgueilleuse doctrine esthétique que Mallarmé avait développée dans l'*Art pour tous* et fondée sur les expériences vécues sous le ciel malade et dans l'air malsain de Londres. Au reste, Mallarmé expliquait lui-même son poème à Cazalis en le lui envoyant, avec sa lettre du 3 juin 1862 :

La sottise d'un poète moderne a été jusqu'à se désoler que « l'Action ne fût pas la sœur du Rêve ». Emmanuel est de ceux qui regrettent cela. Mon Dieu, s'il en était autrement, si le Rêve était ainsi défloré et abaissé, où donc nous sauverions-nous, nous autres malheureux que la terre dégoûte et qui n'avons que le Rêve pour refuge ? O mon Henri, abreuve-toi d'idéal. Le bonheur d'ici-bas est ignoble — il faut avoir les mains bien calleuses pour le ramasser. Dire : « Je suis heureux ! » c'est dire : « Je suis un lâche », et plus souvent : « Je suis un niais. » Car il ne faut pas voir au-dessus de ce plafond de bonheur le ciel de l'Idéal, ou fermer les yeux exprès. J'ai fait sur ces idées un petit poème : Les Fenêtres, je te l'envoie, et un autre : L'Assaut, qui est vague et frêle comme une rêverie... Adieu, mon Henri : oui, ici-bas, a une odeur de cuisine (Corr., 40-41).

Pour les « malheureux que la terre dégoûte », qui sont accablés de la hantise d'être prisonniers d'une chambre, d'une prison ou d'un hôpital, qui se sentent écrasés sous le *plafond* du bonheur vulgaire et qui savent que s'étend au-delà le monde

pur et immarcescible de l'Idéal, celui que Mallarmé évoque ici
dans l'un de ses plus parfaits alexandrins,

> *Au ciel antérieur où fleurit la Beauté,*

il n'est qu'une solution, « fuir, là-bas, fuir ». N'importe où
hors du monde », avait conseillé Baudelaire. Mais encore faut-il
avoir les forces suffisantes pour tenter la grande aventure spirituelle; « deux ailes sans plume » ne peuvent que faire présager
la fin d'Icare. Le poème se termine sur l'évocation de cet échec
possible.

> *Ainsi, pris du dégoût de l'homme à l'âme dure*
> *Vautré dans le bonheur, où ses seuls appétits*
> *Mangent, et qui s'entête à chercher cette ordure*
> *Pour l'offrir à la femme allaitant ses petits,*
>
> *Je fuis et je m'accroche à toutes les croisées*
> *D'où l'on tourne l'épaule à la vie, et, béni,*
> *Dans leur verre, lavé d'éternelles rosées,*
> *Que dore le matin chaste de l'Infini*
>
> *Je me mire et me vois ange! et je meurs, et j'aime*
> *— Que la vitre soit l'art, soit la mysticité —*
> *A renaître, portant mon rêve en diadème,*
> *Au ciel antérieur où fleurit la Beauté!*
>
> *Mais, hélas! Ici-bas est maître : sa hantise*
> *Vient m'écœurer parfois jusqu'en cet abri sûr,*
> *Et le vomissement impur de la Bêtise*
> *Me force à me boucher le nez devant l'azur.*
>
> *Est-il moyen, ô Moi qui connais l'amertume,*
> *D'enfoncer le cristal par le monstre insulté*
> *Et de m'enfuir, avec mes deux ailes sans plume*
> *— Au risque de tomber pendant l'éternité?*

On trouve dans cette pièce la plupart des « métaphores obsédantes » qui caractérisent le cycle poétique du premier *Parnasse*. D'abord l'identification de l'azur avec l'idéal, toujours désiré et jamais atteint. Ensuite le symbolisme du plafond qui se rattache à l'aveu capital de la lettre à Cazalis : « voir au-dessus de ce plafond de bonheur le ciel de l'Idéal », qui établit un passage *analogique* entre la structure du monde intérieur et la structure du monde extérieur. La fenêtre, comme le plafond, symbolise l'obstacle qu'il faut franchir pour échapper à la stupidité du bonheur commun et accéder au monde idéal. Au reste l'opposition entre le plan de la réalité et celui du rêve tendent déjà et sans cesse à se confondre dans ce poème par l'utilisation d'expression métaphoriques — *crucifix ennuyé, bouche d'azur bleu vorace, soir qui saigne parmi les tuiles,* vitre identifiée à l'art ou à la mysticité — qui sont déjà des moyens symboliques propres à renouer dans une unité esthétique les plans différents de la réalité.

Le symbole de la fenêtre, corollaire du symbole du miroir, tel qu'il se manifeste ici pour la première fois, revêt une importance particulière dans la poésie de Mallarmé où il réapparaîtra souvent (*Don du Poème, Hérodiade, Le Pitre châtié, Une dentelle s'abolit, Ses purs ongles,* ainsi que plusieurs poèmes en prose). La vitre indique d'abord la séparation entre ce qui est en haut et ce qui est en bas, mais une séparation qui, parce qu'elle est translucide, incite à passer d'un monde dans l'autre — au contraire du *plafond,* qui enferme l'homme dans sa prison. En second lieu, comme elle est en même temps miroir, la vitre est le lieu d'une métamorphose essentielle : par le truchement soit de « l'art », soit de la « mysticité », le poète pourrait mourir à sa condition d'homme commun pour revêtir une nouvelle nature, celle de l'ange, dans laquelle des forces spirituelles inouïes le trouveraient régénéré et apte à fouler de

TOURNON
Cour du lycée

SALOMÉ (Le Titien, Rome, Galerie Doria-Pamfili)
C'est cette image de Salomé-Hérodiade que Mallarmé avait sous les yeux, à
Tournon et à Besançon, quand il travaillait à son poème Hérodiade. La repro-
duction lui avait été offerte par Heredia.

MALLARMÉ, vers 1880
« *L'impression d'un bourgeois tranquille...* »

(VALÉRY.)

ANATOLE MALLARMÉ
fils du poète, mort à l'âge de huit ans

plain-pied le sol de sa patrie naturelle, le ciel de l'idéal.

Pour l'*Azur*, écrit à Tournon, en janvier 1864, nous disposons d'une longue et importante exégèse établie par le poète lui-même : une lettre à Cazalis, de janvier 1864. Cette lettre contient aussi les grandes lignes d'une esthétique fondée sur la méditation de la *Philosophie de la Composition* d'Edgar Poe, texte traduit par Baudelaire sous le titre : *Genèse d'un Poème*. On se souvient que, dans ces pages fameuses, Poe explique que son *Corbeau* aurait été entièrement fabriqué en calculant les effets à produire sur le lecteur. Il y avait déjà plusieurs années que Mallarmé était passsionnément épris de l'œuvre de Poe, mais c'est à l'époque de l'*Azur* que les leçons de l'Américain portent tous leurs fruits et que Mallarmé reprend à son compte la théorie des effets : « *L'effet produit*, sans une dissonance, sans une fioriture, même adorable, qui distrait, — voilà ce que je cherche » (*Corr.*, 103-104), déclare-t-il, entendant que la tâche du poète, à l'imitation de Poe — ou de Baudelaire, qui avait appliqué déjà cette technique — consiste à choisir et à agencer ses mots et ses couplets de telle façon qu'ils produisent une impression déterminée sur un lecteur déterminé. Il est curieux de noter que Valéry, bien avant de connaître personnellement Mallarmé, avait été également séduit par la même théorie et l'avait même exposée dans un article de 1889 (qui ne parut pas), *Sur la technique littéraire*, déclarant entre autres : « La littérature est l'art de se jouer de l'âme des autres [...] Etant donné une impression, un rêve, une pensée, il *faut* l'exprimer de telle manière, qu'on produise dans l'âme d'un auditeur le maximum d'effet — et un effet entièrement calculé par l'Artiste. » Il est vrai aussi que Valéry, à la réflexion, constatera de plus en plus que la méthode est inapplicable, et même inintelligible car enfin les réactions du lecteur sont « incalculables ». « L'effet de cette machine, écrit-il, est incertain, car rien n'est sûr en matière d'action sur les esprits. » De sorte

3

que la théorie des effets devient, chez lui, une théorie des malentendus, des malentendus « créateurs ». « Il m'importe peu de
savoir ce que l'Auteur dit. C'est mon erreur qui est Auteur »
(*Mélange*). N'empêche qu'au départ, tant pour Mallarmé que
pour Valéry, l'application de la théorie des effets constitua une
discipline poétique de premier ordre.

Mallarmé trouvait dans « la théorie poétique très neuve
qui venait tout à coup d'une lointaine Amérique » un ensemble d'idées auxquelles il devait rester fidèle toute sa vie.
C'est d'elles que prend naissance l'idéal de *poésie pure* qui allait
trouver, en France, des champions si considérables. L'idée que
la poésie est d'essence sacrée, idée déjà défendue par le jeune
Mallarmé dans l'*Art pour tous*, l'idée que la poésie a pour fin la
Beauté et qu'elle nous relie à un monde supra-terrestre baigné
dans l'immobile lumière des souvenirs ou des rêves, qu'elle est
par conséquent un privilège de l'âme et non de l'esprit — d'*anima* et non d'*animus*, transcrira Claudel — tout cela découlait
directement des écrits théoriques de Poe. Il en résultait, entre
autres conséquences, que la poésie devait rompre avec une certaine tradition romantique qui en faisait un véhicule de vérité ou
de morale, ou l'occasion d'émois personnels dans un contexte
descriptif. Elle serait brève, mais d'autant plus chargée d'efficacité. Baudelaire condamne l'anecdotique, l'éloquent, le pittoresque et le sentimental dans sa formule célèbre : « La poésie
n'a d'autre but qu'elle-même. » Ou plutôt, ce qu'elle montre
des choses d'ici-bas ne saurait avoir d'intérêt esthétique que
pour autant que s'y reflète quelque chose de l'au-delà, car le
rôle du poète est d'être essentiellement le révélateur des réalités surnaturelles. Il dispose à cet effet de toute une gamme de
procédés précis : symbole, musique, allusion, suggestion.

Telles sont les idées esthétiques dont se nourrit constamment
Mallarmé qui, rappelons-le, a voulu apprendre l'anglais « pour
mieux lire Edgar Poe », qu'il appelle aussi : « mon grand maî-

tre Edgar Poe ». A l'époque où nous sommes, il n'en a pas encore découvert toute la richesse instructive, sans doute, mais
bien des réflexions pouvaient l'aider à préciser sa recherche
personnelle. Entre autres, le refus d'un simple lyrisme de la réalité, par quoi Mallarmé, dès le départ, se distingue des poètes
de sa génération, se trouve inscrit en toutes lettres dans cette
déclaration de Poe : « L'art est la reproduction de ce que les sens
perçoivent dans la nature à travers le voile de l'âme. La simple
imitation, si exacte qu'elle soit, de ce qui existe dans la nature,
n'autorise personne à prendre le titre sacré d'artiste. » Or toute
l'ambition de Mallarmé est de mériter cette appellation, et pendant vingt-cinq ans, il rechercha les conditions d'expression les
plus propres à la lui faire mériter. C'est dans l'œuvre de Poe
qu'il puise de nouvelles forces pour se définir par rapport aux
grands modèles — Gautier, Baudelaire, Banville — dont il va
bientôt prendre congé dans les poèmes en prose de sa *Symphonie littéraire*.

L'*Azur* est composé, avec une rigueur affichée, selon les
principes exposés dans *Genèse d'un Poème*. Ce fut un travail
difficile : « Je te jure, dit la lettre à Cazalis, qu'il n'y a pas
un mot qui ne m'ait coûté plusieurs heures de recherche, et
que le premier mot, qui revêt la première idée, outre qu'il tend
lui-même à l'effet général du poème, sert encore à préparer
le dernier. » Pour sa part, Mallarmé est sûr que, dans son
poème, il a atteint l'effet cherché; en revanche, il ne sait si, à
travers une telle contention, il a réussi à préserver la Beauté :
c'est à Cazalis, et au lecteur, à en décider. Pour être certain
que les effets jouent de strophe en strophe jusqu'au vers final,
il explique à Cazalis quelles impressions il a voulu produire sur
l'âme d'autrui.

« Pour débuter d'une façon plus large, et approfondir l'en-

semble, je ne parais pas dans la première strophe. L'azur tor-
ture l'impuissant en général. »

> De l'éternel Azur la sereine ironie
> Accable, belle indolemment comme les fleurs,
> Le poëte impuissant qui maudit son génie
> A travers un désert stérile de Douleurs.

Le travail du poète s'est exercé ici surtout sur les allitérations. Audace plus inédite de cette première strophe : la césure
du second vers assise sur les deux tronçons d'un mot de quatre
syllabes. Banville suivra peu après, dans les *Exilés*, avec le vers :

> Où je filais pensivement la blanche laine...

et Rimbaud, dans sa lettre du 25 août 1870 à Izambard, s'étonne
de la trouver chez Verlaine : « J'ai lu les *Fêtes galantes* de
Paul Verlaine : c'est fort bizarre, très drôle, mais vraiment c'est
adorable. Parfois de fortes licences, ainsi :

> Et la tigresse épou|vantable d'Hyrcanie

est un vers de ce volume. »

Mallarmé continue l'inventaire de ses strophes. « Dans la
seconde, on commence à se douter, par ma fuite devant le ciel
possesseur, que je souffre de cette cruelle maladie [l'impuis-
sance]. Je prépare dans cette strophe encore, par une forfante-
rie blasphématoire, *Et quelle nuit hagarde*, l'idée étrange d'invoquer les brouillards. La prière au « cher ennui » confirme
mon impuissance. Dans la troisième strophe, je suis forcené
comme l'homme qui voit réussir son vœu acharné. »

> Fuyant, les yeux fermés, je le sens qui regarde
> Avec l'intensité d'un remords atterrant,
> Mon âme vide. Où fuir ? Et quelle nuit hagarde
> Jeter, lambeaux, jeter sur ce mépris navrant ?

> *Brouillards, montez! Versez vos cendres monotones*
> *Avec de longs haillons de brume dans les cieux*
> *Que noiera le marais livide des automnes,*
> *Et bâtissez un grand plafond silencieux!*

Remarquons la savante variation, dans la deuxième strophe, sur le verbe *fuir*, et la réduplication de *jeter*. Il faut marquer la force *atterrante* de ce ciel bleu qui transfixe l'âme du poète et l'amène à invoquer les brouillards qui construiront un *plafond* protecteur.

Attitude, au reste, toute poétique; Mallarmé n'est nullement l'homme du Nord que blesserait la sérénité de l'azur méridional. Mallarmé est comme tout le monde. En vacances à Cannes, chez Lefébure, au printemps de 1866, il écrit à sa femme : « Que cet air et ce soleil te seraient bons. Déjà, avec tant d'heures de paresse et de promenade, choyé par le bon Lefébure, il me semble que je ressuscite. Le ciel est un azur de Pâques » (*Corr.*, 204). Il est vrai qu'il préfère Londres dans le brouillard à Londres sous le soleil — « dans ses brumes, c'est une ville incomparable » — mais c'est un cas particulier. En fait, il existe pour lui des moments où il se sent en plein accord avec la nature, même éclatante, et où l'azur, comme au début de la *Symphonie littéraire*, perd à ses yeux « l'ironie de sa beauté » (*O.C.*, 261). En poésie, la lutte de Mallarmé avec l'azur se situe donc sur un plan entièrement symbolique.

Dans la version envoyée à Cazalis, l'ordre et le nombre des strophes étaient sans doute différents de l'état définitif que nous lisons, où les strophes IV et V servent de renforcement à la troisième. Le poète appelle à l'aide, pour voiler l'azur céleste, après les brouillards, le « cher Ennui », nouvelle image de l'impuissance, et la fumée des usines. L'opération réussit, le ciel est bouché — « Le Ciel est mort. »

« La quatrième [la sixième strophe de l'état actuel] commence par une exclamation grotesque d'écolier délivré : « Le ciel est mort! » Et tout de suite, muni de cette admirable certitude, j'implore la Matière. Voilà bien la joie de l'Impuissant. Las du mal qui me ronge je veux goûter au bonheur commun de la foule, et attendre la mort obscure... Je dis « je veux ». Mais l'ennemi est un spectre, le ciel mort *revient*, et je l'entends qui chante dans les cloches bleues. Il passe indolent et vainqueur, sans se salir à cette brume et me transperce simplement. A quoi je m'écrie, plein d'orgueil et ne voyant pas là un juste châtiment à ma lâcheté, que j'ai une *immense agonie*. Je veux fuir encore, mais je sens mon tort et avoue que *je suis hanté*. Il fallait toute cette poignante révélation pour motiver le cri sincère et bizarre de la fin, l' « azur »... »

> *— Le Ciel est mort. — Vers toi, j'accours! donne, ô matière,*
> *L'oubli de l'Idéal cruel et du Péché*
> *A ce martyr qui vient partager la litière*
> *Où le bétail heureux des hommes est couché,*
>
> *Car j'y veux, puisque enfin ma cervelle, vidée*
> *Comme le pot de fard gisant au pied d'un mur,*
> *N'a plus l'art d'attifer la sanglotante idée,*
> *Lugubrement bâiller vers un trépas obscur...*
>
> *En vain! l'Azur triomphe, et je l'entends qui chante*
> *Dans les cloches. Mon âme, il se fait voix pour plus*
> *Nous faire peur avec sa victoire méchante,*
> *Et du métal vivant sort en bleus angelus!*
>
> *Il roule par la brume, ancien et traverse*
> *Ta native agonie ainsi qu'un glaive sûr;*
> *Où fuir dans la révolte inutile et perverse?*
> *Je suis hanté. L'Azur! l'Azur! l'Azur! l'Azur!*

L'*Azur* présente un assez exact renversement thématique par rapport aux *Fenêtres;* ici, le poète avait proclamé sa volonté de

tourner l'épaule à la vie et de s'évader du bonheur commun;
là, il semble vouloir tourner le dos à l'Idéal, se soustraire à son
devoir de chantre du Rêve, s'abandonner au monstre Impuissance. L'Azur est pour lui le témoin ironique et le symbole de
son combat (dans le *Confiteor de l'Artiste*, de Baudelaire, on
découvre déjà l'image de ce ciel exaspérant, qui nargue la faiblesse du poète). Mais finalement, l'Azur triomphe et continue
d'accabler le pauvre « écolier », qui reste en proie à sa hantise.
Admirons ici surtout le tour de force qui consiste à transposer,
avec une volonté obstinée, un drame personnel sur un plan pu-
rement esthétique où ne subsiste du drame vécu que son idéa-
lisation la plus générale. Il y a là une façon de rompre avec les
facilités du lyrisme sentimental et personnel qui est hautement
significative. Mallarmé lui-même avait toute raison d'être fier de
lui, qui conclut ainsi son commentaire : « Tu le vois pour ceux
qui, comme Emmanuel et comme toi, cherchent dans un poème
autre chose que la musique des vers, il y a là un vrai drame. Et
ç'a été une terrible difficulté de combiner, dans une juste harmonie, l'élément dramatique hostile à l'idée de poésie pure et subjec-
tive avec la sérénité et le calme de ligne nécessaire à la beauté. »
  « Ceux qui cherchent dans un poème autre chose que la musique des vers... » C'est l'expression d'un remords, ou d'une difficulté. La musique n'est pas tout, mais elle est essentielle.
Mallarmé va bientôt en faire l'expérience et se rendre respon-
sable de quelques-uns des plus beaux poèmes « musicaux »
qui soient en notre langue.

Apparition, Soupir • Bien que n'ayant pas paru dans le
                        Parnasse, le célèbre *Apparition*
n'en appartient pas moins aux pièces de cette époque, puisque
la datation la plus probable en fait remonter la composition à
l'été 1863. La correspondance n'en fait nulle part nommément

mention, et il ne parut pour la première fois qu'en 1883, dans la revue *Lutèce*, par les soins de Verlaine à qui Mallarmé l'avait confié pour ses *Poètes maudits*. On a cru longtemps qu'il s'agissait d'une pièce offerte à Marie Gerhard, mais le professeur Mondor propose d'y voir plutôt une pièce de circonstance écrite, à la demande de Cazalis, en l'honneur de la jeune fille que ce dernier aimait, Ettie Yapp, celle que la correspondance entre les deux amis appelle une fois : « notre chère sœur ». Il est vrai que la jeune fille d'*Apparition* n'est pas sans analogie avec l'Ettie, telle que Mallarmé la voyait, à Londres, dans l'hiver de 1862 : « [...] taille grecque [...] regard bleu sombre [...] l'air d'un séraphin qui se serait fait quakeresse et se souviendrait du ciel », ou dans une débauche de blanc : « Neige, hermine, plume de cygne — toutes les blancheurs » (*Corr.*, 59, 50). Mais comme les modèles féminins vivent rarement seuls dans la tête des poètes, il est fort probable que la tendresse discrète qui s'exprime dans toute la pièce est aussi celle du poète pour sa fiancée, à laquelle il écrivait justement, en juillet 1862 : « Il me semble, quand vous tournez la rue, que je vois un fantôme de lumière et tout rayonne... » (*Corr.*, 38). N'est-ce pas ce souvenir, ce choc de la sensibilité qui s'inscrit spontanément, un an plus tard, dans *Apparition* ?

Si l'on accepte l'hypothèse d'Henri Mondor, on comprend du même coup que Mallarmé, avec sa délicatesse ordinaire, se fût refusé à rendre publique une pièce qui, en quelque sorte, ne lui appartenait pas et qui n'était que de circonstance. (Ou s'il faut penser qu'il la condamnait comme pièce essentiellement musicale ?) Le poème s'ouvre sur un concert de séraphins, sur le mode mineur et alangui, d'une extraordinaire fluidité obtenue essentiellement par l'allitération des liquides et des labiales, pour évoquer la douceur mélancolique du premier baiser :

> *La lune s'attristait. Des séraphins en pleurs*
> *Rêvant, l'archet aux doigts dans le calme des fleurs*

> *Vaporeuses, tiraient de mourantes violes*
> *De blancs sanglots glissant sur l'azur des corolles*
> *— C'était le jour béni de ton premier baiser.*

Fleurs, musique, couleurs composent un mélodieux prélude qui réunit toutes les espèces de « correspondances » que le fameux sonnet de Baudelaire recommandait de faire jouer, outre un certain naïvisme très étudié. Le décor — anges musiciens, archets, violes, fleurs — exercera une attraction prodigieuse sur toute la génération des Symbolistes, qui en fera une utilisation assez immodérée. La plupart des commentateurs conseillent d'aller chercher dans la peinture préraphaélite, chez Rossetti ou Burne-Jones, les éléments de cette imagerie. Mais en 1863, on ne connaît presque rien, en France, de l'école de Rossetti, et il est bien difficile de dire si Mallarmé en a connu quelque chose lors de son séjour à Londres. D'autres peintres auraient d'ailleurs pu tout aussi bien servir de modèles au poète. Ainsi James Mac Neil Whistler qui exposait par exemple, parmi ses premières œuvres, au Salon des Refusés de 1863 — Huysmans en fait mention — une *Fille blanche*, vêtue de blanc se détachant sur fond blanc, « portrait de medium ou de spirite ». Remarquons enfin et surtout que le seul exemple de Poe a pu suffire au jeune poète; il y a des séraphins dans le *Palais hanté* et dans *Annabel Lee*, un baiser mélancolique dans *Un Rêve dans un Rêve*, et tout une cohorte d'anges pleureurs dans le *Ver vainqueur* : « Une multitude d'anges en ailes, parée de voiles et noyée de pleurs, siège dans un théâtre, pour voir un spectacle d'espoir et de craintes, tandis que l'orchestre soupire par intervalles la musique des sphères. » Mais remarquons surtout que ces motifs angéliques sont familiers à Mallarmé dès ses premiers essais, à une époque où Hugo est encore presque son seul maître; dans le diptyque *Sa fosse est creusée*, *Sa fosse est fermée*, écrit à dix-sept ans, de même que dans la

Prière d'une Mère, qui est de la même année, on découvre déjà une assez belle collection d'anges, d'archanges, de séraphins, de lis, d'ailes, de fleurs, noyés dans la blancheur ou dans l'or :

> *Aux pieds d'Adonaï, purs reflets de sa gloire,*
> *Les Chœurs mélodieux ont jeté cet accord*
> *Dans l'azur, sous leurs doigts frémit le luth d'ivoire,*
> *L'encens vole en flots blancs dans mille tresses d'or !*

Bref, il semble qu'on puisse assez facilement ramener tout le prétendu préraphaélisme de Mallarmé à des souvenirs de catéchisme transposés dans un contexte laïc, avec un sens supérieur de la gratuité et de la musicalité. La pièce a-t-elle des sources littéraires plus directes ? Il y a une *Apparition* chez Lamartine, une autre chez Hugo, mais sans rapport avec notre poème. Le rapprochement que fait Léon Cellier avec *Rêve* de Théophile Gautier ne s'impose pas, encore qu'il soit indéniable que la mélancolie laissée par la cueillaison du rêve soit commune à l'un et l'autre écrivain.

Reprenons. La tristesse du décor initial (*s'attristait, en pleurs, mourantes, sanglots*) s'accorde avec la songerie du poète qui vient de « cueillir un Rêve », ce qui ne va jamais sans regret, le rêve, pour les rêveurs, étant toujours supérieur à la réalité. Vieux thème romantique. La Nouvelle Héloïse soupirait déjà : « On n'est heureux qu'avant d'être heureux... » L'habileté, ici, c'est que le poète trouve une sorte de plaisir masochiste à sa souffrance, dont il s'enivre « savamment ». Mais tout à coup ce sera la rencontre, l'apparition qui fait oublier les tourments :

> *Ma songerie, aimant à me martyriser,*
> *S'enivrait savamment du parfum de tristesse*
> *Que même sans regret et sans déboire laisse*
> *La cueillaison d'un Rêve au cœur qui l'a cueilli.*
> *J'errais donc, l'œil rivé sur le pavé vieilli*
> *Quand avec du soleil aux cheveux, dans la rue*
> *Et dans le soir, tu m'es en riant apparue*

> *Et j'ai cru voir la fée au chapeau de clarté*
> *Qui jadis sur mes beaux sommeils d'enfant gâté*
> *Passait, laissant toujours de ses mains mal fermées*
> *Neiger de blancs bouquets d'étoiles parfumées.*

La femme apparaît ici sous des dehors charmants, à la fois cosmique, mêlée au soleil, maternelle, mêlée aux souvenirs d'enfance, avec quelque chose d'une gravure de mode 1900 et d'une déesse Flore semant autour d'elle toutes les beautés parfumées des parterres. Même si cette dernière image vient sans doute, ainsi que l'a remarqué Thibaudet, des *Chants du Crépuscule* de Victor Hugo (« Luire à travers les doigts de tes mains mal fermées / Tous les biens de ce monde en grappes parfumées »), ce n'est qu'un détail qui n'entame en rien l'originalité essentielle de Mallarmé. Les seize alexandrins du poème représentent bien la « chaste apparition » qu'il rêvait de « sculpter religieusement », selon les ressources d'un art « limpide et impeccable » (si l'on accepte les allusions de la *Corr.*, 36). *Sculpter*, qui appartient au vocabulaire parnassien qui va devenir à la mode, ne s'applique guère à cette évocation, dont sont surtout remarquables l'évanescence lumineuse des contours et l'imprécision musicale du décor. La musique joue ici le même rôle que le temps chez Racine : elle éloigne l'objet et l'idéalise. Notre jeune poète a décidément plus d'un tour dans son sac. Il sait aussi bien évoquer les grâces polissonnes d'une Hébé de porcelaine que la prostituée horriblement naturelle selon Baudelaire. Dans *Apparition*, c'est un nouveau ton : la femme perd sa présence charnelle et apparaît dans un monde lointain et ensoleillé qui est celui de la pure féerie. Il reste que ce poème célèbre mérite sa célébrité. Immédiatement clair, d'une saisissante musicalité (presque trop recherchée : Gide trouve excessives les allitérations du vers « De/ blancs sanglots glissant... », qui en font un vers « trop exquis » et préfère, sans

allitérations, la simplicité de « C'était le jour béni de ton premier baiser »), sur un rythme habile et souple ménagé par une
utilisation extrêmement variée des césures, il n'échappe sans
doute pas à une certaine mièvrerie, mais rachetée elle-même par
l'image de la jeune fille ici proposée, dans laquelle est admirablement rendu, mieux que partout ailleurs chez Mallarmé,
mieux que dans les poèmes à Méry qui n'ont pas les mêmes
résonances, le sentiment de ce qui fait, à dix-huit ans, le mystère à la fois redoutable et attirant de la femme : sa fragilité,
sa pureté, sa transparence.

Même atmosphère vaporeuse et attendrie dans *Soupir*, brève
pièce de dix alexandrins composée à Tournon, en octobre 1864,
et qui parut, elle, dans le *Parnasse* de 1866. L'influence de
Baudelaire y est toujours sensible, et il y a longtemps que l'on
a rapproché le dernier vers de *Soupir* (« Se traîner le soleil
jaune d'un long rayon ») du vers final du *Chant d'Automne*
des *Fleurs du Mal* (« De l'arrière-saison le rayon jaune et
doux ») et du vers de Sainte-Beuve qui fut à lui seul une sorte
de manifeste pour les poètes symbolistes : « Et les jaunes rayons
que le couchant ramène. » Le charme de la pièce tient essentiellement aux correspondances que le poète établit entre un grave
visage de femme (sans doute celui de la jeune Mme Mallarmé)
et un mélancolique paysage d'automne, par des procédés qui
renouvellent avec une extrême originalité un très vieux thème
romantique.

> *Mon âme vers ton front où rêve, ô calme sœur,*
> *Un automne jonché de taches de rousseur,*
> *Et vers le ciel errant de ton œil angélique*
> *Monte, comme dans un jardin mélancolique,*
> *Fidèle, un blanc jet d'eau soupire vers l'Azur !*
> *— Vers l'Azur attendri d'Octobre pâle et pur*
> *Qui mire aux grands bassins sa langueur infinie*
> *Et laisse, sur l'eau morte où la fauve agonie*

> *Des feuilles erre au vent et creuse un froid sillon,*
> *Se traîner le soleil jaune d'un long rayon.*

Il faut ici remarquer spécialement le jeu des incessantes transpositions des participes et des adjectifs (hypallages), dont l'usage grammatical doit sans cesse être redressé par le sens logique : ce n'est pas l'automne qui est jonché de taches de rousseur, c'est le front; ce n'est pas le ciel qui erre, c'est l'œil; ce n'est pas l'agonie qui est fauve, ce sont les feuilles; c'est le jet d'eau qui est fidèle, mais c'est en même temps l'âme. Le sentiment, l'amour évoqué dans le chant est le seul qui convienne au penseur : discret et sûr, plus fraternel que passionné, à la mesure d'un octobre « pâle et pur »; l'Azur lui-même est ici « attendri » et n'a plus rien du cruel symbole qu'il figure souvent ailleurs. L'impression de calme, de mélancolie est encore accentuée par la savante architecture du poème, lequel est construit tout entier sur une seule phrase musicale, enrichie de très nombreux rappels de sonorités, douces et voilées. Cette méditation musicale a tenté en même temps (1913) les deux plus grands musiciens français de l'époque, Claude Debussy et Maurice Ravel. Mais c'est en littérature surtout que ce petit poème parfait (et qui le fut, semble-t-il, dès l'origine; avec *Apparition*, c'est une des rares pièces des *Poésies* qui n'aient jamais subi de retouches) aura des conséquences; son atmosphère angélique et comme stérilisée, avec un vocabulaire adéquat, renaîtra dans maints recueils de l'école symboliste. L'on voit aisément comment Samain, par exemple, et ceux qui lui ressemblent, procèdent de là.

Angoisse, Tristesse d'été • Ecrits en marge des *Fleurs du Mal* encore, deux sonnets, dont l'un irrégulier : *Angoisse* et *Tristesse d'été. An-*

goisse s'intitulait d'abord, au moment de sa composition, *A une Putain*, puis devint, dans le *Parnasse Contemporain* de 1866, *A celle qui est tranquille*, titre qui imite évidemment celui de Baudelaire : *A celle qui est trop gaie*. Le contraste est absolu avec l'atmosphère éthérée d'*Apparition*; la belle est devenue la « bête », les voiles se sont transformés en « linceuls », et ce n'est plus un « chapeau de clarté » qui orne la tête chère, mais des « cheveux impurs ». La fille de joie a pour fonction de sortir brutalement le poète de sa contemplation angélique ou de l'arracher à sa dévorante inquiétude, de lui faire abandonner son rêve d'absolu pour le plonger dans un oubli artificiel (« Je demande à ton lit le lourd sommeil sans songes. ») C'est l'amour vénal qui remplace ici l'absolu et se substitue à cette « matière » que le poète implore dans l'*Azur*.

> — *Le Ciel est mort.* — *Vers toi j'accours! donne, ô matière,*
> *L'oubli de l'Idéal cruel et du Péché*
> *A ce martyr qui vient partager la litière*
> *Où le bétail heureux des hommes est couché.*

Mais ce recours à l'oubli que dispense la jouissance charnelle n'est qu'une défaillance momentanée, et la « native noblesse » reprendra bientôt le dessus. Le rôle du poète est de dominer par la pensée les impuretés de la vie, non de se laisser dévorer par elles.

Le poème valut à Mallarmé des compliments très vifs de la part de ses amis Cazalis, des Essarts et Lefébure (*O.C.*, 1424), qui étaient moins gênés que nous par le baudelairisme un peu étouffant de cette évocation. Du moins peut-on être pleinement d'accord avec Paul Claudel qui voyait dans

> *Toi qui sur le néant en sais plus que les morts,*

l'un des plus beaux vers de la langue française.

L'autre sonnet se signale par un climat tout différent; les

amants ne sont plus prisonniers d'une chambre close au relent de vice, ils s'ébattent ici en plein air, sur une plage ensoleillée. Mais le symbolisme fondamental n'en reste pas moins le même. Le titre déjà indique que la saison n'est pas favorable à la conquête de la pensée, l'été comme le printemps étant des saisons mal propres à la recherche de l'absolu; on se rappellera que *Tristesse d'Eté* forme, dans certains manuscrits, un diptyque avec *Renouveau*, sous le titre général : *Soleils mauvais*. Dans la première version, la femme est endormie sur la mousse et le poète ressent le flamboiement de l'été comme une insulte qui lui fait « haïr la vie », et souhaiter de noyer son obsession dans « un sommeil de momie ». Dans *Tristesse d'Eté*, la femme est réveillée, et amoureuse, à la différence de la partenaire d'*Angoisse*, qui « sur le néant en sait plus que les morts ».

Le néant, pour Mallarmé, c'est la sérénité première, et si la fille en sait plus sur le néant que les morts, c'est-à-dire plus que nous tous, les pseudo-vivants, qui ne sommes pas suffisamment maîtres de notre pensée, c'est qu'elle est de nature pareille à la bête, qui est sans amour et sans besoins spirituels. Dès le moment où elle est amoureuse, la femme partage l'inquiétude métaphysique de l'homme et échappe au néant où l'on ne pense plus (« ... ce Néant que tu ne connais pas »). C'est donc elle, comme dans le *Lac* de Lamartine, qui prend la parole, non pour déplorer longuement la fuite du temps, mais pour déplorer l'unité perdue : « Nous ne serons jamais une seule momie... » Alors il n'est d'autre ressource pour le poète, pour se délivrer de « l'âme qui nous obsède », pour le délivrer de son tenace besoin d'idéal, que de chercher une fois de plus l'oubli dans une volupté immédiatement rafraîchissante, dans cette chevelure qui se dénoue en une « rivière tiède », ou dans les pleurs mêlés de fard formant un efficace philtre capable de donner peut-être au cœur un insensibilité bienvenue.

Notons cette nuance, entre *Angoisse* et *Tristesse d'Eté*, que dans le premier sonnet, où il n'est pas question de tendresse entre les deux partenaires, l'amant se refuse à « creuser » dans les cheveux de la femme « une triste tempête », se refuse à y semer un désordre voluptueux; les cheveux restent donc froidement serrés autour de la tête. Tandis que dans *Tristesse d'Eté*, où l'amour partagé apparaît, la chevelure se déploie, c'est un élément liquide, une «rivière tiède », dans les caresses de laquelle le poète peut trouver l'oubli. On retrouvera souvent, dans les *Poésies*, cette utilisation du thème de la chevelure, froide, métallique chez la femme qui n'a pas encore connu l'amour, déployée ou en désordre chez la femme amoureuse. Ce symbolisme est original chez Mallarmé et semble correspondre à un certain fétichisme personnel, qui doue d'un vif et beau frémissement ses nombreuses transpositions littéraires, des présentes pièces du *Parnasse* à *Hérodiade*, et d'*Hérodiade* aux sonnets à Méry Laurent. Si l'exemple de Baudelaire (*La Chevelure* dans les *Petits Poèmes en prose*, et d'autres) ont pu donner le branle à son imagination, les différences restent considérables; la « rivière tiède » de Mallarmé n'est qu'un modeste filet d'eau comparé à l'océan de souvenirs que suscite chez Baudelaire le déploiement d'une chevelure : « Tout un monde... / Vit dans tes profondeurs, forêt aromatique! » (Ce qui faisait dire à un commentateur de l'époque : « J'avoue que je n'aime pas à rencontrer tant de monde dans les cheveux d'une femme. »)

Un symbole moins limité, c'est l'image de cette femme étendue sur le sable dans le déploiement de l'été et qui concentre en elle tous les charmes et l'attirance du devenir avec lequel le poète rêve de se confondre, tout en sachant que l'exigence d'unité, qui est au fond de cette exaltation amoureuse, ne sera jamais remplie. Mais comment se résigner à n'y pas rêver et consentir à n'être qu'un esprit ?

Admirable poème, l'un des plus beaux du groupe :

TRISTESSE D'ÉTÉ

Le soleil, sur le sable, ô lutteuse endormie,
En l'or de tes cheveux chauffe un bain langoureux
Et, consumant l'encens sur ta joue ennemie,
Il mêle avec les pleurs un breuvage amoureux.

De ce blanc flamboiement l'immuable accalmie
T'a fait dire, attristée, ô mes baisers peureux
« Nous ne serons jamais une seule momie
Sous l'antique désert et les palmiers heureux! »

Mais ta chevelure est une rivière tiède,
Où noyer sans frissons l'âme qui nous obsède
Et trouver ce Néant que tu ne connais pas.

Je goûterai le fard pleuré par tes paupières,
Pour voir s'il sait donner au cœur que tu frappas
L'insensibilité de l'azur et des pierres.

Le Chinois, les Fleurs, le Pitre • Avec *Las de l'a-mer repos* (remarquons, dans le titre même, la corrélation avec le commentaire de l'*Azur* : « Las du mal qui me ronge, je veux goûter au bonheur commun... »), nous sommes à Tournon, en février 1864. La pièce débute, une fois encore, par l'affirmation d'une lassitude : le poète est fatigué de lutter perpétuellement contre lui-même, contre la sensibilité naturelle dont il jouissait spontanément dans son adolescence et qu'il a cru devoir brimer pour « creuser » sa cervelle et atteindre à une poésie pure et difficile. Cette tâche écrasante ne fut payée que d'impuissance — non nommée directement ici, mais évoquée par le *cimetière* et les trous vides, qui s'opposent à l'*Aurore* et aux *roses* de l'enfance éblouie. Une fois de plus, Mallarmé constate que son ambition idéale le conduit à une impasse réelle. Pour échapper aux reproches humiliants de ses amis et à sa propre « agonie » à la clarté de la lampe, résolu à désavouer la féroce contention intellectuelle qui ne le mène à rien qu'au silence, condamné, s'il veut survivre, à « délaisser l'Art vorace d'un pays cruel », le voici qui s'accroche à une résolution nouvelle pour lui, à un tiers parti qui consistera à se satisfaire d'exigences moins radicales. « Je veux », affirme-t-il avec une rare netteté,

> *Imiter le Chinois au cœur limpide et fin*
> *De qui l'extase pure est de peindre la fin*
> *Sur ses tasses de neige à la lune ravie*
> *D'une bizarre fleur qui parfume sa vie*
> *Transparente, la fleur qu'il a sentie, enfant,*
> *Au filigrane bleu de l'âme se greffant.*

Imiter le Chinois, c'est peindre, comme lui, des petites fleurs sur les flancs d'une tasse à thé, c'est-à-dire faire des petits riens littéraires par manière de distraction. Il n'y a pas de poésie mineure : la juste extase du Chinois lui permet de renouer avec la sensibilité spontanée de son âme d'enfant. Mallarmé ne rêve pas d'autre chose, et il donne tout de suite un exemple de son savoir-faire dans cette nouvelle manière en brossant, d'un pinceau léger, le subtil paysage extrême-oriental, immobile et blanc, qui clôt le poème :

> *Une ligne d'azur mince et pâle serait*
> *Un lac, parmi le ciel de porcelaine nue,*
> *Un clair croissant perdu par une blanche nue*
> *Trempe sa corne calme en la glace des eaux,*
> *Non loin de trois grands cils d'émeraude, roseaux.*

La pièce s'intitulait d'abord *Epilogue*. Par accident, dit Henri Mondor, parce qu'elle venait la dernière dans la série confiée

au *Parnasse contemporain*. Peut-être. Mais il n'est pas impossible aussi que, dans l'esprit de Mallarmé, elle ait représenté
réellement un *épilogue* : l'aboutissement d'une harassante révolte, la renonciation à une poésie trop quintessenciée. Traduction grossière : fini de se casser la tête contre l'Idéal!

Un mois plus tard, en mars 1864, Mallarmé continue à exercer ses pinceaux : le voici qui brosse un bouquet. Morceau gra-
tuit, les *Fleurs* ne sont là que pour se faire admirer. Mais la
pureté du trait chinois a ici disparu; il s'agit bien plutôt d'une
gouache, baroque dans les trois premiers quatrains, préraphaélite dans les trois derniers qui annoncent les fleurs coruscantes
de Gustave Moreau, ou évanescentes d'Odilon Redon. Mme Noulet n'est pas tendre pour ce feu d'artifice verbal : « Exemple
accompli de style châtié et du mauvais goût artiste qui va
bientôt s'implanter chez les successeurs, lesquels n'imiteront que
ces fausses beautés. »

L'intention du poète est parnassienne : il vise à enfermer dans
le cadre strict du quatrain le blason d'une ou de deux fleurs.
Ce propos est contraire à son génie, qui tend plutôt à l'arabesque, à la longue période surchargée d'incidentes (Cazalis vient de
lui reprocher cette tendance à propos de *Las de l'amer repos* et
c'est peut-être pour faire taire ces « reproches vieillis » que
Mallarmé s'applique ici à une syntaxe plus resserrée), et qui
l'amène à accumuler dans chaque strophe des images qui ne
sont pas toujours homogènes (il y a quelque chose d'outré, par
exemple, dans le premier quatrain, à nous montrer des « cali-
ces » sortant des « avalanches » et de la « neige ») ou qui
n'échappent pas toujours à la platitude, comme, à la troisième
strophe, l'image de la *rose* mise en rapport avec la chair de la
femme. D'autres en revanche sont des réussites complètes, spécialement celle qui évoque le rouge de la fleur consacrée aux
poètes, aux « âmes exilées », le laurier d'Apollon, rouge comme
le doigt de pied d'un ange qui aurait marché sur les teintes d'une

aurore naissante. Il rôde probablement ici le souvenir d'un tableau ou d'une statue d'église, dont la description frise le ridicule, mais qui, dans la comparaison mallarméenne, atteint, par magie poétique, à la plus saisissante justesse :

> *Vermeil comme le pur orteil du séraphin*
> *Que rougit la pudeur des aurores foulées.*

L'évocation se fait plus mièvre, malgré un très beau premier vers, dans le quatrain du lys :

> *Et tu fis la blancheur sanglotante des lys*
> *Qui roulant sur des mers de soupirs qu'elle effleure*
> *A travers l'encens bleu des horizons pâlis*
> *Monte rêveusement vers la lune qui pleure!*

Cependant Mallarmé est fort peu capable de gratuité et de technique pure, et il ne peut s'empêcher de charger son bouquet d'une valeur symbolique. Dans sa première version, le poème était d'inspiration religieuse et évoquait la naissance des fleurs sous la main du Créateur, nommé *Dieu* au vers 3, *Notre Père*, *O Père* aux vers 18 et 21. Ces notations chrétiennes s'effacent dans la seconde version au profit d'une *Notre dame* (vers 8; l'édition de la Pléiade met ici, à tort, une majuscule), d'une *Mère* (v. 21), représentant la Mère-Nature, qui introduisent dans la pièce une tonalité antique et panthéiste formant un curieux mélange avec les réminiscences chrétiennes qui subsistent de la première version (*séraphin*, *Hérodiade*, *encens*, *hosannah*). Au total, le poème est un hymne de reconnaissance à la Nature créatrice des merveilles fleuries, qui renouvellent chaque saison sous nos yeux le miracle de la création originelle, en même temps qu'elles distillent en elles les parfums ou les poisons : (« la future fiole ») qui permettent au poète d'oublier, dans le sommeil lénifiant de l'opium, les souffrances énervantes de la vie.

> O Mère, qui créas en ton sein juste et fort,
> Calices balançant la future fiole,
> De grandes fleurs avec la balsamique Mort
> Pour le poëte las que la vie étiole.

Le poème, commencé dans la jubilation créatrice se ferme donc sur une évocation morbide qui le relie directement, une fois de plus, aux *Fleurs du Mal.*

Mallarmé a-t-il le sentiment de faire fausse route en composant, à la manière du Chinois, des bouquets somptueux et inutiles ? C'est ce que semble révéler le symbolisme assez clair du *Pitre châtié*, sonnet écrit dans le même mois que les *Fleurs* (mars 1864). Le poète se présente ici sous la figure d'un pitre, ce qui, depuis Baudelaire (*Le vieux Saltimbanque*) et Poe (qui traite le poète d'*histrion littéraire* ayant pour apanage le *rouge* et le *maquillage*) n'avait rien d'original. Mallarmé s'est servi à maintes reprises du même symbole, notamment dans le *Spectacle interrompu* et dans la *Déclaration foraine*. Donc, le pitre-poète, entraîné par son amour pour une femme — très succinctement indiqué par « Yeux, lacs », — fatigué de s'étioler dans la chambre aux quinquets, qui évoque toujours l'idée des dures veilles consacrées à la conquête de la poésie cérébrale, fait le geste qui n'est que suggéré dans les *Fenêtres* : il enjambe la fenêtre et se plonge nu dans « l'onde aux blancs galets », abandonnant son habit d'histrion et ses ambitions de créateur pour mieux jouir librement de la spontanéité de son être. Transposée sur le plan de l'esthétique, cette image nous montre donc Mallarmé cédant à cette « tentation du lyrisme » (pertinemment analysée par Charles Chadwick) qui est son obsession majeure dans ces années 1863-1864, et se laissant prendre aux charmes de la poésie facile. Mais le châtiment ne va pas tarder. Au reste ce n'est pas sans mauvaise conscience que le nageur entreprend sa fugue. Il se sait « traître » à sa vocation essentielle et connaît que les lacs dans lesquels il s'ébat sont des « lacs défendus »; il joue ainsi le rôle du « mauvais Hamlet », c'est-à-dire de celui qui opte pour le *ne pas être*, creusant lui-même au sein de l'eau sa propre tombe et se livrant « vierge », avant d'avoir donné les preuves de son génie, à un véritable suicide intellectuel. Et voici la punition : l'eau « perfide » fait tomber de ses cheveux le *suif* (première version), de sa chair le *fard* (première et seconde version), lesquels faisaient, ainsi qu'il doit le reconnaître, *tout son sacre*. Il confesse par là que le poète, dépouillé de ses artifices (suif et fard) n'est plus un poète. Que la poésie spontanée et hasardeuse, sentimentale et lyrique, celle-là même qu'il condamne chez Emmanuel des Essarts, quelle que soit l'ivresse momentanée qu'elle engendre, et qui est symbolisée ici par la joie païenne que procure au poète son bain ensoleillé dans une onde délicieuse, ne saurait être la poésie véritable. Un bain de facilité n'est qu'un bain d'illusion. Il faut donc se laisser reprendre aux duretés et aux drames de sa vocation la plus profonde.

Adieu à trois maîtres • Cet examen de conscience prit la forme d'un poème en prose, *Symphonie littéraire* (*O.C.*, 261), qui était, en même temps qu'un éclatant hommage aux poètes les plus grands et les plus chers à ses yeux, une approximation destinée à éclairer ses propres positions de jeune poète.

Après avoir invoqué sa Muse personnelle, trop personnelle, hélas! la « Muse moderne de l'Impuissance », récusé ses propres entraves : « la haine de la création et le stérile amour du néant », et abandonné pour un moment les affres qui le clouent devant la page blanche, il va se faire une « âme pure-

ment passive » pour nous découvrir ses jouissances de simple
lecteur. C'est pour prolonger les charmes, l'état de grâce excep-
tionnel d'une pure matinée qu'il se plonge dans la lecture des
vers de Théophile Gautier, en qui il salue, comme Baudelaire,
« l'impeccable artiste », cherchant à comprendre par quels obscurs détours cette perfection, ces « jeux combinés » avec une
si « merveilleuse justesse » peuvent faire jaillir de ses yeux une
larme de volupté et lui permettre d'atteindre « *la plus haute
cime de sérénité* où nous ravisse la beauté ». Il y a une vertu
d'exigence, dans les vers de Gautier, qui met en branle la
sienne propre et fait vibrer tout son « être spirituel , — le trésor profond des correspondances, l'accord intime des couleurs,
le souvenir du rythme antérieur, et la science mystérieuse du
Verbe ».

Baudelaire est une lecture d'hiver, à laquelle s'associent les
paysages intérieurs et désolés qui hantent l'imagination de Mallarmé. Cette lecture lui arrache, non des larmes d'admiration
comme la lecture de Gautier, ni de « grandes larmes de tendresse » comme la lecture de Banville, mais de véritables « sanglots ». Les couchants de soleil livides s'associent dans cette lecture à « la grâce des choses fanées ». (Dans *Frisson d'hiver*, le
poète, s'adressant à sa femme, lui dit : « N'as-tu pas désiré, ma
sœur au regard de jadis, qu'en un de mes poèmes apparussent
ces mots « la grâce des choses fanées » ?) Ce sont donc surtout
— ainsi d'ailleurs que Lefébure le lui faisait remarquer — ses
propres obsessions que Mallarmé retrouve dans les *Fleurs du
Mal*, avec, en même temps, le sentiment que l'homme est un
exilé sur la terre et que la vraie patrie est ailleurs; et de reprendre à son compte l'hymne mystique qui termine *Bénédic-
tion*, évoquant les yeux bleus, les anges blancs, les hosties, les
harpes, les cymbales, les rayons purs, les trompettes, les tam-
bourins, les saintes, les palmes... Le coup d'aile de Mallarmé,
ce qu'il appelle son « ascension dans les cieux spirituels », est

d'ailleurs plus radical que celui de Baudelaire, chez qui persiste, en sourdine, le rappel de la misère et de la souffrance humaines, et chez qui l'évocation des anges glorieux s'accompagne presque toujours du souvenir des anges déchus.

Le troisième volet du triptyque est une apothéose de Banville : « Il siège sur un trône d'ivoire, couvert de la pourpre que lui seul a le droit de porter, et le front couronné des feuilles géantes du laurier de la Turbie. » S'il mérite ce suprême hommage, c'est qu'aux yeux de Mallarmé, de ce Mallarmé qui cherche cruellement sa voie dans ces mois-là entre la poésie difficile et le lyrisme spontané, Banville, le « divin Théodore de Banville » représente en quelque sorte « le poète, l'éternel et le classique poète », « la voix même de la lyre », qui ignore les côtés obscurs de l'univers, les menaces du destin, les remords de la lucidité impitoyable, et qui « marche en roi à travers l'enchantement édénéen de l'âge d'or, célébrant à jamais la noblesse des rayons et la rougeur des roses, les cygnes et les colombes, et l'éclatante blancheur du lis enfant, — la terre heureuse! » Cette façon d'éprouver la poésie de Banville est encore inspirée directement de Baudelaire. En effet Baudelaire avait insisté, comme le fait Mallarmé après lui, sur la spontanéité de Banville, « pour qui la poésie est la langue la plus facile à parler, et dont la pensée se coule d'elle-même dans un rythme », sur ses vertus classiques — « un parfait *classique* » (souligné par Baudelaire) — et sur le fait qu'au rebours des grands Romantiques, qui ont exprimé essentiellement le désespoir et la mélancolie, exprimé « la partie blasphématoire de la passion » et « projeté des rayons splendides, éblouissants, sur le Lucifer latent qui est installé dans tout cœur humain », Théodore de Banville n'exprime « que ce qui est beau, joyeux, noble, grand, rythmique ». Bref, c'est une poésie du bonheur. « La poésie de Banville représente les belles heures de la vie, c'est-à-dire les heures où l'on se sent heureux de penser et de vivre. »

Brise marine • Si le *Pitre châtié* illustre clairement le châtiment du poète qui tente, à la suite de Banville, de se réfugier dans la spontanéité, les poèmes qui suivent, en 1864-1865, marquent encore des hésitations et des retours en arrière. La « tentation du lyrisme » ne meurt pas d'un coup. Mais elle ne sera plus, sauf peut-être dans le sonnet du cygne, au centre même des futures compositions. Thème qui reste obsédant, mais qui ne sera plus abordé qu'indirectement. En attendant voici, en mai 1865, une pièce qui exploite toute une mine de thèmes baudelairiens, l'évasion, le voyage, la mer, l'exotisme, le spleen, mais avec une originalité déjà complète. C'est l'admirable *Brise marine*, l'un des plus connus parmi les poèmes de Mallarmé, l'un des plus cités, l'un des plus traduits (Stefan George, Fr. von Oppeln-Bronikowski, Arthur Symons, F. T. Marinetti, Alfonso Reyes...) :

> *La chair est triste, hélas! et j'ai lu tous les livres.*
> *Fuir! là-bas fuir! Je sens que des oiseaux sont ivres*
> *D'être parmi l'écume inconnue et les cieux!*
> *Rien, ni les vieux jardins reflétés par les yeux*
> *Ne retiendra ce cœur qui dans la mer se trempe*
> *O nuits! ni la clarté déserte de ma lampe*
> *Sur le vide papier que la blancheur défend,*
> *Et ni la jeune femme allaitant son enfant.*
> *Je partirai! Steamer balançant ta mâture*
> *Lève l'ancre pour une exotique nature!*
> *Un Ennui, désolé par les cruels espoirs,*
> *Croit encore à l'adieu suprême des mouchoirs!*
> *Et, peut-être, les mâts, invitant les orages*
> *Sont-ils de ceux qu'un vent penche sur les naufrages*
> *Perdus, sans mâts, sans mâts, ni fertiles îlots...*
> *Mais, ô mon cœur, entends le chant des matelots!*

Poème immédiatement clair, encadré de deux vers inoubliables (quoique très peu mallarméens, observe justement Mme Noulet), et commandé par cette singulière tournure d'esprit très caractéristique de Mallarmé, *l'imagination négative*, qui provoque le poète, non pas à évoquer les beautés attractives des terres d'évasion, mais à énumérer, pour exprimer la force de son désir de fuite, tout ce qui ne le retiendra pas : ni les vieux jardins, ni le travail sous la lampe, ni les joies familiales (Geneviève est née six mois auparavant). Quelques-uns ont éprouvé des difficultés à comprendre les deux vers :

> *Un Ennui, désolé par les cruels espoirs,*
> *Croit encore à l'adieu suprême des mouchoirs!*

Lefébure, par exemple. Et Robert Kemp qui suggérait, pour arranger les choses, d'écrire : *croît*; les vers signifieraient alors : l'ennui augmente encore quand on se dit adieu! Non, lisons ce que Mallarmé a écrit : l'homme atteint de spleen, dont tous les espoirs ont été déçus, *croit* encore qu'il y a une solution dans l'adieu suprême des mouchoirs, c'est-à-dire dans un départ qui lui apportera de nouvelles chances, qui renouvellera ses forces et son imagination. Vraiment difficiles, en revanche, les vers 13-15. C'est que ces alexandrins excessivement bousculés (la syntaxe oblige à lire : les mâts sont de ceux qui font naufrage sans mâts...!) évoquent, par leur désordre même, les chances d'un naufrage dans le vent et les orages des océans, sans possibilité de se raccrocher à quoi que ce soit. Sens qui était tout à fait clair dans la plus ancienne version connue :

> *Et serais-tu de ceux, steamer, dans les orages,*
> *Que le Destin charmant réserve à des naufrages,*
> *Perdus, sans mâts, ni planche, à l'abri des îlots....*

Le poète envisage donc, non sans une certaine complaisance — *Destin charmant* — la perte du bateau qui l'emporte et, mal-

gré le danger et l'absence de toute *planche* de salut, il engage
finalement son cœur à se laisser séduire par « le chant des
matelots ».

En dépit du fait que le thème ici exploité est un lieu commun
littéraire et s'inscrit dans une riche tradition d'appels à l'évasion
qui va de Vigny à Banville, de Keats à Baudelaire, de la *Nou-*
velle Héloïse à Victor Hugo — Kurt Wais a même retrouvé le
mouchoir de Mallarmé dans une pièce de Pierre Lebrun :

> *Quand la voile est au vent, quand la rade est passée,*
> *J'envie au passager, d'une envie insensée,*
> *Son départ, jusqu'aux pleurs de ce qui lui fut cher,*
> *Le long regard d'adieu qui le suit sur la mer,*
> *Les voix, les derniers mots et la main agitée*
> *Dont flotte le mouchoir du haut de la jetée...*

en dépit aussi du fait que quelques vers de *Brise marine* ont
leur répondant dans les *Fleurs du Mal*, dont la pièce, *Les Sept*
Vieillards, fournit : « Et mon âme dansait, dansait, vieille ga-
basse / Sans mâts, sur une mer monstrueuse et sans bords! »,
la pièce *Parfum exotique* : « se mêle dans mon âme au chant
des mariniers », et *Le Voyage* : « levons l'ancre », et quelques autres dans les *Contemplations*, où Gide avait déjà la surprise de retrouver : « Il ressemblait au lys que sa blancheur
défend », ce n'en sont pas moins une expérience et une exigence
personnelles qui sont à l'origine du poème de Mallarmé. Le
désir d'évasion est la chose du monde la mieux partagée, et
quand le poète envoie *Brise marine* à Mme Le Josne, cousine
de Cazalis et amie de Baudelaire, il s'exprime à son sujet avec
une parfaite simplicité; ce seizain est né, écrit-il, de « ce désir
inexpliqué qui nous prend parfois de quitter ceux qui nous sont
chers, et de *partir!* » (*Corr.*, 200). Au-delà de ce désir tout pla-
tonique, rien n'interdit d'ailleurs de voir symboliquement, dans
cette mer ici évoquée, une fois encore l'ivresse de la création

spontanée à laquelle le poète est tenté de sacrifier — « parmi l'écume inconnue et les cieux » — et les dangers de cette poésie, menacée de « naufrages perdus ». Les échecs du poète, évoqués largement dans la pièce par la « clarté déserte » de la lampe, le « vide papier » et l' « ennui désolé par les cruels espoirs », le ramènent à cette tentation de s'élancer dans l'inconnu, qui lui sera peut-être fatale, mais peut-être aussi bénéfique. On lit ici l'appel à une nouvelle vie, et à une nouvelle poésie, en même temps que la conviction que cet appel retentira vainement. Un instant prend le dessus cette sombre volonté de désastre et de perdition à laquelle parfois Mallarmé s'est laissé séduire, selon une pente où mène aussi souvent l'amour, ce désir de s'anéantir, et avec lui l'univers, dans le naufrage de tout. L'apostrophe finale réalise une intériorisation des désirs vagabonds et suggère que ses résonances retrouveront le poète attelé à la tâche absolue sous cette lampe désespérante autour de laquelle continueront de rôder les fantômes de l'impuissance.

Don du Poème, Sainte • Il n'y a plus trace de baudelairisme dans *Don du Poème*. C'est une pièce qui, pour la concentration syntaxique et le choix des images, relève de la langue que le poète est en train d'inventer en écrivant *Hérodiade*, et par laquelle il s'engage dans une voie nouvelle. Ce progrès vers la poésie difficile s'explique par le fait que Mallarmé, au moment où il travaille à cette pièce, en octobre 1865, à Tournon, s'est mis patiemment, depuis près d'un an qu'il s'est attelé à la composition ardue d'Hérodiade, à « creuser le vers », comme il dit, c'est-à-dire à en peser sévèrement tous les mots, tous les enchaînements, toutes les résonances et tous les effets. Un jour, au sortir d'une veille exténuante, il jette comme en marge de son grand poème l'espèce de dédicace que constitue *Don du Poème*. La pièce, dans ses deux plus anciennes versions, intitulées *Le Jour*, puis *Le Poème nocturne*, fut soumise d'abord à Théodore Aubanel qui, dérouté par un vocabulaire centré presque uniquement sur les sensations, se plaignit de son hermétisme; il parut ensuite, par un curieux hasard dont on n'a pas débrouillé les fils, dans une obscure revue du Massachusetts (où Auguste Viatte l'a récemment dénichée), puis, revisée, fut confiée à Verlaine pour ses *Poètes maudits*, où elle reparut en avril 1884.

La pièce débute par un de ces beaux vers isolés qui ne craint pas de se faire trop voir, et dont l'effet s'agrandit d'un riche vocable géographique :

> *Je t'apporte l'enfant d'une nuit d'Idumée!*

Cette Idumée a égaré Denis Saurat sur la piste des hommes pré-adamiques et des doctrines cabalistiques. C'est chercher loin une évidence proche. Si l'on se rappelle que Mallarmé, au moment où il écrit sa pièce, consacre ses veilles à *Hérodiade*, et que l'Idumée est la région du sud de la Palestine où s'est déroulé le drame de la décollation de Jean-Baptiste, on est amené naturellement à établir un rapport direct entre la « nuit d'Idumée » et le poème d'*Hérodiade*. Le poète, s'adressant ici à sa femme (*t'*), lui dit en substance : je t'apporte le poème (*l'enfant*) consacré à Hérodiade que j'ai fait cette nuit. Ce poème, considéré à la lueur de l'aube, éteint l'enthousiasme qui l'a engendré; l'auteur n'est pas fier :

> *Noire, à l'aile saignante et pâle, déplumée,*
> *Par le verre brûlé d'aromates et d'or,*
> *Par les carreaux glacés, hélas! mornes encor,*
> *L'aurore se jeta sur la lampe angélique.*
> *Palmes! et quand elle a montré cette relique*
> *A ce père essayant un sourire ennemi,*
> *La solitude bleue et stérile a frémi.*

L'espèce d'oiseau féroce symbolisant ici l'aube qui se jette sur la lampe fidèle (*angélique*) du poète, puis dans les carreaux de sa fenêtre, pour éclater ensuite dans un jaillissement brutal de lumière (évoqué par le seul mot : *Palmes!* — L'association : *Palmes-Idumée* est signalée d'ailleurs chez Virgile, Ronsard, Boileau) jette un éclairage cru sur la *relique* — le poème, ce qui reste de l'enfantement de la nuit — que le poète-père considère maintenant d'un regard critique, d'un « sourire ennemi » (mêmes mots, chez Valéry, pour signifier son dégoût lorsqu'il reprend, en 1912, ses *Vers anciens* : « Ce père ennemi feuilleta le très mince cahier de ses poésies complètes où il ne découvrait que de quoi se réjouir d'avoir abandonné le jeu »). Mallarmé de même constate que le médiocre résultat de ses efforts fait frémir d'horreur « la solitude bleue et stérile », c'est-à-dire la muse qui lui dicte *Hérodiade*, dont il rêve de faire le symbole d'une poésie transparente et d'une beauté diamantine. Ici encore, cette interprétation se réfère directement à une précieuse confession de Mallarmé qui, dans la lettre déjà citée à Mme Le Josne — il lui envoyait en même temps plusieurs pièces en lui expliquant leur signification générale — traduit ainsi *Don du Poème* : « La tristesse du poète devant l'enfant de sa Nuit, le poème de sa veillée illuminée, quand l'aube, méchante, le montre funèbre et sans vie : il le porte à la femme, qui le vivifiera! » (*Corr.*, 200; Mallarmé avait utilisé les mêmes mots dans une lettre à Villiers écrite cinq ou six semaines plus tôt.)

> *O la berceuse, avec ta fille et l'innocence*
> *De vos pieds froids, accueille une horrible naissance :*
> *Et ta voix rappelant viole et clavecin,*
> *Avec le doigt fané presseras-tu le sein*
> *Par qui coule en blancheur sibylline la femme*
> *Pour des lèvres que l'air du vierge azur affame ?*

Bien curieux, chez Mallarmé, dans le temps qu'il évoque les

charmes glacés et stériles d'Hérodiade, ce recours final aux
forces spontanées de la vie, à la douce puissance de l'amour
domestique pour vivifier un poème manqué! A l'« horrible naissance », qui est celle du poème, il oppose les charmes d'un enfant nouveau-né et d'une mère qui lui donne le sein (en termes
un peu alambiqués, il est vrai — « Par qui coule en blancheur
sibylline la femme » —) et dont le lait doit être aussi nourriture, et philtre, pour l'enfant mal venu du poète, toujours affamé de « vierge azur ». Admirons la synthèse de ces deux
vocables chers, par lesquels Mallarmé, une fois de plus, évoque
son ambition esthétique absolue. Le rayonnement de l'expression
fait passer à l'arrière-plan le délicieux tableautin familial dont
le spectacle a procuré au poète fatigué par de rudes veilles un
instant de consolation et d'oubli.

Au groupe des poèmes du *Parnasse contemporain*, joignons
enfin, bien qu'elle n'ait pas paru dans l'anthologie de Lemerre,
une pièce de circonstance, *Sainte*, écrite en décembre 1865 à
la demande de Mme Jean Brunet. Jean Brunet était un félibre
d'Avignon qui témoigna beaucoup d'amitié à Mallarmé. Sa
femme fut la marraine de Geneviève. Mme Brunet s'appelant
Cécile, le poème aurait dû lui parvenir pour le 22 novembre,
jour de sa fête. Avec un peu de retard, le poète l'adresse, le
5 décembre, à Aubanel, avec ces mots : « Je te charge [...]
de lire à Mme [Brunet] une *Sainte Cécile* que je lui avais pro-
mise. C'est un petit poème mélodique et fait surtout en vue de
la musique. » (Ce dernier vœu fut largement exaucé par Maurice
Ravel, Pierre de Bréville, Pierre Vellones entre autres.) La version primitive s'intitulait moins compendieusement : *Sainte
Cécile jouant sur l'aile d'un chérubin (Chanson et image anciennes)* et présentait quelques variantes par rapport au texte
définitif. Il s'agit, comme *Don du Poème*, d'un essai poétique
de transition répondant à la technique nouvelle que Mallarmé
inaugure en écrivant *Hérodiade*.

L' « image ancienne » est un diptyque : sur le premier volet que composent les deux premiers quatrains octosyllabiques à rimes croisées, la sainte apparaît avec ses attributs traditionnels, une viole et un missel, et l'évocation du poète ressuscite les couleurs d'un office de jadis, agrémenté d'un concert d'instruments anciens; sur le second volet, composé des deux derniers quatrains, elle a abandonné son livre et son instrument et, comme l'indiquait l'ancien titre, elle joue sur l'aile déployée d'un ange, formant harpe (« *Formée avec son vol du soir* »), un air qui n'a d'audience que parmi les chérubins. Pour les oreilles humaines, il est inaccessible : « Musicienne du silence. »

« Pages oubliées » •

L'influence de Baudelaire, si évidente sur tout le groupe des poèmes du *Parnasse contemporain*, devait également s'exercer sur les premiers poèmes en prose de Mallarmé, composés en 1864 et publiés entre 1864 et 1867. Il y aura ensuite un poème isolé, en 1875, *Un spectacle interrompu*, puis tout un second groupe de proses écrites et publiées entre 1885 et 1887, celles-ci naturellement libérées de toute influence.

Mallarmé commença à s'intéresser au poème en prose, et spécialement aux *Petits Poèmes en prose* de Baudelaire, dès 1861, c'est-à-dire dès le moment où il découvrit dans les revues où ils paraissaient les premiers spécimens de cet art d'une originalité si frappante. Dès la même époque, il se passionna pour Aloysius Bertrand, dont il emprunta les œuvres à Emmanuel des Essarts, avant de s'adresser directement, en 1865, à l'éditeur du poète pour lui demander en grâce un exemplaire de *Gaspard de la Nuit*. Pour ses premiers essais, ces deux auteurs semblent avoir été ses seuls modèles, et il ne paraît pas avoir étudié spécialement, de ce point de vue, ni Maurice de Guérin, ni Gérard de Nerval. On se rappelle que la tentative de Bau-

Croquis de VERLAINE
représentant MALLARMÉ

(Phot. René-Jacques.)

MALLARMÉ, par Manet

(Phot. Giraudon.)

« *Nous avons de beaux portraits de père... Le portrait de Manet, peint à l'huile, le premier de tous, alors que père ne portait que les seules moustaches. Celui de Renoir, à l'huile aussi, plus récent. Une eau-forte de Gauguin. L'admirable petite lithographie de Whistler...* »

« Mallarmé par sa fille »
(Nouvelle Revue Française, *novembre* **1926**).

MALLARMÉ. Photographie de Nadar, vers 1882

« *Des cheveux grisonnants coupés en brosse, une barbe grise, courte et pointue sous une moustache épaisse, des oreilles faunesques. Sous de forts sourcils, les yeux aux reflets d'acier avaient quelque chose de singulier à cause de leur écartement presque anormal, et une expression de bonté rêveuse, une fluorescence magnétique qui laissait interdit.* »

CAMILLE MAUCLAIR.

RENOIR (assis)
et MALLARMÉ

Photographie
prise vers 1890
par le peintre
DEGAS.

delaire se greffe d'ailleurs directement sur celle d'Aloysius Bertrand.

C'est l'originalité foncière de ces surprenantes créations poético-prosaïques qui séduisirent Mallarmé, à qui il parut que le poète du *Spleen de Paris* avait véritablement atteint au « miracle de cette « prose poétique, musicale sans rhythme et sans rime, assez souple et assez heurtée pour s'adapter aux mouvements lyriques de l'âme, aux ondulations de la rêverie, aux soubresauts de la conscience ». Le jeune disciple tentera donc à son tour de se tracer un chemin dans le domaine du poème en prose en adoptant tour à tour, du moins au début, tantôt la forme plus travaillée et plus artistique, les proportions plus classiques des réussites d'Aloysius Bertrand, tantôt le style cursif et quasi prosaïque de Baudelaire, avec les suggestions de la rue, les langueurs de la rêverie et les anecdotes personnelles ou philosophiques. La projection du réel dans ce premier groupe de proses est si patente qu'en les groupant, beaucoup plus tard, dans *Divagations*, Mallarmé les intitulera : *Anecdotes*, si même les derniers de la série, par leurs états d'âme complexes, leur allure plus concise, leur construction plus calculée, leur vocabulaire plus précieux et leur propension plus évidente que dans les premiers à la métaphore, à l'allusion et au symbole ne répondent plus exactement à cette trop simpliste qualification.

Comme la plupart des pièces en vers, les poèmes en prose de ce premier groupe subirent bien des remaniements et firent l'objet de plusieurs publications (dont on trouvera le détail dans les notes des *Œuvres complètes*). Bien que Mallarmé, dès 1867, les proclame « anciens et puérils » (*Corr.*, 262), il y puisera à maintes reprises, comprenant qu'il y a là une matière plus maniable que ses vers, les seules choses de lui qui peuvent se lire « au courant du regard », et de quoi satisfaire aux demandes de collaboration qui lui sont adressées. C'est ainsi qu'en 1867, il

4

envoie à Villiers de l'Isle-Adam, pour sa *Revue des Lettres et des Arts*, cinq pièces (*Causerie d'Hiver, Pauvre enfant pâle, L'Orgue de Barbarie, L'Orphelin, La Pipe*), sous le titre général : *Pages oubliées*. Jamais pages ne furent en fait moins oubliées que celles-là, qui reparurent, en tout ou en partie, dans *L'Art Libre* de Bruxelles en 1872, dans la *République des Lettres* en 1875, et enfin dans tous les recueils composés par Mallarmé lui-même : *Album de Vers et de Prose* (quatre pièces), *Pages* (douze pièces), *Vers et prose* (huit pièces), *Divagations* (douze pièces). Ces dernières publications englobent naturellement les poèmes appartenant au second groupe, de 1885-1887 : *Le Nénuphar Blanc, la Gloire, L'Ecclésiastique* et la *Déclaration foraine*, à quoi il convient de joindre le poème isolé de 1875 : *Un Spectacle interrompu*.

Dans les poèmes du premier groupe, beaucoup plus que dans les poèmes en vers, Mallarmé s'abandonne à une inspiration simple, presque naïve, qui se réfère souvent aux événements de son existence quotidienne. La lutte entre le Rêve et l'Idéal s'atténue dans les proses et l'exemple du *Spleen de Paris* amène Mallarmé à ne rien refuser des charmes du lyrisme intimiste. En regard des recherches savantes des vers de 1864, les pièces en prose nous apparaissent, et devaient apparaître à Mallarmé, comme une poésie de délassement. Ecrits à Tournon, dès le retour d'Angleterre, l'*Orgue de Barbarie* et la *Pipe* nous ramènent aux spectacles de Panton Square — « le rendez-vous de tous les orgues de Barbarie » (*Corr.*, 57) — et aux difficultés de la vie en commun avec Maria Gerhard.

Plainte d'automne (*L'Orgue de Barbarie*) est fait d'une rêverie sur un fantôme (Maria, la petite sœur morte), sur la solitude, sur les délices des choses décadentes, alanguies et périssables.

Depuis que Maria m'a quitté pour aller dans une autre étoile — laquelle, Orion, Altaïr, et toi, verte Vénus ? — j'ai toujours chéri

la solitude. Que de longues journées j'ai passées seul avec mon chat.
Par seul, j'entends sans un être matériel et mon chat est un com-
pagnon mystique, un esprit. Je puis donc dire que j'ai passé de lon-
gues journées seul avec mon chat et, seul, avec un des derniers
auteurs de la décadence latine; car depuis que la blanche créature
n'est plus, étrangement et singulièrement j'ai aimé tout ce qui se
résumait en ce mot : chute. Ainsi, dans l'année, ma saison favorite,
ce sont les derniers jours alanguis de l'été, qui précèdent immédia-
tement l'automne et, dans la journée, l'heure où je me promène est
quand le soleil se repose avant de s'évanouir, avec des rayons de cui-
vre jaune sur les murs gris et de cuivre rouge sur les carreaux. De
même la littérature à laquelle mon esprit demande une volupté sera
la poésie agonisante des derniers moments de Rome, tant, cependant,
qu'elle ne respire aucunement l'approche rajeunissante des Barbares
et ne bégaie point le latin enfantin des premières proses chrétiennes.

L'influence de Baudelaire est ici encore prédominante, non
seulement dans la présence du chat « séraphique », mais encore
dans la préférence accordée au sentiment de chute, aux fins de
saisons ou de journées, à la littérature de décadence — vingt
ans avant *A Rebours* — toutes choses d'ailleurs que Baudelaire
admirait déjà chez Edgar Poe. Intervient alors l'orgue de Barbarie; c'est un instrument qui fait tomber Mallarmé dans des
attendrissements faciles. « Peut-on rêver une vie plus belle,
écrit-il à Cazalis, que celle qui consiste à errer par les che-
mins, et à faire l'aumône d'un air triste ou gai à la première
fenêtre qu'on voit, sans savoir qui y mettra la tête, si c'est
un ange ou une duègne macabre, à jouer pour les pavés, pour
les moineaux, pour les arbres maladifs des squares » (*Corr.*,
58-59). Cette musique banale et pauvre, associée au souvenir
de Maria, fait naître dans l'âme du poète une mélancolie qui va
jusqu'aux larmes.

Je lisais donc un de ces chers poëmes (dont les plaques de fard
ont plus de charme sur moi que l'incarnat de la jeunesse) et plon-

geais une main dans la fourrure du pur animal, quand un orgue de Barbarie chanta languissamment et mélancoliquement sous ma fenêtre. Il jouait dans la grande allée des peupliers dont les feuilles me paraissent mornes même au printemps, depuis que Maria a passé là avec des cierges, une dernière fois. L'instrument des tristes, oui, vraiment : le piano scintille, le violon donne aux fibres déchirées la lumière, mais l'orgue de Barbarie, dans le crépuscule du souvenir, m'a fait désespérément rêver. Maintenant qu'il murmurait un air joyeusement vulgaire et qui mit la gaîté au cœur des faubourgs, un air suranné, banal : d'où vient que sa ritournelle m'allait à l'âme et me faisait pleurer comme une ballade romantique ? Je la savourai lentement et je ne lançai pas un sou par la fenêtre de peur de me déranger et de m'apercevoir que l'instrument ne chantait pas seul.

Autre poème du souvenir : *La Pipe*. La fumée du tabac y joue le rôle de la madeleine chez Proust : en elle ressuscite, par ce phénomène de mémoire involontaire sans laquelle de grands pans de notre passé resteraient à jamais enfouis dans le néant, un ensemble d'objets et de sensations qui furent une fois en rapport direct avec elle. La pipe retrouvée évoque, après un été de cigarettes françaises, Londres et l'exil anglais. Non pas les quais vagues de la Tamise ou l'âme brouillardeuse d'une immense cité, tout le pittoresque délicat que les peintres impressionnistes iront bientôt y chercher, mais la chambre close où s'écoula l'existence recluse du poète, entre le chat, la bonne aux bras rouges, le poêle, le facteur et Maria. Une atmosphère de froid, de précarité, d'indécision, de pauvreté — pauvreté admirablement suggérée par le passage des chapeaux des têtes riches aux têtes démunies; sans doute Maria Gerhard avait-elle porté ainsi un chapeau hérité — et pour finir la cruelle séparation, l'embarquement de l'aimée, et le « terrible mouchoir » de *Brise marine*. Aucune difficulté de lecture.

Hier, j'ai trouvé ma pipe en rêvant une longue soirée de travail, de beau travail d'hiver. Jetées les cigarettes avec toutes les joies enfan-

tines de l'été dans le passé qu'illuminent les feuilles bleues de soleil,
les mousselines et reprise ma grave pipe par un homme sérieux qui
veut fumer longtemps sans se déranger, afin de mieux travailler :
mais je ne m'attendais pas à la surprise que préparait cette délais-
sée, à peine eus-je tiré la première bouffée, j'oubliai mes grands
livres à faire, émerveillé, attendri, je respirai l'hiver dernier qui
revenait. Je n'avais pas touché à la fidèle amie depuis ma rentrée en
France, et tout Londres, Londres tel que je le vécus en entier à moi
seul, il y a un an, est apparu; d'abord les chers brouillards qui
emmitouflent nos cervelles et ont, là-bas, une odeur à eux, quand
ils pénètrent sous la croisée. Mon tabac sentait une chambre sombre
aux meubles de cuir saupoudrés par la poussière du charbon sur
lesquels se roulait le maigre chat noir; les grands feux! et la bonne
aux bras rouges versant les charbons, et le bruit de ces charbons
tombant du seau de tôle dans la corbeille de fer, le matin — alors
que le facteur frappait le double coup solennel, qui me faisait vivre!
J'ai revu par les fenêtres ces arbres malades du square désert — j'ai
vu le large, si souvent traversé cet hiver-là, grelottant sur le pont du
steamer mouillé de bruine et noirci de fumée — avec ma pauvre
bien-aimée errante, en habits de voyageuse, une longue robe terne
couleur de la poussière des routes, un manteau qui collait humide à
ses épaules froides, un de ces chapeaux de paille sans plume et pres-
que sans rubans, que les riches dames jettent en arrivant, tant ils
sont déchiquetés par l'air de la mer et que les pauvres bien-aimées
regarnissent pour bien des saisons encore. Autour de son cou s'en-
roulait le terrible mouchoir qu'on agite en se disant adieu pour
toujours.

Frisson d'hiver (d'abord : *Causerie d'hiver*) évoque un autre
intérieur, où la paix et le calme sont revenus, l'intérieur de
Tournon, éclairé par le charme des choses anciennes que le
jeune ménage avait rassemblées autour de lui : pendule de Saxe,
glace de Venise, bahut, vieille gravure, vieil almanach (allemand, puisque Mme Mallarmé était allemande). Ces « vieil-
leries » aiguillent la rêverie du poète vers un passé où flotte
une lumière tamisée qui retranche le poète et sa femme du

monde des vivants, ce monde auquel ils viennent de se heurter si rudement. « Les objets neufs te déplaisent » : d'où ce monde d'objets de seconde main qui ne risquent pas de froisser une sensibilité à vif, cette atmosphère d'aquarium qui fut toujours celle où vécut le frileux écrivain, pour qui « tourner l'épaule à la vie » était une sorte de nécessité physique. La première pendule du jeune couple, une pendule allemande, à poids, avait été acquise à Londres, en novembre 1862. Après cette folie, il ne restait plus au poète de quoi mettre une lettre à la poste. La lettre partit pourtant, mais plus tard, apportant sur l'objet les plus charmantes précisions : « Si tu voyais la jolie boîte en bois rouge rehaussé d'une raie jaune avec deux petites portes qui ont un clou pour serrure! Et la superbe façade en faïence! Il y a deux roses peintes. Nous l'avons solennellement accrochée au mur et, depuis ce, la chère petite jacasse, jacasse avec son balancier doré. Elle a un tic-tac amical qui dit à toute seconde : « Ecoutez bien, vous qui vous embrassez, comme je travaille laborieusement toute seule dans mon petit coin » (*Corr.*, 58). Quant à la jolie pendule de Saxe du poème (« *Cette pendule de Saxe, qui retarde et sonne treize heures parmi ses fleurs et ses dieux, à qui a-t-elle été? Pense qu'elle est venue de Saxe par les longues diligences autrefois* »), Mallarmé l'avait rapportée à Marie, d'un voyage à Paris en automne 1864 (cf. *Corr.*, 133). Apparaît en outre ici pour la première fois la comparaison de l'eau gelée et du miroir dont Mallarmé tirera, d'*Hérodiade* à *Ses purs ongles*, des effets de raccourci toujours plus saisissants. Quant à la forme du poème, le cadencement de la prose, la division en brefs couplets (qu'on retrouve aussi dans *Pauvre Enfant pâle*), et l'utilisation d'une espèce de refrain sont des procédés qui semblent venir directement de *Gaspard de la Nuit*.

Le *Phénomène futur* nous ramène à Baudelaire : monde décrépit, eaux mortes, soleils sanglants, foules hébétées, tels sont

les éléments obligés de ce décor crépusculaire. Devant sa baraque de toile, le « montreur de choses passées » fait le boni-
ment; il présente une merveille : « *J'apporte, vivante (et pré-
servée à travers les ans par la science souveraine) une Femme
d'autrefois. Quelque folie, originelle et naïve, une extase d'or,
je ne sais quoi! par elle nommé sa chevelure, se ploie avec la
grâce des étoffes autour d'un visage qu'éclaire la nudité san-
glante de ses lèvres. A la place du vêtement vain, elle a un
corps; et les yeux, semblables aux pierres rares, ne valent pas
ce regard qui sort de sa chair heureuse : des seins levés
comme s'ils étaient pleins d'un lait éternel, la pointe vers le
ciel, aux jambes lisses qui gardent le sel de la mer première.* »
Cette personne ainsi montrée aux foules est une allégorie de la
Beauté. Baudelaire faisait de la Beauté une statue de marbre
incorruptible figée dans une immobilité monumentale, une sorte
d'idole hautaine et hiératique; Mallarmé la voit sous des traits
plus humanisés, avec ses lèvres sanglantes et nues, sa chair
heureuse, ses seins dressés, ses jambes lisses. Mais la conclusion des deux poètes est identique : fascinés par le spectacle
de la Beauté, les poètes retrouveront le courage de surmonter
leur époque terne et plate pour se hisser à la hauteur des révélations entrevues, au prix d'un nouvel effort; ils « consume-
ront leurs jours en d'austères études », chez Baudelaire, tandis que, chez Mallarmé, selon une symbolique familière, ils
« s'acharneront sur leur lampe ».

Ecrite au moment où le poète commence *Hérodiade* (octobre 1864), cette pièce présente déjà de nombreux traits stylistiques (compléments introduits par *de*, tournures abstraites —
la nudité des lèvres — emploi particulier ou étymologique de
maint, nul, vain, naïf, premier) qui ne sont plus de la première
période de Mallarmé. (Il est vrai qu'elle a pu être remaniée
tardivement, peut-être à l'occasion de sa publication, en 1875,
dans la *République des Lettres*).

Dans *Pauvre Enfant pâle* (qui s'appela d'abord *Tête*, puis *Fusain*), c'est l'inspiration humanitaire de Baudelaire que Mallarmé transpose à sa manière, comme il le fait concurremment, en vers, dans *Aumône*. Un gosse mendie dans les rues, en attendant que la misère le pousse au crime. Tandis que l'orphelin vagabond de *Réminiscence*, qui rencontre aux abords d'un cirque un fils de saltimbanques, heureux d'avoir pour géniteurs « des gens drôles qui font rire », représente l'éveil de la vocation pour la vie poétique. Mallarmé associe volontiers, comme dans le *Pitre châtié*, qui est de la même époque, les idées de cirque, de tréteaux, de tentes et de saltimbanques avec celles de poésie et de poète.

Le plus fameux des poèmes de ce premier groupe est sans doute le *Démon de l'Analogie*, composé comme les autres à Tournon, en 1864, et publié seulement dix ans plus tard dans la *Revue du Monde Nouveau*, sous le titre : *La Pénultième*. Fameux, tant par les admirations qu'il suscita chez les amis du poète que par les sarcasmes dont il fut couvert dans d'autres milieux. « La Pénultième, remarque Gustave Kahn, était alors le *nec plus ultra* de l'incompréhensible, le Chimborazo de l'infranchissable et le casse-tête chinois. » Voici :

Des paroles inconnues chantèrent-elles sur vos lèvres, lambeaux maudits d'une phrase absurde ?
Je sortis de mon appartement avec la sensation propre d'une aile glissant sur les cordes d'un instrument, traînante et légère, que remplaça une voix prononçant les mots sur un ton descendant : « La Pénultième est morte », de façon que

La Pénultième

finit le vers et

Est morte

se détacha de la suspension fatidique plus inutilement en le vide de signification. Je fis des pas dans la rue et reconnus en le son nul la corde tendue de l'instrument de musique, qui était oublié et que le glorieux Souvenir certainement venait de visiter de son aile ou d'une palme et, le doigt sur l'artifice du mystère, je souris et implorai de vœux intellectuels une spéculation différente. La phrase revint, virtuelle, dégagée d'une chute antérieure de plume ou de rameau, dorénavant à travers la voix entendue, jusqu'à ce qu'enfin elle s'articula seule, vivant de sa personnalité. J'allais (ne me contentant plus d'une perception) la lisant en fin de vers, et, une fois, comme un essai, l'adaptant à mon parler; bientôt la prononçant avec un silence après « Pénultième » dans lequel je trouvais une pénible jouissance : « La Pénultième » puis la corde de l'instrument, si tendue en l'oubli sur le son nul, cassait sans doute et j'ajoutais en matière d'oraison : « Est morte. » Je ne discontinuai pas de tenter un retour à des pensées de prédilection, alléguant, pour me calmer, que, certes, pénultième est le terme du lexique qui signifie l'avant-dernière syllabe des vocables, et son apparition, le reste mal abjuré d'un labeur de linguistique par lequel quotidiennement sanglote de s'interrompre ma noble faculté poétique : la sonorité même et l'air de mensonge assumé par la hâte de la facile affirmation étaient une cause de tourment. Harcelé, je résolus de laisser les mots de triste nature errer eux-mêmes sur ma bouche, et j'allai murmurant avec l'intonation susceptible de condoléance : « La Pénultième est morte, elle est morte, bien morte, la désespérée Pénultième », croyant par là satisfaire l'inquiétude, et non sans le secret espoir de l'ensevelir en l'amplification de la psalmodie quand, effroi! — d'une magie aisément déductible et nerveuse — je sentis que j'avais, ma main réfléchie par un vitrage de boutique y faisant le geste d'une caresse qui descend sur quelque chose, la voix même (la première, qui indubitablement avait été l'unique).

Mais où s'installe l'irrécusable intervention du surnaturel, et le commencement de l'angoisse sous laquelle agonise mon esprit naguère seigneur c'est quand je vis, levant les yeux, dans la rue des antiquaires instinctivement suivie, que j'étais devant la boutique d'un luthier vendeur de vieux instruments pendus au mur, et, à terre, des palmes jaunes et les ailes enfouies en l'ombre, d'oiseaux anciens. Je m'enfuis, bizarre, personne condamnée à porter probablement le deuil de l'inexplicable Pénultième.

Au fond, la donnée est simple : il s'agit d'une hallucination linguistique, d'une obsession verbale. Il est arrivé à tout le monde d'avoir une phrase sans queue ni tête qui lui trotte par la tête, mais la différence, c'est que tout le monde n'en fait pas un poème. Il n'est pas autrement utile d'entreprendre une traduction littérale de ce texte mystérieux, encore que ce soit possible et qu'Albert Thibaudet, selon toute apparence, y soit parvenu. Remarquons plutôt combien agit directement sur la sensibilité du lecteur cette évocation d'un événement incompréhensible, duquel rayonnent des vibrations d'inquiétude et de mystère. La Pénultième morte représente une sorte de pôle auquel se fixent toutes les obscures puissances de l'âme ébranlée par quelque angoisse vague, à laquelle l'humaine raison est impuissante à trouver une signification ou une origine. En ce sens le poème, si on le considère comme une application de la théorie des effets, représente une incontestable réussite. En outre, et peut-être est-ce encore plus important, remarquons que, dans ce poème, pour la première fois un poète accepte et transcrit, en dépit de son absurdité immédiate et de son apparence rationnellement inexplicable, une suggestion de l'inconscient à l'état brut. C'est ouvrir la voie au Surréalisme. Et il n'est pas interdit de penser que les passages essentiels (la phrase qui cogne à la vitre) du premier manifeste d'André Breton prennent ici, tout directement, leur source.

Ainsi ce premier groupe de poèmes en prose, ces « pages oubliées » forment quelque chose d'à part dans la production de Mallarmé. Des textes où le poète peut se laisser aller, sans mauvaise conscience, à cette tentation du lyrisme que le genre choisi excuse et motive. Si même la grande ombre de Baudelaire s'étend encore sur beaucoup d'entre ces pièces, toutes sont originales en ce que Mallarmé y transpose des états d'âme qui sont loin d'être simplement des décalques étrangers ou des exercices de spleen. Il fut personnellement l'hôte de ces intérieurs de Londres ou de Tournon dont il évoque l'atmosphère recueillie, travailleuse, ou désolée; il fut lui-même l'amant désemparé et fou de cette « pauvre bien-aimée errante »; il agita de sa propre main le « terrible mouchoir » des séparations. Et c'est lui aussi l'orphelin démuni qui rêve de jouer sa vie aux feux des quinquets, et l'amant de la Beauté prêt à tout sacrifier au rayonnement de cette « chair heureuse ». Ce côté confession, qui n'est qu'ici chez Mallarmé, et ce style de confidence directe, toute la musique mélancolique dont il entoure ses évocations et les calmes voluptés qu'il trouve dans les effets de fins de saisons, dans la sereine contemplation de son chat ou de ses vieux meubles, ne peuvent manquer de toucher. On aimera d'un accord immédiat ce Mallarmé-ci, qui n'a pas honte de sa sensibilité profonde et qui laisse parfois se jouer dans son esprit ou dans sa prose-poésie, le souvenir et sa magie.

Prends le lyrisme et tords-lui son cou •

Si, par ses recherches techniques, le poète put avoir parfois le sentiment de progresser, de dépasser lentement le stade des balbutiements premiers, en revanche la pensée, dans tout ce groupe de poèmes, restait en quelque sorte figée, prisonnière d'une évidente opposition entre l'Idéal et le Réel. Dès le début la poésie de Mallarmé se heurte à cette antinomie insoluble. Elle postule l'existence d'un Idéal, d'un Rêve, mais lointain, mais inaccessible, et celle d'une Réalité si vaine et inutile qu'aux yeux du poète elle est comme si elle n'existait pas. Jusqu'à lui la poésie, même révoltée, avait toujours trouvé des éléments à quoi s'accrocher : sentiments, nature, idées sociales, tableaux historiques. Pour Mallarmé, autant de thèmes haïssables. Par une complexion particulière de son tempérament, renforcée par les expériences d'une vie difficile, il est de ceux que « la terre

dégoûte », qui n'ont que « le Rêve pour refuge », et pour qui
« le bonheur d'ici-bas est ignoble ». Lorsque Mallarmé blasphème de la sorte, il a vingt et un ans, il est à Londres et il
est amoureux. (Il est vrai qu'il souffre en même temps d'une
« fièvre éruptive compliquée de jaunisse ».) C'est dire que sa
vraie vie est ailleurs, si même elle n'a pas encore trouvé son
lieu et sa formule, partagée qu'elle est entre le décor étouffant
d'une Réalité qui est indigne d'attention et l'attirance d'un univers supérieur, Idéal, Rêve ou Azur, qui n'est encore qu'une
sorte d'hypothèse. De sorte que la poésie mallarméenne se
trouve à l'origine, ainsi que l'a bien montré Georges Poulet,
perdue dans une sorte de *no mans' land* désertique et stérile,
situé entre deux extrêmes violemment antithétiques, et que figure assez bien, sur la table du poète, cette page de papier
implacablement blanc et menacé de le rester. Pour écrire, il
faut une foi prochaine, une foi domestique. Le jansénisme poétique de Mallarmé situe la grâce trop haut pour qu'il soit permis d'en espérer quelque secours. Mais ce manque exaspère
l'obsession du poète et se traduit, dans beaucoup des poèmes
du *Parnasse Contemporain*, par l'image du « mendieur d'azur »,
de l'affamé d'idéal, qui revient plusieurs fois et sous plusieurs
formes, et qui se retrouve jusque dans la correspondance (« Tu
sais que la seule occupation d'un homme qui se respecte est à
mes yeux de regarder l'azur en mourant de faim. »)

Cette impossibilité de s'accrocher à quoi que ce soit (pas
même à l'amour, sentiment banal, indigne d'un poète sérieux)
sinon aux « croisées d'où l'on tourne l'épaule à la vie », laisse
le créateur désemparé, incapable de se référer à un univers dont
il a reconnu le néant, et capable seulement d'un cri obstinément répété : « L'Azur! L'Azur! L'Azur! » La grandeur première de Mallarmé, c'est d'avoir transformé en thème littéraire
cette paralysie originelle, de l'avoir dominée en la prenant
comme sujet de chant, et de l'avoir placée sous l'invocation d'une

Muse qui n'eût été, pour les poètes romantiques, qu'une idole
scandaleuse.

Muse moderne de l'Impuissance, qui m'interdis depuis longtemps
le trésor familier des Rythmes, et me condamnes (aimable supplice)
à ne faire plus que relire [...] mon ennemie, et cependant mon
enchanteresse aux breuvages perfides et aux mélancoliques ivres-
ses... (O. C., *261*).

Voici donc un poète pour qui le monde extérieur n'a pas
droit à l'existence et auquel il substitue un Idéal qui n'est sans
doute qu'une hypothèse existentielle, le second terme d'une anti-
thèse auquel il confère un substrat ontologique dans le dessein
d'échapper à l'immobilisme du Cygne. Mais le gel n'en poursuit pas moins son opération pétrifiante. Il y aura crise, il y
aura drame quand le poète découvrira que l'hypothèse ne tient
pas ses promesses — ne tient pas tout court. Il a reconnu pourtant que l'opposition entre l'Idéal et le Réel est le seul sujet
poétique possible : « Il n'est point d'autre sujet, sachez bien :
l'antagonisme de rêve chez l'homme avec les fatalités à son
existence départies par le malheur » (O.C., 3oo). Mais c'est une
pensée de 1886. Vingt ans plus tôt, quand Mallarmé publie au
Parnasse Contemporain les pièces fondées pour la plupart sur cet
antagonisme fondamental, c'est, dans sa pensée, un conflit déjà
dépassé, de même que les techniques dont il s'est servi. C'est
déjà l'album de ses « vers anciens » qu'il abandonne à Catulle
Mendès, des vers trop marqués par ses conflits personnels,
trop empreints des avatars de sa lutte pour une poésie intellectuelle, des vers qui, à l'heure où il les livre à la publication,
n'ont pour lui que « la valeur de souvenirs » (*Corr., 211*).
Dès le moment où il s'est mis à la composition d'*Hérodiade*,
où sa pensée aussi bien que son art entre dans une nouvelle
phase, il ne peut que prendre ses distances par rapport à cette
œuvre première : « Sentant que, bien qu'aucun de ces poèmes

n'ait été en réalité conçu en vue de la Beauté, mais plutôt comme autant d'intuitives révélations de mon tempérament, et de la note qu'il donnerait... » (*Corr.*, 215). Or Mallarmé, au sortir de cette période où il fut si souvent en butte à la tentation du lyrisme, vient justement de découvrir que le poème n'est rien tant qu'il n'est qu'expression du tempérament individuel, qu'il n'est rien tant qu'il ne condense pas en lui-même les secrets de la Beauté absolue, symbole et illustration du monde de l'Esprit.

IV

D'HÉRODIADE AU FAUNE

Beauté de l'ombre • « J'apporte, vivante... une Femme d'autrefois », proclame le « Montreur de choses Passées » du *Phénomène futur*. Cette femme d'autrefois, Mallarmé, depuis quelque temps, la porte dans son imagination. Elle a même fait déjà une brève apparition dans deux vers des *Fleurs* :

> *... la rose*
> *Cruelle, Hérodiade en fleur du jardin clair,*
> *Celle qu'un sang farouche et radieux arrose!*

Deux vers où s'opposent curieusement par avance les ardeurs du *Faune* et l'orgueil sanguinaire d'*Hérodiade*. C'est à la rentrée d'octobre 1864 que Mallarmé se mit à la grande composition qu'il nomme, pour simplifier, *Hérodiade*, mais dont le titre complet devait être : *Les Noces d'Hérodiade*. L'œuvre, qui occupera le poète jusqu'à sa mort, ne sera jamais achevée; nous n'en possédons que les trois fragments réunis dans l'édition de la Pléiade (*Ouverture, Scène, Cantique de saint Jean*), plus les ébauches et les notes relatives à ce grand projet et publiées pour la première fois, en 1959, par Gardner Davies, en même temps que les trois fragments connus, dans une publication aussi intégrale qu'elle peut l'être du « mystère », et qui constitue l'édition canonique d'*Hérodiade*. A l'origine, en 1864, le poète est décidé à écrire une tragédie (ou « mystère », comme il dit aussi, étant donné le sujet biblique choisi). Pourquoi une tragédie ? Sans doute parce qu'il voit là la manière la plus sûre de rompre décidément avec l'inspiration personnelle, avec le lyrisme dont il n'a pas su se détacher dans les pièces du *Parnasse*. A l'intérieur de cette tragédie, il va en outre pouvoir appliquer la nouvelle théorie esthétique que la lecture d'Edgar Poe vient de lui fournir. Projet ambitieux, mais auquel Mallarmé s'attaque avec tout son courage. Il l'annonce fièrement au fidèle Cazalis :

Pour moi, me voici résolument à l'œuvre. J'ai enfin commencé mon Hérodiade. *Avec terreur, car j'invente une langue qui doit nécessairement jaillir d'une poétique très nouvelle, que je pourrais définir en ces deux mots :* Peindre, non la chose, mais l'effet qu'elle produit.
Le vers ne doit donc pas, là, se composer de mots; mais d'intentions, et toutes les paroles s'effacer devant la sensation. Je ne sais si tu me devines, mais j'espère que tu m'approuveras quand j'aurai réussi. Car je veux — pour la première fois de ma vie — réussir. Je ne toucherais plus jamais à ma plume si j'étais terrassé (Corr., *137*, oct. 1864).

Tout l'hiver 1864-1865, Mallarmé va travailler avec acharnement à une seule scène de son drame et, à intervalles assez réguliers, avertir ses amis Cazalis, Lefébure, Aubanel, Roumanille, Mistral de l'avancement de son travail, que les cris de la petite Geneviève, née le 19 novembre, contrarient parfois : « Avec ses cris, ce méchant baby a fait s'enfuir Hérodiade, aux cheveux froids comme de l'or, aux lourdes robes, stérile. » En ces quelques mots, le poète indique ainsi le caractère essentiel de son héroïne, qui est en même temps le symbole achevé de sa poésie : la femme qui tourne l'épaule à la vie, qui ne satisfait son besoin de pureté qu'en refusant tout ce qui n'est pas elle.

L'action de cette scène de tragédie est lente et simple. La nourrice — « nourrice d'hiver », parce qu'elle a les cheveux blancs — tente trois approches auprès de la hautaine jeune fille : elle veut baiser sa main, mais Hérodiade ne saurait supporter l'attouchement d'autrui; la caresse de ses propres cheveux dénoués sur sa peau la « glace d'horreur ». La nourrice lui offre alors de parfumer ses cheveux. Nouveau refus horrifié. La chevelure d'Hérodiade n'est pas de celles dans lesquelles un être humain pourrait trouver « l'oubli des humaines douleurs »; elle est de « l'or, à jamais vierge des aromates » et doit conserver « la froideur stérile du métal ». La nourrice se contente de tenir le miroir pendant qu'Hérodiade se coiffe elle-même. D'où la fameuse invocation :

> *O miroir!*
> *Eau froide par l'ennui dans ton cadre gelée*
> *Que de fois et pendant les heures, désolée*
> *Des songes et cherchant mes souvenirs qui sont*
> *Comme des feuilles sous ta glace au trou profond,*
> *Je m'apparus en toi comme une ombre lointaine.*
> *Mais, horreur! des soirs, dans ta sévère fontaine,*
> *J'ai de mon rêve épars connu la nudité!*

Il ne s'agit ici ni de coquetterie, ni de narcissisme, mais d'un ensemble d'impressions vécues par le poète lui-même dans un combat nocturne littéralement épuisant, qui transforme réellement Mallarmé en l'ombre de Mallarmé. Le symbolisme du miroir, chez lui, n'a pas trait seulement à un vain amour de soi, comme dans le mythe du Narcisse valéryen, mais assure le passage du plan réel à un plan second, du plan des êtres au plan des fantômes. Cette expérience, le poète en constata en lui-même l'horrifiant processus; revenant plus tard sur ses nuits de travail, il dira à Cazalis, en 1867, dans une lettre célèbre : « C'est t'apprendre que je suis maintenant impersonnel, et non plus Stéphane que tu as connu... » Dans le temps même qu'il vide de tout sentiment le cœur de sa princesse, qu'il lui fait un sang si subtil qu'elle est près de mourir à elle-même, lui aussi éprouve dans sa chair et dans son sang une exinanition parallèle : « Moi, je me traîne comme un vieillard et je passe des heures à observer dans les glaces l'envahissement de la bêtise qui éteint déjà mes yeux aux cils pendants et laisse tomber mes lèvres » (*Corr.*, 142). Le miroir est donc à la fois le témoin et l'instrument de sa dépersonnalisation. L'image de l'ombre revient souvent, tant dans la *Scène* que dans l'*Ouverture ancienne*. Elle est parfaitement adaptée à l'idée d'une Beauté qui, pour être suprême, doit être aussi intacte et intouchable qu'une ombre. Mais cette pureté, qui entraîne la stérilité, est intenable, et pour finir nous verrons Hérodiade rester seule face à face avec l'inconnu de son destin humain. Car la beauté est aussi un concept vivant. C'est par une ascèse de philologue sur le mot, qui est sa matière première, que le poète réussira à incarner son sentiment du beau. Ainsi, il fait sortir de l'ombre solitaire et fugitive la Beauté éternelle qui est, et ne peut être, que Poésie.

Pendant qu'elle se coiffe, Hérodiade laisse glisser une tresse vers laquelle la nourrice tend aussitôt la main pour la remettre en place. D'où troisième refus de l'héroïne : « Arrête dans ton crime... » Pour comble d'impiété, la nourrice en vient à souhaiter que sa fille de lait accepte enfin bientôt l'époux que sa beauté mérite. Hérodiade prend aussitôt les astres à témoin de sa volonté de demeurer vierge et de n'avoir rien de commun avec la commune humanité. Elle adresse à la solitude l'hymne le plus personnel et le plus admirable :

> *Oui, c'est pour moi, pour moi, que je fleuris, déserte!*
> *Vous le savez, jardins d'améthyste, enfouis*
> *Sans fin dans de savants abîmes éblouis,*
> *Ors ignorés, gardant votre antique lumière*

Sous le sombre sommeil d'une terre première,
Vous, pierres où mes yeux comme de purs bijoux
Empruntent leur clarté mélodieuse, et vous
Métaux qui donnez à ma jeune chevelure
Une splendeur fatale et sa massive allure!

. . . .

Et ta sœur solitaire, ô ma sœur éternelle,
Mon rêve montera vers toi : telle déjà,
Rare limpidité d'un cœur qui le songea,
Je me crois seule en ma monotone patrie,
Et tout, autour de moi, vit dans l'idolâtrie
D'un miroir qui reflète en son calme dormant
Hérodiade au clair regard de diamant...
O charme dernier, oui! je le sens, je suis seule.

Solitude transparente, qui est faite de correspondances et de reflets : scintillement artificiel des pierres précieuses, des métaux, des miroirs, des astres, avec lesquels Hérodiade confond son être orgueilleusement isolé et intact. Et pour mieux marquer sa séparation radicale d'avec le monde de la lumière naturelle, elle fait allumer les flambeaux et clore les volets de la chambre. Elle s'ensevelit vivante dans une espèce de tombeau.

Ainsi, et c'est cela le secret d'Hérodiade, la Beauté, c'est la mort; la Beauté, c'est le néant. Hérodiade en est consciente, du reste, puisque, dans sa première réplique à la nourrice, elle affirme qu'un baiser la tuerait, mais que ce n'est pas possible, car, étant belle, elle est déjà morte : « Si la beauté n'était la mort... » Leçon qui ne vaut d'ailleurs que pour Mallarmé, et pour cette beauté obstinément poursuivie au cours des cruelles nuits de Tournon sous les traits de cette princesse lucide et lumineuse, entourée du halo que fait autour d'elle le droit scintillement des étoiles et des pierreries, et qui figure, pour le poète, l'allégorie hyperbolique de la beauté poétique idéale.

Le mot de la fin reste ambigu. « J'attends une chose inconnue », murmure Hérodiade, qui pressent du même coup que les « froides pierreries » de son enfance vont enfin s'éparpiller. Elle serait donc au moment d'accéder à l'âge mûr et nous aurions ici son adieu à l'être absolu qu'elle fut adolescente, dans sa volonté tendue d'intégrité et d'impassibilité. Son existence abstraite et antinaturelle ne la satisfait plus. La « demoiselle » en a assez, selon les termes d'un essai de préface, de « constituer un monstre aux amants vulgaires de la vie ». Elle en a assez d'être une ombre — et telle la *Jeune Parque*, sa future sœur, après d'étranges « excès de conscience de soi », elle rêve de s'attendrir et de s'abandonner à l'instinct vital et biologique qui rôde sourdement dans son sang. Bref, elle est prête à répondre ingénument aux appels tentateurs de l'existence. Cependant, il n'est pas interdit non plus d'interpréter au contraire cette fin comme un renforcement de l'aptitude d'Hérodiade à persévérer dans son raidissement, et certains voient dans la « chose inconnue » la préfiguration de l'œuvre future qu'il sera donné au poète d'accomplir, en récompense de ses durs sacrifices sur l'autel du pur idéalisme esthétique.

On voit donc que le drame de la virginité, qui est le thème premier, se laisse aisément transposer, et demande à l'être, sur le plan de l'intellect où il représente l'application d'une volonté absolue aux choses de l'art. De même que la virginité d'Hérodiade est menacée par la tendresse et l'amour qu'évoque la nourrice, de même la rigueur intellectuelle se trouve sans cesse en butte aux amollissements et aux lâchetés qui ne naissent que trop naturellement dans l'exercice même de la vie, en même temps qu'elle est menacée de céder à la tentation du lyrisme, qui est une des formes de l'abandon de l'exigence surhumaine de l'art. Ainsi la signification finale du drame d'Hérodiade n'est que la transposition à la scène, avec les adaptations indispensables, d'un des thèmes les plus significatifs et les plus fréquents des poèmes du *Parnasse Contemporain* : le dialogue sans cesse repris entre l'action et le rêve, entre la matière et la conscience. Mais ce qui se grave dans l'esprit du lecteur, étant donné les difficultés de déchiffrement du dialogue, c'est essentiellement l'image inoubliable du personnage central, la glorieuse figure d'Hérodiade, exaltation d'une pureté radicale dont seule la jeunesse a le secret et le courage.

Ouverture ancienne • Mallarmé, lui, à son ordinaire, n'est pas content. Au printemps de 1865, après un hiver de travail acharné sur sa *Scène*, il voit venir avec angoisse les vacances, avec l'impression de n'avoir rien fait qui vaille. C'est du moins la conviction qu'il expose à Henri Cazalis, dans une lettre de mai : « Or venir à Paris sans mon *Hérodiade*, qui ne m'apparaît plus que comme un vieux souvenir, est une grande douleur et une humiliation » (*Corr.*, 164). En cas d'échec, il avait juré de ne plus toucher une plume. Mais les serments des poètes ne valent guère mieux que ceux des ivrognes. Mallarmé, en effet, reprend bientôt sa plume de plus belle et, plantant là sa froide héroïne, se jette, par un mouvement de bascule qui satisfait les extrêmes de son tempérament, à une œuvre d'inspiration toute contraire : le *Faune*. « J'ai laissé *Hérodiade* pour les cruels hivers : cette œuvre solitaire m'avait stérilisé et, dans l'intervalle, je rime un intermède héroïque, dont le héros est un Faune » (à Cazalis, juin 1865, *Corr.*, 166). Il s'agit ici d'une première version du futur *Après-Midi d'un Faune*, qui s'intitulait alors modestement : *Monologue du Faune*, œuvre que Mallarmé conçoit et achève d'une traite dans ce même été 1865. Cette vélocité extraordinaire lui vint sans doute de l'espoir qu'il nourrissait de voir son « monologue » réellement déclamé à la Comédie-Française où le genre, qui pouvait faire valoir le talent d'un acteur particulier, était alors fort en vogue. Banville avait d'ailleurs promis sa recommandation. Elle ne suffit pas cependant, malgré la peine que s'était donnée le poète de faire des vers « absolument scéniques ». En septembre, Mallarmé vient à Paris avec un portrait de sa fille, et son monologue qu'il présente au comité de lecture du Français. « Les vers de mon *Faune* ont plu infiniment, mais de Banville et Coquelin n'y ont pas rencontré l'anecdote nécessaire que demande le public, et m'ont affirmé que cela n'intéresserait que les poètes » (*Corr.*, 174). C'est une déception, mais que Mallarmé prend bien; au fond, il devait être d'avance convaincu que son talent ne pourrait guère s'accorder aux foules du Théâtre-Français, et il abandonne donc son texte à ses tiroirs dans l'intention de le « refaire librement plus tard ». Rentré à Tournon, après le changement de domicile qui transporte son petit ménage sur le quai — « le Rhône, mon voisin... » — après avoir attendu en vain la visite de l'ami Lefébure (qui ne viendra qu'en décembre), après avoir supporté quelque temps sa belle-sœur et son « bruit étourdi dans l'appartement », Mallarmé se remet courageusement à son poème d'hiver, à *Hérodiade*.

Mais il le reprend dans une perspective totalement différente de celle de l'hiver précédent : puisque le théâtre n'est pas son fait, il garde son sujet, mais pour en faire un poème : « Je commence *Hérodiade*, non plus tragédie, mais poème [...] surtout parce que je gagne ainsi l'attitude, les vêtements, le décor et l'ameublement, sans parler du mystère » (à Théodore Aubanel, le 16 oct. 1865; *Corr.*, 173). Il signale en même temps un changement dans son horaire scolaire qui a des incidences graves sur son travail poétique : « Je vais, pour cela, accoutumer mon tempérament rebelle au travail nocturne, car les misérables qui me paient au collège ont saccagé mes belles heures, et je n'ai plus de matinées, par cela même plus de veillées, puisque je dois être levé à sept heures pour une classe. Enfin, Dieu le leur rendra dans un autre monde et me récompensera. » Malgré l'allégresse du ton, malgré le confort relatif de la nouvelle installation des Mallarmé, égayée par la chatte blanche, l'oiseau bleu et les poissons rouges, l'inspiration sera lente à venir. Le poète trompe son attente déçue en s'essayant à des compositions plus brèves, *Don du Poème*, la *Pénultième* ou *Sainte*, mais le grand poème ne vient pas. Et tout glisse peu à peu dans le désarroi. « J'ai souffert toute la semaine d'une atroce névralgie qui battait à mes tempes et tordait les nerfs de mes dents, le jour et la nuit; aux minutes de répit, je me mettais en maniaque désespéré sur une insaisissable ouverture de mon poème qui chante en moi, mais que je ne puis noter » (*Corr.*, 179-180). Pourtant, comme en commençant la *Scène*, Mallarmé devine, dans un éblouissement, l'œuvre achevée : « Ah! ce poème, je veux qu'il sorte, joyau magnifique, du sanctuaire de ma pensée; ou je mourrai sur ses débris! » Ce poème, c'est le morceau difficile intitulé *Ouverture ancienne*, que Mallarmé ne sortit jamais de ses tiroirs et qui ne vit le jour que dans l'*Hommage* de la *Nouvelle Revue Française* en 1926. Comme l'hiver précédent, le poète renseigne régulièrement ses amis sur l'avancement de son travail et les difficultés qu'il rencontre. Il l'interrompt au mois de décembre pour aller à Versailles enterrer le grand-père Desmolins. A cette occasion, ses amis littéraires lui réservent l'accueil « le plus cordial et le plus triomphant ». Un réveillon fut même organisé en son honneur, présidé par Leconte de Lisle en personne. Ce fut le rez-de-chaussée de la rue de Douai, habité à l'époque par Catulle Mendès, qui servit de cadre à la cérémonie, laquelle réunissait, outre Mendès et Leconte de Lisle, Cladel, Glatigny, Dierx, d'Hervilly, Valade, Mérat, Marc, Marras. Villiers et Cazalis manquaient, mais Mallarmé fit à cette occasion la connaissance de François Coppée et de José-Maria de Heredia, lequel apporta à l'auteur d'*Hérodiade*, en guise d'étrennes, une reproduction de la célèbre *Salomé* du Titien. Le tableau montre au centre Salomé, tête penchée, jetant — horreur ou curiosité ? — un regard oblique sur la tête de Jean-Baptiste qu'elle porte sur un plat. A ses côtés, une jeune suivante. Au fond, une fenêtre voûtée ouverte sur les nuages du ciel. Aussitôt revenu à Tournon, avec un petit héritage de meubles et de vêtements pour Marie et pour lui, Mallarmé se plonge dans sa correspondance du Nouvel-An : quarante missives aux amis fidèles et divers, parmi lesquelles celle-ci, inédite semble-t-il, à Heredia :

Samedi, 30 décembre 1865.

   Mon cher ami,

   Je détache une feuille blanche de l'effrayant volume de ma correspondance du jour de l'an, pour ne vous écrire que deux mots. J'ai rencontré des êtres charmants, et qui m'ont aimé. Comment ne pas leur donner un souvenir une fois l'an ? Mais comme mon esprit ne donne plus du tout la même note que le leur, et la donnerait-il, je ne voudrais pas m'amuser à faire des lettres qui fussent des poèmes, il ne me reste que la ressource de faire du Timothée Trimm pendant quarante fois quatre pages. Ne soyez pas étonné si, bien que nous soyons au même diapason tous les deux, mon billet garde une lointaine façon de copie.

   Je maudirais mon voyage s'il ne m'avait donné le rêve charmant de votre connaissance et de bonnes heures avec les rares êtres que j'aime sur la terre. Ma merveilleuse veine de travail est perdue, et mes compliments de bonne année ne font que m'en séparer davantage. Cependant, je crois, à la joie rythmique qui me balançait, quand je relisais ce soir vos sonnets, que je me remettrai facilement à l'œuvre, après quelques jours de rêverie rétrospective, Dieu le veuille !

   Vous m'avez demandé les nouvelles de mon arrivée ? Je commence à peine à me réchauffer; les carreaux de mon wagon étaient de glace; je n'ai pas pu fermer l'œil de la nuit, tant je grelottais.

Maintenant, du reste, je vais à merveille, mais je ne quitterais pas mon intérieur pour des monceaux de guinées. Cependant, je me propose d'aller demain jusqu'à la ville voisine, Valence, pour faire encadrer votre belle Hérodiade, *si cher souvenir qui présidera à mes nuits. Auparavant, je copierai les quelques vers que vous désirez recevoir. Adieu, pardonnez-moi la platitude de ma lettre en raison du métier que je fais depuis ce matin, et ne conservez d'elle que mes vœux pour une belle et heureuse année. Vous les partagerez avec tous ceux que j'aime, n'est-ce pas?*

Votre vieil ami,

STÉPHANE MALLARMÉ.

2, *allée du Château, à Tournon dans l'Ardèche.*

A cette lettre était jointe une photographie, qu'un mince billet commentait ainsi :

Je retrouve un ancien portrait du temps où je sombrais dans la mer du spleen; j'ai l'air, n'est-ce pas, d'un naufragé qui se résigne. Le voulez-vous? Et vous, tâchez aussi d'en retrouver un.

S. M.

Bien qu'il assure ne plus être au diapason de la plupart des amis qui viennent de le fêter à Paris (et il répète la même chose en termes presque identiques dans une lettre datée du jour suivant et adressée à Villiers), Mallarmé n'en a pas moins ressenti une douce chaleur au cœur et, en même temps qu'il reproche à Cazalis son absence, il lui avoue qu'on respire parmi « les confrères un air qu'il faut avoir respiré pour être un Poète » (*Corr.*, 189). Le voici donc plein de mordant pour reprendre son *Ouverture* : « Vous aviez raison, le spleen m'a presque déserté, et ma poésie s'est élevée sur ses débris, enrichie de ses teintes cruelles et solitaires, mais lumineuses. L'impuissance est vaincue, et mon âme se meut avec liberté » (*Corr.*,

190). Et il s'enfonce une fois de plus dans son œuvre de rêve, ayant besoin pour appâter les mots et leur harmonie de « la plus silencieuse solitude de l'âme, et d'un *oubli* inconnu, pour entendre chanter en (lui) certaines notes mystérieuses » (*Corr.*, 181). Il entre ainsi dans cette année cruciale 1866.

En creusant le vers • Année cruciale, parce que c'est dans ces premiers mois de 1866, en travaillant à l'*Ouverture* d'*Hérodiade* que Mallarmé va s'enfoncer dans une crise métaphysique extraordinaire, qui va l'amener au bord de l'anéantissement physique et moral, et dont il ne sortira que très péniblement au prix de deux années de luttes continuelles. Au début pourtant, l'inspiration semble le favoriser, mais dans la fameuse lettre de Cazalis de fin avril 1866 (ou mars, selon les notes des *O. C.*), voici le poète subitement confronté au Néant. C'est l'ouverture de la crise. Mallarmé est alors « malade d'Hérodiade, usé de veille, impuissant » (*Corr.*, 215).

L'*Ouverture ancienne* est donc un poème-clé qui porte témoignage de cette descente de Mallarmé aux enfers du Néant. S'il a pris ce chemin fatal, c'est en écrivant son *Ouverture* et en « creusant le vers », comme il dit. Littérairement, l'ébauche de l'ouvrage, comme il arrive souvent lorsqu'il est plongé dans son travail, lui donne satisfaction. Et après trois mois de labeur acharné sur *Hérodiade* — « ma lampe le sait » — il explique à Cazalis : « J'ai écrit l'ouverture musicale, presque encore à l'état d'ébauche, mais je puis dire sans présomption qu'elle sera d'un effet inouï et que la scène dramatique que tu connais n'est auprès de ces vers que ce qu'est une vulgaire image d'Epinal comparée à une toile de Léonard de Vinci... » (*Corr.*, 207). Effectivement, on constate une différence considé-

rable entre la *Scène* et *l'Ouverture*. Alors que la *Scène* est encore relativement aisée à lire et que le dialogue entre les deux
personnages s'y développe selon des oppositions logiques, l'*Ouverture* offre un premier exemple du langage mallarméen le plus
hermétique. C'est la nourrice qui monologue ici seule, proférant
une *incantation* de quatre-vingt-seize alexandrins, où le hasard est vraiment vaincu mot par mot. Chaque vocable, choisi
et pesé, chaque image éprouvée dans sa couleur et ses résonances, doit s'inscrire dans un discours où la musique reste
essentielle. Mallarmé souligne bien, sans craindre le pléonasme,
qu'il s'agit d'une ouverture *musicale*. Le mouvement est lent,
freiné par l'emploi de nombreuses incidentes, inversions, en-
jambements, prenant appui sur des mots rares et riches :

> *Abolie, et son aile affreuse dans les larmes*
> *Du bassin, aboli, qui mire les alarmes,*
> *Des ors nus fustigeant l'espace cramoisi,*
> *Une Aurore a, plumage héraldique, choisi*
> *Notre tour cinéraire et sacrificatrice,*
> *Lourde tombe qu'a fuie un bel oiseau, caprice*
> *Solitaire d'aurore au vain plumage noir...*

Que lire à travers cette surcharge de métaphores, de répé-
titions et d'allitérations à destination musicale ? Rien d'autre,
semble-t-il, qu'un nouveau portrait d'Hérodiade, figure de la
Beauté idéale. Mallarmé l'affirme clairement dans sa lettre à
Villiers de l'Isle-Adam, du 31 décembre 1865 : « J'ai le plan
de mon œuvre, et sa théorie poétique qui sera celle-ci : « donner
les impressions les plus étranges, certes, mais sans que le lecteur n'oublie pour pas une minute la jouissance que lui pro-
curera la beauté du poème. » En un mot, le sujet de mon
œuvre est la Beauté, et le sujet apparent n'est qu'un prétexte
pour aller vers Elle. C'est, je crois, le mot de la Poésie »
(*Corr.*, 193). C'est donc un portrait d'Hérodiade qu'il faut

trouver ici, non plus autoportrait comme dans la *Scène*, mais vision que peut en avoir la nourrice qui parle. Cette vision situe l'héroïne dans un décor plus circonstancié que celui du premier fragment, ce qui ramène à l'annonce du poète se réjouissant que le passage de la tragédie au poème lui permette de *gagner* « l'attitude, les vêtements, le décor, et l'ameublement, sans parler du mystère ». C'est dire que la partie descriptive tient ici une place importante, encore que les moyens mis en œuvre soient si riches et si nombreux que les effets recherchés. apparaissent, au premier abord, déconcertants. Ce qu'il y a de neuf dans ce monologue, c'est que Mallarmé y va au bout de ses ressources techniques et que leur utilisation ne vise pas à une description nue, mais à suggérer les états d'âme de l'héroïne à partir des espaces ou des objets familiers : tour, jardin, chambre, vêtements, fleurs, armes décoratives. Ces états d'âme recréent une princesse assez pareille à celle de la *Scène*, désincarnée, froide, prisonnière d'un passé obscur, plus morte que vive, pareille à l'ombre qu'elle découvre dans ses miroirs — « Ombre magicienne... » — et dont la voix brisée et impuissante, à l'image de celle du poète, ne retrouvera peut-être sa chaleur et son éclat, à l'instar du cygne littéraire, qu'à l'heure de l'agonie. (Tout le passage, vers 37 sq., est compliqué de comparaisons disparates et difficiles.) Cette beauté inhumaine ne saurait avoir un lit comme tout le monde : ses draps sont les pages blanches du livre dont les plis ne retiennent pas la poussière trop humaine des rêves. Elle promène sa solitude dans le « matin grelottant de fleurs », ou au soleil couchant, toujours blessée par les heures qui tournent en rond comme elle. A la fin (v. 92-96) se répètent les vers du début (13-16), de sorte que le portrait se trouve encadré dans cette belle détresse du cygne, qui reprend et accentue l'idée centrale du premier fragment : le refus de toute attache humaine, l'impassibilité et la stérilité érigées en vertus obligées de la Beauté. Mais à l'heure où l'héroïne est prête, comme au moment ultime de la *Scène*, à abandonner son idéal de pureté absolue,

> *Comme un cygne cachant en sa plume ses yeux,*
> *Comme les mit le vieux cygne en sa plume, allée*
> *De la plume détresse, en l'éternelle allée*
> *De ses espoirs, pour voir les diamants élus*
> *D'une étoile mourante, et qui ne brille plus...*

au moment où les étoiles de son ciel premier ne donnent plus lumière ni chaleur et qu'elle est tentée de se tourner vers l'humain, intervient un être qui va changer et accomplir son destin : Jean-Baptiste.

Cantique de saint Jean • Dans son état actuel, *Hérodiade* comporte un troisième et dernier fragment achevé : le *Cantique de saint Jean*, composé on ne sait quand. Il s'agit d'un monologue encore, mais prononcé par le saint lui-même à l'instant précis de la décollation : sept quatrains hexamétriques avec un vers de quatre pieds à la fin de chaque strophe. Cette forme, dont c'est ici la seule utilisation chez Mallarmé, conviendrait mieux à une allègre chanson (on en trouve des exemples chez Ronsard, Hugo, Gautier, Banville, Mendès, Verlaine) qu'à un thème tragique; mais Mallarmé en transforme le caractère en en faisant un poème continu, sur une phrase d'une seule coulée (ou éventuellement deux, si l'on suppose un point à la fin de la quatrième strophe; le *Qu'elle* qui suit serait alors exclamatif), en supprimant toute ponctuation et en pratiquant l'enjambement perpétuel. Pour le thème, c'est une assomption; comme Mallarmé l'a dit à Valéry : « Le *Cantique de saint Jean*, en sept strophes, est le chant de la tête coupée, volant du coup vers la lumière divine. »

A partir de son installation à Avignon (octobre 1867), il n'est plus que très rarement question d'*Hérodiade* dans la correspondance de Mallarmé. Le poème n'en resta pas moins au centre de ses préoccupations et de ses espoirs. L'édition Gardner Davies a révélé de nombreux brouillons et fragments inconnus destinés, soit à remplacer certaines parties déjà faites, soit à en inaugurer de nouvelles. Dans la *Bibliographie* des *Poésies* (1899), on trouvait ces renseignements : « *Hérodiade*, ici fragment, où seule la partie dialoguée comporte, outre le cantique de saint Jean et sa conclusion en un dernier monologue, des Prélude et Finale qui seront ultérieurement publiés, et s'arrange en poëme. » Ces indications permettent de nous faire une idée approximative du plan général d'*Hérodiade* auquel Mallarmé s'était arrêté à la fin de sa vie (voir à ce sujet la sobre introduction de Gardner Davies). Mais le « déchet » subsistant et publié est trop fragmentaire pour permettre de tirer une conclusion quelconque quant à la réalisation finale de ce vaste ensemble, qui témoigne seulement d'un rêve poursuivi à travers toute une vie. En mourant, Mallarmé abandonnait, outre le *Coup de Dés*, « *Hérodiade*, terminé s'il plaît au sort », ainsi qu'il l'écrit dans sa lettre-testament. Hélas! il ne plut pas au sort que le poète poussât jusqu'à son achèvement la mise en scène des mystérieuses noces de la Beauté et du Génie.

La *Scène*, le plus beau des fragments achevés qui nous soient parvenus, installe dans la mémoire un climat hautain, créé par les gestes et les mots d'une héroïne sublime de pureté, dans laquelle Mallarmé transpose sa volonté de désincarnation et d'antilyrisme. Il flatte, ce faisant, l'idéal de beauté du Parnasse, en même temps qu'il dépouille son art de toute contingence personnelle. D'où cette vierge excessive, aux yeux de diamant, aux cheveux d'or, à la voix de métal. Mais tout grand poète est incapable d'indifférence. « Madame Bovary, c'est moi », fut obligé de reconnaître l'impassible Flaubert. Et Mallarmé :

« *Hérodiade*, où je m'étais mis tout entier sans le savoir... »
C'était sa façon d'avouer qu'ayant surpris les secrets et pé-
nétré les mystères de la Beauté dans toute sa splendeur vierge,
il était juste qu'il payât cette espèce de viol de sa propre destruction. Il veut bien être décapité, pourvu que vive la Poésie.

Un Faune • A la splendeur glacée d'Hérodiade font pendant les ardeurs sensuelles d'un faune. Si Mal-
larmé passe ainsi d'un pôle à un autre, ce n'est nullement pour le
plaisir de jouer à établir des contrastes artificiels à l'intérieur
de sa production, mais c'est plutôt par obéissance profonde
aux deux extrêmes de son tempérament. Car s'il y a bien,
chez lui, l'homme d'intérieur, confiné dans sa chambre close
et dans un rêve coupé de la vie, il y a également un homme
de plein air, le promeneur de Valvins, l'amoureux de la
Seine, le laudateur du vierge, du vivace et du « bel aujour-
d'hui ». *Hérodiade* est l'œuvre de l'acharné rêveur, le *Faune*,
l'œuvre du poète impressionniste. Mais la composition des
deux ouvrages se fit, comme on a vu, dans le même temps,
Hérodiade représentant le travail hivernal, le *Faune*, le travail estival; c'est la composition compensatrice qui lui permet de
fuir le « cher supplice d'*Hérodiade* » (*Corr.*, 208). « Moi qui
étais presque une ombre, donne la vie » (*Corr.*, 169).

Malgré l'opinion de Mme Mallarmé, selon laquelle le *Faune*
aurait été commencé avant *Hérodiade*, c'est en juin 1865 qu'il
faut situer, d'après la *Correspondance* (cf. p. 166), la naissance du poème. Cette année-là, poussé par un démon amical et trompeur, Mallarmé travaille donc à la fois à une tragédie et à un monologue, destinés tous deux à être présentés
à la Comédie-Française. On sait ce qu'il advint de ces ambitions. Les responsables du répertoire, Banville et Coquelin,

conseillèrent au poète de retirer son œuvre, où ils ne trouvaient pas « l'anecdote nécessaire que demande le public ». Le *Monologue du Faune* va ainsi dormir tout l'hiver dans les tiroirs du poète qui, fidèle à sa stratégie de production, l'en ressortira l'été suivant pour le « refaire librement ». A la fin des vacances, cette revision, qui fut très profonde, est probablement achevée. Comptant passer un mois de vacances aux eaux d'Allevard, dans l'Isère, il confie à Cazalis, en mai 1866 : « Dans cette solitude, je finirai probablement le *Faune...* » (*Corr.*, 217). Ensuite, il semble se désintéresser de cette œuvre, qui ne resurgit qu'en 1874. A cette date, après avoir sans doute achevé la revision de l'été 1866, Mallarmé a donné à l'œuvre une forme entièrement nouvelle, et également un titre nouveau : *Improvisation d'un Faune*. Il l'envoie en juillet à Alphonse Lemerre pour la troisième série du *Parnasse Contemporain*. Par une aberration qui nous semble aujourd'hui incompréhensible, le poème de Mallarmé fut refusé par le comité de lecture de l'entreprise, composé de Banville, de Coppée et d'Anatole France. « On se moquerait de nous », opina ce dernier. Et les juges préférèrent, à des poèmes maintenant universellement admirés de Mallarmé, de Verlaine et de Charles Cros, les fades sous-produits versifiés de Popelin, de Pigeon et d'Amélie Bourotte. Un demi-siècle plus tard, la fureur de Valéry contre ces contempteurs de la vraie poésie était encore si vivace qu'en prononçant l'éloge d'Anatole France, en lui succédant à l'Académie française, il s'arrangea pour ne citer qu'une seule fois le nom de l'auteur du *Lys Rouge*.

C'est probablement pour ne pas perdre le fruit de son travail de revision, en même temps que pour répondre aux aristarques de chez Lemerre, que le poète se décida, en 1876, à publier en plaquette l'œuvre à laquelle, entre temps, il avait encore apporté de nouvelles modifications. Ainsi parut, en 1876, chez l'éditeur Derenne, l'*Après-Midi d'un Faune*, orné de fron-

VALVINS
La petite maison de campagne de Mallarmé.
En haut de l'escalier, la chambre de travail du poète

L'Éventail de Mme GRAVOLLET, 1890

Palpite,
    Aile,
        mais n'arrête
Sa voix que pour brillamment
La ramener sur la tête
Et le sein
      en diamant.

(O. C., 110.)

« A mon amie Madame Gravollet.
Stéphane Mallarmé, le 1ᵉʳ janvier 1890. »

Stéphane **MALLARMÉ** debout et le peintre **GERVEX**
dans le salon de Méry **LAURENT**

Parmi les tentures, les fourrures, les frou-frous et tout un bestiaire fin de siècle, un témoin important : Manet, avec une esquisse pour L'Exécution de Maximilien.

Hommage

Le temple enseveli divulgue par la bouche
Sépulcrale d'égout bavant boue et rubis
Abominablement quelque idole Anubis
Tout le museau flambé comme un aboi farouche

Ou que le gaz récent torde la mèche louche
Essuyeuse on le sait des opprobres subis
Elle allume hagard un immortel pubis
Dont le vol selon le réverbère découche

Quel feuillage séché dans les cités sans soir
Triste pourra bénir comme elle se rasseoir
Contre le marbre simplement de Baudelaire

Au voile qui la ceint absente avec frissons
Celle son Ombre même un poison tutélaire
Toujours à respirer si nous en périssons

—

Stéphane Mallarmé

Sonnet autographe

tispices, fleurons et culs-de-lampe d'Edouard Manet. L'édition
avait été l'objet de soins tout particuliers; limitée à deux cents
exemplaires, elle ne comprenait que des papiers Hollande,
Japon et Chine; la couverture était de feutre blanc du Japon,
frappée d'or, ornée de cordonnets de soie rose de Chine et
noire, le tout constituant, ainsi que le disait le poète dans la
Bibliographie de l'édition des *Poésies* de 1899, « une des premières plaquettes coûteuses et sac à bonbons mais de rêve et
un peu orientaux... » Il fallut dix ans pour écouler ces merveilles, auxquelles pourtant Huysmans, dans *A Rebours*, allait bientôt faire une retentissante réclame. (On suivra tout le détail de
la genèse et de l'évolution du poème dans l'excellente *Histoire
d'un Faune* d'Henri Mondor, dont certains chapitres doivent
cependant être confrontés à la discussion serrée de Kurt Wais
dans ses articles de *Französische Marksteine*.)

Où l'indécis au précis se joint • Mais est-ce bien
un rêve qu'il a
eu, ou si peut-être son rêve n'a fait que prolonger le souvenir d'un
événement réel survenu avant son sommeil ? Hélas, le faune
est obligé de s'avouer que son doute est rhétorique et que la
présence de ces rameaux, au-dessus de lui, ne saurait plus s'identifier à des « sommeils touffus » mais bien aux « vrais bois
mêmes », à la simple frondaison de la forêt, de sorte que tout
indique qu'il était bien seul et qu'en effet il a rêvé. Mais les
rêves ont souvent pour origine des impressions sensorielles acci-
dentelles. Il y a eu deux nymphes dans le rêve du faune. Leur
présence pourrait-elle s'expliquer par quelque action d'objets
extérieurs ? L'une, la plus chaste, avec des yeux bleus et froids,
aurait pu être suggérée par le ruissellement d'une source. Tandis
que l'autre nymphe, « tout soupirs », aurait pu l'être par la

caresse de la brise chaude de Sicile. Mais l'explication ne vaut rien, car il n'y a ni source, ni vent dans ce bosquet où le sommeil a surpris le chèvre-pied; le seul murmure qu'on y entende est celui de sa flûte, et le seul vent celui du musicien qui souffle dans ses doubles tuyaux et envoie vers le ciel, qui l'a inspirée, l'arabesque de sa mélodie.

> *Ces nymphes, je les veux perpétuer.*
>
> > *Si clair,*
> *Leur incarnat léger, qu'il voltige dans l'air*
> *Assoupi de sommeils touffus.*
>
> > *Aimai-je un rêve ?*
> *Mon doute, amas de nuit ancienne, s'achève*
> *En maint rameau subtil, qui, demeuré les vrais*
> *Bois mêmes, prouve, hélas ! que bien seul je m'offrais*
> *Pour triomphe la faute idéale de roses —*
> *Réfléchissons...*
>
> > *ou si les femmes dont tu gloses*
> *Figurent un souhait de tes sens fabuleux !*
> *Faune, l'illusion s'échappe des yeux bleus*
> *Et froids, comme une source en pleurs, de la plus chaste :*
> *Mais, l'autre tout soupirs, dis-tu qu'elle contraste*
> *Comme brise du jour chaude dans ta toison ?*
> *Que non ! par l'immobile et lasse pâmoison*
> *Suffoquant de chaleurs le matin frais s'il lutte,*
> *Ne murmure point d'eau que ne verse ma flûte*
> *Au bosquet arrosé d'accords; et le seul vent*
> *Hors des deux tuyaux prompt à s'exhaler avant*
> *Qu'il disperse le son dans une pluie aride,*
> *C'est, à l'horizon pas remué d'une ride,*
> *Le visible et serein souffle artificiel*
> *De l'inspiration, qui regagne le ciel.*

Comme dans une méditation romantique, le faune s'adresse

alors directement au décor qui l'entoure — les bords d'un
étang brûlé du soleil et muet sous l'étincellement de la lumière
(« Tacite sous les fleurs d'étincelles ») — et lui demande de
raconter son rêve, lequel est représenté par le passage entre guillemets : le faune était en train de couper des roseaux pour en
faire une flûte (désignée ici par une périphrase digne de Delille
ou de J.-B. Rousseau : « les creux roseaux domptés par le
talent »), quand il crut apercevoir dans la verdure des vignes
lointaines, une « blancheur animale au repos ». Aux premiers
sons de ses pipeaux, voilà ces formes qui se dispersent dans
la nature, ou plongent dans l'étang. Le faune croit d'abord à
un vol de cygnes. Non ! c'est un groupe de naïades...

> *O bords siciliens d'un calme marécage*
> *Qu'à l'envi des soleils ma vanité saccage,*
> *Tacite sous les fleurs d'étincelles, CONTEZ*
> « Que je coupais ici les creux roseaux domptés
> Par le talent ; quand, sur l'or glauque de lointaines
> Verdures dédiant leur vigne à des fontaines,
> Ondoie une blancheur animale au repos :
> Et qu'au prélude lent où naissent les pipeaux,
> Ce vol de cygnes, non ! de naïades se sauve
> Ou plonge... »

Le récit s'interrompt. Dans l'immobile et brûlant après-midi,
plus rien ne subsiste des rêves enfantés par le désir du faune.
Celui-ci, pareil au lis des rivages, symbole de l'ingénuité, se
retrouve là berné par le songe, « droit et seul ». Pour la compréhension générale du poème, le passage est essentiel, fondé
qu'il est sur l'opposition entre l'art et la vie qui nourrit constamment la réflexion mallarméenne. Le son de la flûte, l'exercice de l'art poétique, fait s'évanouir les nymphes désirées.
« Tant d'hymen par mon art effarouché », disait la version

intermédiaire, remplacée finalement par : « Trop d'hymen souhaité de qui cherche le *la*. »

> *Inerte, tout brûle dans l'heure fauve*
> *Sans marquer par quel art ensemble détala*
> *Trop d'hymen souhaité de qui cherche le la :*
> *Alors m'éveillerais-je à la ferveur première,*
> *Droit et seul, sous un flot antique de lumière,*
> *Lys ! et l'un de vous tous pour l'ingénuité.*

Il ne reste au faune, maintenant debout, dressé dans l'orgueil de sa puissance insatisfaite, qu'une solution : chercher dans son art un apaisement à sa désillusion. Sa vocation de poète est attestée par cette « morsure mystérieuse » qui lui brûle le cœur, qui est morsure de la Muse, et tout autre chose que le souvenir d'un baiser de nymphette — « ce doux rien ». En faune très intellectualiste, dans ce passage, il explique en quoi consiste la transposition lyrique : il s'agit d'entretenir, entre le réel et le songe, des « confusions fausses », de faire passer, par la magie du chant, la beauté des choses réelles sur le plan de la beauté figurée. Tout ce que la vie lui refuse, la poésie le lui rend. Les nymphes réelles aux belles courbes, au « dos » et au « flanc pur », que le faune retrouve à l'intérieur de lui-même en fermant les yeux, il les résumera en un chant pur, en « une sonore, vaine et monotone ligne » qui en résumera l'essence, comme le temple d'Eupalinos était « l'image mathématique d'une fille de Corinthe » dont il reproduisait fidèlement « les proportions particulières ».

Mais cet art, le faune n'a pas envie de l'exercer maintenant. Il est des heures où les tentations de l'existence sont les plus fortes. Et d'un geste large, il envoie promener son instrument parmi les roseaux des rives — la nymphe Syrinx, vainement poursuivie par le dieu Pan, avait été métamorphosée par lui en la flûte qui porte son nom : syrinx, ou flûte de Pan. Dans la première version, il s'agissait d'un caillou qu'il lan-

çait « En l'éternel sommeil des jaunes nénuphars ». S'étant
ainsi débarrassé de l'instrument qu'il considère comme respon-
sable (« maligne Syrinx ») de l'évanouissement de la réalité,
et qui redeviendra roseau parmi les roseaux, il va pouvoir se
comporter en homme ordinaire et raconter ses bonnes fortunes,
en exagérant un peu, comme il est de règle. Bonnes fortunes de
rêve, sans doute, mais elles n'ont pas moins de saveur que les
autres. Ces raisins de songe ne sont pas trop verts pour un
faune décidé :

> *Ainsi, quand des raisins j'ai sucé la clarté,*
> *Pour bannir un regret par ma feinte écarté,*
> *Rieur, j'élève au ciel d'été la grappe vide*
> *Et, soufflant dans ses peaux lumineuses, avide*
> *D'ivresse, jusqu'au soir je regarde au travers.*

Sur cette image admirée, et admirable, — encore qu'il ne
soit pas tellement facile de regonfler des peaux de raisin en
soufflant dedans — le chèvre-pied, privé de sa flûte, prend la
parole (« rumeur » = voix) pour dévider tout au long ses aventures érotiques. Le romain utilisé dans le morceau qui suit indique de nouveau le passage au récit, lequel est interrompu par
sept vers en italique (75-81) représentant une réflexion incidente
du faune. Reprenant le récit commencé dans le premier groupe
de vers en romain, relatant la fuite des nymphes effarouchées
par le murmure imprévu de la flûte de Pan, le faune raconte
ce qui est advenu ensuite, en termes des plus clairs. Intéressé
par le plongeon des déesses qui, fâchées d'être surprises et brû-
lées par le regard du faune, ont disparu dans l'eau, il s'est
approché et a découvert deux vierges enlacées, aimablement en-
tremêlées l'une à l'autre (oui, comme celles de Boucher à la
National Gallery),

> *(meurtries*
> *De la langueur goûtée à ce mal d'être deux)*
> *Des dormeuses parmi leurs seuls bras hasardeux...*

Ravi de cette proie double et voluptueuse, le faune s'en saisit et emporte le couple dans ses bras au fond d'un bosquet de roses, dans le dessein de s'y livrer à des ébats aussi ardents que le jour qui les éclaire. Malgré leur résistance, il couvre de baisers ses deux victimes, remontant des pieds de l'inhumaine au cœur de la timide. Cette petite dernière est mouillée de ses larmes, ou peut-être, selon l'indication venant de la première version, de l'eau de l'étang (« moins tristes vapeurs »). Revenant à son récit, interrompu un instant pour exalter le plaisir qu'il prend au déduit amoureux, le faune raconte que, pour le punir d'avoir commis le « crime » de séparer ce que les dieux ont uni, d'avoir « divisé la touffe échevelée / De baisers que les dieux gardaient si bien mêlée », les dieux se sont vengés de lui assez ironiquement. En effet, au moment où le ravisseur allait être heureux, en s'occupant de l'inhumaine d'abord — tout en retenant « la petite naïve » par un seul doigt, afin de la maintenir au diapason amoureux voulu — voilà que ses forces l'abandonnent prématurément, de sorte que ses victimes lui échappent, glissant hors de ses bras « défaits par de vagues trépas ».

> « Mon crime, c'est d'avoir, gai de vaincre ces peurs
> Traîtresses, divisé la touffe échevelée
> De baisers que les dieux gardaient si bien mêlée;
> Car, à peine j'allais cacher un rire ardent
> Sous les replis heureux d'une seule (gardant
> Par un doigt simple, afin que sa candeur de plume
> Se teignît à l'émoi de sa sœur qui s'allume,
> La petite, naïve et ne rougissant pas :)
> Que de mes bras, défaits par de vagues trépas,
> Cette proie, à jamais ingrate, se délivre
> Sans pitié du sanglot dont j'étais encore ivre. »

Ensuite, et pour finir, le chèvre-pied revient à ses réflexions, jouant au philosophe cynique pour se consoler de sa déconvenue.

Le désir est éternel, et la vie renouvelle sans cesse ses conquêtes, proclame le héros cornu. Une de perdue, dix de retrou-
vées. Le sang des faunes ne coule que pour satisfaire le désir
des nymphes, c'est une loi de nature qui joue aussi sûrement
que l'attraction exercée sur les abeilles par les grenades écla-
tées. Et il se laisse aller à rêver de conquêtes futures, mettant
au nombre de ses victimes Vénus elle-même qu'il surprendra
au bord de l'Etna où elle vient chaque soir, selon la mythologie,
poser ses « talons ingénus ». Tenir à sa merci la reine des nymphes, quelle revanche! Mais c'est une pensée blasphématoire
qu'il faut s'empresser d'oublier en cédant aux douces invites de
la sieste. Il est midi; le sable brûle; le faune s'endort, la
bouche ouverte, en plein soleil, non sans avoir adressé aux
nymphes de son aventure onirique un dernier adieu : il va les
retrouver, ombres parmi les ombres, au royaume des rêves,

>   *Couple, adieu; je vais voir l'ombre que tu devins.*

V

LE HÉROS DE L'ABSOLU

Connaissance du néant • Jusqu'en 1866, les préoccupations de Mallarmé sont essentiellement celles d'un artiste qui place très haut ses ambitions et qui travaille à dépasser le lyrisme personnel. A dire vrai, Baudelaire et Poe, avant lui, avaient déjà défini le domaine sacré où la poésie pourrait développer le maximum de pureté, mais ni l'un ni l'autre, dans la poursuite de ce rêve, n'avaient exploité à fond leurs principes. Mallarmé, lui, avait tenté d'aller jusqu'au bout et s'était essayé à une poésie savamment calculée, qui fût la Beauté, et qui développât un *effet* particulier dans chacune de ses réalisations. Il atteint ainsi, par les ressources étudiées d'une très haute musicalité, une pratique des images neuves et comme surimprimées, à un art extrêmement original, dont les thèmes et les réussites nourriront longtemps les imaginations de l'époque symboliste. Mais au fond, jusqu'ici, rien d'absolument révolutionnaire, sinon une rigueur rare.

C'est à cette poésie purifiée qu'il rêve encore en écrivant *Hérodiade* et le *Faune*, et c'est alors que se produit la crise qui va entraîner sa pensée à d'étonnantes altitudes métaphysiques. Par une sorte de volonté désespérée d'être unique, le

poète transpose son destin sur le plan de l'Absolu, s'avançant
jusqu'au point où la lucidité, totalement assumée, aveugle et dé-
truit. Dans cette expérience, qui est presque sans exemples dans
l'histoire des lettres, Mallarmé faillit laisser sa santé et sa raison. Mais il s'y distance du coup de tous les faiseurs de vers
pour devenir, sous ses dehors toujours pareils de bourgeois modeste, le pair de Scève, de Hölderlin, de Rimbaud, de tous ceux
qui ont cherché leur vérité au plus secret des arcanes de l'illumination poétique. Pour Mallarmé, cette quête héroïque se réalise au travers d'une série de crises qui furent véritablement sa
Saison en Enfer, ses *Ténèbres*, comme il dit volontiers, auxquelles le ramène inexorablement sa « manie ». Ces crises, qui
se situent entre 1866 et 1869, s'organisent en deux phases essentielles et sont jalonnées par quelques lettres capitales, pendants des fameuses « lettres du Voyant » dans l'itinéraire spirituel de Rimbaud. Il suffit de lire ces textes pour se rendre
compte du drame bouleversant qui se joue alors dans l'esprit du
poète. C'est lorsque Mallarmé travaille à *Hérodiade* — exactement à l'*Ouverture ancienne*, dans l'hiver de 1865-1866 — que
le drame éclate. Le poète découvre le Néant : « Le Néant,
auquel je suis arrivé sans connaître le bouddhisme et je suis encore trop désolé pour pouvoir croire même à ma poésie et me
remettre au travail, que cette pensée écrasante m'a fait abandonner », ainsi qu'il le confesse à Henri Cazalis, dans une lettre écrite de Tournon, fin avril 1866. Et il poursuit :

*Oui, je le sais, nous ne sommes que de vaines formes de la matière,
mais bien sublimes pour avoir inventé Dieu et notre âme. Si sublimes, mon ami! que je veux me donner ce spectacle de la matière,
ayant conscience d'être et, cependant, s'élançant forcenément dans le
Rêve qu'elle sait n'être pas, chantant l'Ame et toutes les divines
impressions pareilles qui se sont amassées en nous depuis les premiers âges et proclament, devant le Rien qui est la vérité, ces glorieux mensonges!* (Corr., *207-208*.)

Quelle est la signification de la découverte formidable qui est faite ici par Mallarmé ? La critique a parfois compliqué singulièrement les choses, jusqu'à recourir à ce bouddhisme que le poète déclare expressément ne pas connaître. En fait, ce que Mallarmé a découvert, dans les affres de son travail littéraire, c'est que cet Idéal auquel il tendait depuis de longues années et qu'il invoquait comme le recours suprême contre les bassesses de l'existence, tout simplement n'existe pas. C'est un héritage trompeur, une chimère religieuse, un oripeau romantique qui traîne encore dans toute la poésie du temps, même chez le grand Baudelaire, le *Prince du Rêve*, comme l'appelle Lefébure (*Corr.*, 207). Cet idéalisme, ce recours au monde pur du Désir, Mallarmé lui-même y a sacrifié bien souvent dans ses poèmes d'autrefois, dans le *Sonneur*, dans les *Fenêtres*, dans l'*Azur*. Tantôt il a tendu toutes ses forces pour s'élancer triomphalement vers l'Idéal, tantôt un dépit passager l'a engagé à le renier, à faire corps avec les forces de la nature. Et voici que brutalement s'impose à lui aujourd'hui cette évidence : il n'y a pas d'Idéal, il n'y a pas de transcendance, il n'y a que matière en perpétuel devenir, dont les hommes ne sont que les formes vaines, et Dieu et l'âme les plus nobles inventions. Donc Mallarmé fait ici, simplement, une profession de foi matérialiste, à laquelle d'ailleurs il devait se tenir toute sa vie.

Cette interprétation matérialiste de la découverte du Néant par Mallarmé correspond en tout cas à l'idée que s'en faisait Cazalis, dont nous possédons la réponse à la fameuse lettre de son ami de Tournon; cette réponse est en même temps une critique : « Tu sais que tes idées sur le Néant sont fort belles, mais qu'elles sont comme certaines femmes, très belles, qui sont plus bêtes que leurs pieds. Comment veux-tu que la matière crée l'immatériel : la pensée extrême. *Ex nihilo nihil*, donc de la matière ne peut sortir la pensée, ou le néant créerait la vie; entre la matière et la pensée, il y a l'abîme du palpable à l'im-

palpable. L'âme est une vérité; ce qui ne veut pas dire qu'il
faille être spiritualiste — comme un employé de la Sorbonne »
(*Corr.*, 217). On le voit, Cazalis ne mâchait pas ses mots pour
ressusciter l'argument fondamental et traditionnel que les spiri-
tualistes ont de tout temps opposé au matérialisme. Mais il n'y
a guère d'apparence que la réfutation scolastique de son ami
ait beaucoup ébranlé Mallarmé. « Quant à ta théorie philosophique, répondra-t-il quelques jours (ou semaines) plus tard, Geneviève en sourit. Moi, je l'admire. Vraiment [...] il n'y a pas
sur terre deux esprits plus désunis et je dirai, sans me trom-
per, plus antipathiques que les deux nôtres. » Et il lui arrivera
d'appeler son fidèle confident, coupable de rester fidèle à ses
anciennes croyances : « mon cher Kakatoès de l'Infini » (*Corr.*,
221).

La découverte du Néant, pour Mallarmé, est le constat d'une
faillite. Rien, dès lors, de son œuvre, n'a plus de sens. Tout
son passé devient mensonge. La conscience qui lui vient de
cette vanité de tout s'exprime alors dans les titres des recueils
où il pense quand même rassembler son œuvre lyrique : *La
Gloire du Mensonge*, ou *Le Glorieux Mensonge*, tout en sachant que c'est tricher avec lui-même, mais que c'est aussi la
seule solution. « Je chanterai en désespéré. »

Impuissance du cygne • Ainsi le poète se retrouvait,
tel le cygne du sonnet, aveu-
gle prisonnier des glaces aveuglantes. Quelle que soit l'époque
où cette fameuse pièce a été composée (elle parut en 1885 et
nous manquons de toute indication quant à sa genèse), elle symbolise remarquablement la désolante « nudité du Rêve » que découvre Mallarmé au moment où il va s'enfoncer dans la crise
de 1866. Même s'il est tardif, le sonnet, d'une forme admira-

ble, à la fois « symphonie en i » et « symphonie en blanc », n'en évoque pas moins cet état particulier d'impuissance auquel s'achoppe le poète, pris entre deux incapacités, toutes deux également glacées et stériles. Le magnifique début — « Le vierge, le vivace et le bel aujourd'hui / Va-t-il nous déchirer avec un coup d'aile ivre » — indique que, pour le poète comme pour presque chaque mortel, chaque nouveau jour porte en soi la possibilité d'une renaissance, d'un recommencement absolu. Prisonnier de ses rêves d'autrefois, y aurait-il pour lui maintenant une libération ? Il suffirait de ce « coup d'aile ivre » du présent pour déchirer la prison de glace et rendre leur liberté à tous les « vols qui n'ont pas fui », c'est-à-dire à tous les poèmes dont l'auteur a rêvé, à tous les projets qu'il a élaborés sans réussir à les accomplir.

> Le vierge, le vivace et le bel aujourd'hui
> Va-t-il nous déchirer avec un coup d'aile ivre
> Ce lac dur oublié que hante sous le givre
> Le transparent glacier des vols qui n'ont pas fui !
>
> Un cygne d'autrefois se souvient que c'est lui
> Magnifique mais qui sans espoir se délivre
> Pour n'avoir pas chanté la région où vivre
> Quand du stérile hiver a resplendi l'ennui.
>
> Tout son col secouera cette blanche agonie
> Par l'espace infligée à l'oiseau qui le nie,
> Mais non l'horreur du sol où le plumage est pris.
>
> Fantôme qu'à ce lieu son pur éclat assigne,
> Il s'immobilise au songe froid de mépris
> Que vêt parmi l'exil inutile le Cygne.

On retrouve ici le thème de l'impuissance et non, comme on l'a dit souvent, rapprochant le cygne mallarméen de celui de Gautier et de Banville, ou de l'*Albatros* de Baudelaire, le rap-

pel des avanies subies par le poète dans le milieu social. C'est
le drame de la création qui est ici une fois de plus en question; après la lueur d'espoir qui brille au premier vers, le premier quatrain déjà glisse à l'évocation de l'impuissance, impuissance d'autant plus radicale qu'elle se renforce du rappel d'un
passé où le poète fut déjà la victime du « stérile hiver » et sa
propre victime « Pour n'avoir pas chanté la région où vivre »,
pour n'avoir pas réussi à surmonter l'*ennui* et à évoquer le
monde idéal qui est celui de la poésie. Dans son souvenir, il
s'apparaît sous les traits de cet oiseau prisonnier des glaces, prisonnier d'une blancheur trop éclatante qui l'aveugle et le nie.
De l'être *magnifique* d'autrefois, il ne reste que le *fantôme*, ou
plutôt il n'y a jamais eu qu'un fantôme puisque le passage du
cygne parmi les hommes ne fut jamais qu'un séjour vain, qu'aucune œuvre n'est venue racheter, qu'un « exil inutile ».

Ce point mort, Mallarmé parvint à le dépasser, et c'est une
partie de sa grandeur. Ce fut le résultat d'une seconde crise,
moins grave que la première, mais pleine de conséquence, qui
se situe quelques mois plus tard. En témoigne une nouvelle
lettre à Henri Cazalis, de Tournon toujours, en juillet 1866 :

> *En vérité, je voyage, mais dans des pays inconnus, et si, pour fuir*
> *la réalité torride, je me plais à évoquer des images froides, je te*
> *dirai que je suis depuis un mois dans les plus purs glaciers de*
> *l'Esthétique, — qu'après avoir trouvé le Néant, j'ai trouvé le Beau, —*
> *et que tu ne peux t'imaginer dans quelles attitudes lucides je m'aven-*
> *ture* (Corr., *220-221*).

Dialectique du beau • Comment donc a pu s'opérer, au
travers des purs glaciers de l'Es-
thétique, le passage du Néant au Beau ? C'est sans doute par
le truchement de Hegel, auquel Mallarmé commence à s'intéresser à l'automne, semble-t-il, de 1866. Si le fait n'est pas attesté

par un témoignage direct du poète, du moins la déclaration suivante de Villiers de l'Isle-Adam peut en tenir lieu, qui écrivait à Mallarmé, le 11 septembre 1866 : « Quand paraîtra le *Traité des Pierres précieuses* ? J'ai plus confiance en votre alchimie qu'en celle d'Auriol Théophraste Bombaste, dit le divin Paracelse. Toutefois, je vous indiquerai les *Dogmes et Rituel de haute magie d'Eliphas Levy*... Quant à Hegel, je suis vraiment heureux que vous ayez accordé quelque attention à ce miraculeux génie... » (*Corr.*, 231). A quoi l'on peut joindre ce témoignage de Cazalis, d'octobre 1866 : « Donc, mon pauvre ami, je me marie : sois calme comme un hégélien, et c'est vraiment une religion que tu portes à ravir » (*Corr.*, 238). C'est probablement Eugène Lefébure, que ses amis appellent volontiers « le philosophe », ou « l'hégélien », qui a mis Mallarmé sur la voie de la découverte du philosophe allemand, sans doute à l'occasion du séjour que le poète fit chez lui, à Cannes, pendant les vacances de Pâques de cette même année. En juillet, ce fut le tour de Lefébure de passer quelques jours à Tournon, après quoi il écrivait à Mallarmé, par gentille moquerie : « Jonglez-vous toujours avec l'Absolu, l'Etre et le Néant ? »

Dès le premier moment de la crise, Mallarmé avait découvert dans une sorte de panique que l'Idéal n'est qu'illusion, que la beauté c'est la mort, que nous ne sommes que de vaines formes de la matière : aussi bien sur le plan philosophique que sur le plan esthétique, il enregistre cette victoire générale du Néant. Mais voici Hegel et son invitation stupéfiante : « *L'artiste doit quitter cette pâle région que l'on appelle vulgairement l'idéal, pour entrer dans le monde réel, et délivrer l'esprit.* » Hegel et sa méthode dialectique, laquelle pose que tout concept en appelle un second qui est sa négation, et que cette dualité se concilie et se dépasse dans un troisième terme qui est synthèse des précédents. Ainsi le Néant, découvert par Mallarmé, n'est pas un point d'aboutissement, mais au contraire

un point de départ : il postule un état contraire qui est l'être,
et sur la synthèse de ces deux éléments se construit un devenir,
qui contient en germe tous les possibles. Il est vrai que la *Logique* de Hegel se fonde sur un mouvement contraire et passe de
l'Etre au Néant; mais on conçoit fort bien que le poète puisse
utiliser à sa manière la corrélation que le philosophe établit entre
Etre et Néant, puisque finalement les deux idées tendent à
s'identifier l'une dans l'autre. Le redoutable Néant n'est ainsi
que le négatif de l'être et ne saurait exister sans poser son contraire, l'être. Pour avoir droit à l'existence, le Néant doit donc
nécessairement se nier en soi-même. C'est le mouvement dialectique entre ces deux moments qui, par synthèse, engendre le devenir, pure possibilité ou immanence. Or l'absolu n'est pas
abstrait (pure possibilité), mais concret. Il doit nécessairement *se
réaliser* à travers l'évolution de l'esprit. Par un second développement, en effet, l'idée concrète, point d'aboutissement de l'évolution de la pensée constituée en idée absolue, fait évolution et
s'extériorise dans l'univers, devient nature. Elle se pose comme
l'*autre* pour elle, non dans un sens platonicien, car elle reste toujours l'idée, mais sous une autre forme. C'est cette vision épique
de l'incarnation de l'esprit dans le monde réel qui a dû être spécialement illuminante pour Mallarmé. Quoi de plus exaltant qu'une
doctrine qui permet de concevoir la poésie (les hégéliens diront :
la philosophie) comme l'expression même de l'Esprit! Ainsi
le monde n'est pas absurde, le monde n'est pas livré au
hasard : il est une idée en train de se réaliser. Telle est la
nouvelle croyance — « la Croyance où se complaît maintenant
mon esprit » — de Mallarmé. Cette croyance s'arrange fort bien
de la perte de sa foi en l'Idéal, puisque l'Absolu doit être réalisé et se réalise dans le monde. Ainsi se trouve niée toute transcendance. Mallarmé, aussi bien que Hegel, croit en un absolu,
et en un absolu qui est de ce monde. Seulement, où le poète
se sépare tout de même et naturellement du philosophe, c'est

que, pour Hegel, l'Absolu doit être saisi par des moyens philosophiques, par la raison; il s'agit pour lui de *réaliser* l'Idée dans la philosophie spéculative, tandis que, pour le poète Mallarmé, l'idée ne peut finalement se réaliser que dans l'œuvre d'art. C'est ainsi que le Beau, qui n'était qu'une variation du Néant, de la mort et de l'illusion, une forme du « Glorieux Mensonge », au début de la crise, prend pour lui un aspect complètement différent à la lumière de Hegel : il devient l'Absolu réalisé dans l'œuvre d'art. « J'ai trouvé le Beau. »

Vers le Grand Œuvre • Dès lors, l'œuvre d'art prend une importance centrale, une dignité que Mallarmé, certes, ne lui avait jamais refusée, mais sans justification autre que spontanée. En elle doivent désormais se concilier, au terme d'une dialectique hégélienne déviée de sa propre fin, la nature et l'esprit absolu. Pour Hegel, l'art constitue une étape dépassée et révolue dans l'évolution de l'Esprit, tant du point de vue de l'Absolu que du point de vue de l'histoire. Selon le philosophe, la culture gréco-romaine reste le point culminant du développement de l'art (*Idee in der Anschauung*), et ce moment du processus dialectique a été ensuite dépassé par la religion, puis par la philosophie spéculative, car l'*Anschauung* reste un moyen inadéquat et imparfait pour saisir l'Absolu sous son aspect véritable. L'Absolu sous sa forme parfaite ne se révèle que dans le *Begriff*. Ainsi la philosophie connaît l'Absolu à un niveau supérieur à celui de l'art. Mallarmé, bien sûr, n'en renverse pas moins au profit de l'art cette construction dialectique et privilégie la fonction du Beau dans l'évolution de l'Esprit. La conscience du poète et la beauté assumeraient assez bien, dans sa pensée, la fonction que remplissent respectivement, dans le système hégélien, l'Esprit et l'Idée. Il substitue la beauté à la vérité comme concept suprême. Au reste, dans ce difficile domaine, il faut bien se garder de trop systématiser la pensée de Mallarmé, qui se trouve devant ce qu'il considère comme de nouvelles vérités ou croyances, non par un effort de réflexion logique, mais en réalité par une expérience directe qui est une sorte d'illumination pathétique, de suggestion de la sensibilité. C'est ce qu'il explique, dans une lettre du 24 septembre 1867 (d'abord datée 1866 dans la *Table Ronde*, août 1952), à Villiers de l'Isle-Adam :

> *J'avais, à la faveur d'une grande sensibilité, compris la corrélation intime de la Poésie avec l'Univers, et, pour qu'elle fût pure, conçu le dessein de la sortir du Rêve et du Hasard et de la juxtaposer à la conception de l'Univers. Malheureusement, âme organisée simplement pour la jouissance poétique, je n'ai pu, dans la tâche préalable de cette conception, comme vous disposer d'un Esprit — et vous serez terrifié d'apprendre que je suis arrivé à l'Idée de l'Univers par la seule sensation (et que, par exemple, pour garder une notion ineffaçable du Néant pur, j'ai dû imposer à mon cerveau la sensation du vide absolu). Le miroir qui m'a réfléchi l'Être a été le plus souvent l'Horreur et vous devinez si j'expie cruellement ce diamant des Nuits innommées* (Corr., *259*).

Et un an après la crise du printemps de 1866, il explique longuement à Eugène Lefébure comment, ayant « abusé » des pensées et des idées au cours de cette expérience déprimante, il en était venu à s'efforcer de ne plus « penser de la tête », mais à laisser ses idées se développer dans son système nerveux selon un curieux processus de « vibration » qu'il assimile au jeu d'un instrument. Car « il faut penser de tout son corps, ce qui donne une pensée pleine et à l'unisson comme ces cordes de violon vibrant immédiatement avec sa boîte de bois creux » (*Corr.*, 249).

Quelle que soit la méthode très particulière qu'ait utilisée le poète pour élaborer sa nouvelle esthétique, celle-ci reste dominée par l'idée que le but de l'art est de réaliser une synthèse dialectique qui permette de reconstruire le monde esthétiquement, et « dans laquelle on ressuscite ce qu'on a perdu, pour le voir » (*Corr.*, 249). C'est cette synthèse qui précisément trouve son lieu dans l'œuvre d'art de haute portée, *Vénus de Milo*, ou *Joconde*. Ces deux œuvres, écrit-il à Lefébure, « me semblent, et *sont*, les deux grandes scintillations de la Beauté sur cette terre » (*Corr.*, 246), et il appelle Phidias, à qui il lui plaît d'attribuer la Vénus, et Léonard : « Ces aïeux réunis de mon œuvre, avant de parler du Poète moderne » (*Corr.*, 248). Mallarmé met d'emblée sur le même plan que ces « grandes scintillations » l'œuvre poétique dont il est alors en train de jeter les bases et dont il perçoit d'avance les contours futurs. Il l'appelle tantôt l'Œuvre, tantôt le Grand Œuvre, tantôt le Livre. Quelques jours à peine après avoir annoncé à Cazalis qu'il a « trouvé le Beau », et raffermi dans sa volonté par les nouvelles certitudes qu'il vient d'acquérir, il brosse, pour Aubanel, le plan général de l'Œuvre corrélative :

Pour moi, j'ai plus travaillé cet été que toute ma vie, et je puis dire que j'ai travaillé pour toute ma vie. J'ai jeté les fondements d'une œuvre magnifique. Tout homme a un Secret en lui, beaucoup meurent sans l'avoir trouvé, et ne le trouveront pas parce que, morts, il n'existera plus, ni eux. Je suis mort, et ressuscité avec la clef de pierreries de ma dernière cassette spirituelle. A moi maintenant de l'ouvrir en l'absence de toute impression empruntée, et son mystère s'émanera en un fort beau ciel. Il me faut vingt ans pour lesquels je vais me cloîtrer en moi, renonçant à toute autre publicité que la lecture de mes amis. Je travaille à tout à la fois, ou plutôt je veux dire que tout est si bien ordonné en moi, qu'à mesure, maintenant qu'une sensation m'arrive, elle se transfigure et va d'elle-même se caser dans tel livre et tel poème. Tu vois que j'imite la loi naturelle (Corr., 222).

Le bon Aubanel ayant demandé quelques éclaircissements supplémentaires quant à cette loi qui ne lui paraissait pas si naturelle, Mallarmé les lui communiqua patiemment quelques jours plus tard :

J'ai voulu te dire simplement que je venais de jeter le plan de mon œuvre entier, après avoir trouvé la clef de moi-même, clef de voûte, ou centre, si tu veux, pour ne pas nous brouiller de métaphores, — centre de moi-même, où je me tiens, comme une araignée sacrée, sur les principaux fils déjà sortis de mon esprit, et à l'aide desquels je tisserai aux points de rencontre de merveilleuses dentelles, que je devine, et qui existent déjà dans le sein de la Beauté (Corr., 224-225).

Cette histoire d'araignée dans sa toile, qui figurait pour Mallarmé l'essentiel de son système, le pressentiment de l'universelle analogie, parut tout aussi obscure à Aubanel que la « cassette spirituelle » de la première lettre. Il revint donc à la charge, et Mallarmé consentit enfin à s'expliquer sans métaphore :

Je parle de « l'ensemble de travaux littéraires qui composent l'existence poétique d'un Rêveur » et qu'on appelle enfin son œuvre. Es-tu éclairé, cette fois, cher ami ? (Corr., 226.)

Sur les formes que devait revêtir l'Œuvre alors rêvé, la pensée de Mallarmé a passablement varié. Alors que dans la lettre à Aubanel il projette cinq livres à composer en vingt ans, en septembre 1867, en écrivant à Villiers, il n'en compte plus que deux, « à la fois nouveaux et éternels, l'un tout absolu, *Beauté*, l'autre personnel, les *Allégories somptueuses du Néant* » (*Corr.*, 259); entre temps, dans la grande lettre à Cazalis du 14 mai 1867, l'Œuvre se compose de trois poèmes en vers et de quatre poèmes en prose. Il réclame cette fois « dix ans » pour venir à bout de ce programme. Ailleurs, plus tard, l'Œuvre rêvé connaîtra encore d'autres avatars, s'inscrivant tantôt dans une Ode, tantôt dans un Drame. Mais ce qui importe, quelles qu'aient pu être sur ce point les variations de la pensée du poète, c'est que désormais toute la vie spirituelle de Mallarmé sera commandée en quelque sorte par l'impératif que constitue pour lui, dès ces années de crise, la réalisation du Grand Œuvre, de cette œuvre poétique absolue, de ce Livre, comme il dira plus tard, en quoi se résume et se reconstruit l'univers. Pour y atteindre, il croit tenir enfin une doctrine solide, laquelle implique une nouvelle conception du poète, de l'inspiration et de l'expression.

La mort spirituelle • Puisque la conscience du poète créateur n'est plus que l'Esprit à travers lequel se révèle l'Etre immanent, l'individualité propre du poète doit s'effacer le plus possible. L'impersonnalité devient un idéal nécessaire. « Ma pensée s'est pensée... je suis parfaitement mort... » C'est la fameuse lettre à Henri Cazalis du 14 mai 1867, qui constitue l'expression la plus complète de l'expérience cruciale à travers laquelle le poète se perd et en même temps se découvre :

> *Je viens de passer une année effrayante : ma Pensée s'est pensée, et est arrivée à une Conception pure. Tout ce que, par contrecoup, mon être a souffert, pendant cette longue agonie, est inénarrable, mais, heureusement, je suis parfaitement mort, et la région la plus impure où mon Esprit puisse s'aventurer est l'Éternité, mon Esprit, ce solitaire habituel de sa propre Pureté, que n'obscurcit plus même le reflet du Temps.*
>
> *Malheureusement, j'en suis arrivé là par une horrible sensibilité, et il est temps que je l'enveloppe d'une indifférence extérieure, qui remplacera pour moi la force perdue. J'en suis, après une synthèse suprême, à cette lente acquisition de la force — incapable tu le vois de me distraire. Mais combien plus je l'étais, il y a plusieurs mois, d'abord dans ma lutte terrible avec ce vieux et méchant plumage,*

terrassé, heureusement, Dieu. Mais comme cette lutte s'était passée
sur son aile osseuse qui, par une agonie plus vigoureuse que je ne
l'eusse soupçonné chez lui, m'avait emporté dans les Ténèbres, je
tombai, victorieux, éperdument et infiniment — jusqu'à ce qu'enfin
je me sois revu un jour devant ma glace de Venise, tel que je m'étais
oublié plusieurs mois auparavant.

J'avoue du reste, mais à toi seul, que j'ai encore besoin, tant ont
été grandes les avanies de mon triomphe, de me regarder dans cette
glace pour penser et que si elle n'était pas devant la table où je t'écris
cette lettre, je redeviendrais le Néant. C'est t'apprendre que je suis
maintenant impersonnel et non plus Stéphane que tu as connu, —
mais une aptitude qu'a l'Univers spirituel à se voir et à se développer,
à travers ce qui fut moi (Corr., *240-242*).

Il n'est naturellement pas autrement commode de commen-
ter le dramatique récit de cette Révélation, où l'on peut trouver
assez d'allusions, et d'assez vagues, pour tirer Mallarmé en tous
sens. Voyez la malicieuse note de la *Correspondance* (p. 242,
n. 3) qui résume les interprétations des plus savants : « Royère
tenait Mallarmé pour un mystique. E. Noulet l'a dit un métaphy-
sicien qui s'est senti toujours étranger à tout état mystique. Mauron l'a vu s'interdire les épanchements lyriques, tandis que
Beausire le jugeait le lyrique intégral. Guy Michaud, qui a
groupé ces oppositions, découvre, dans les efforts de Mallarmé, une métaphysique du Néant et de l'Absence, qui est
plutôt un refus de métaphysique. Pour Georges Poulet, l'opération du poète Mallarmé est comparable à « l'interne opération » de Descartes. » Ce qui paraît clair, dans cette confession, c'est d'abord la mort de Dieu, le « vieux et méchant
plumage, terrassé, heureusement, Dieu »; cette nouvelle image
reprend l'affirmation que nous ne sommes que de « vaines
formes de la matière » et nie à nouveau toute transcendance.
Puis l'idée, hégélienne, que l'Absolu est pensée de la pensée.
Pour Hegel, la pensée de la pensée, c'est la réflexion qui, dans

'a dialectique de l'*Encyclopédie*, représente le passage nécessaire de la pensée en soi à la pensée pour soi. Et cette réflexion, parvenue au niveau de l'Absolu, devient la réflexion même de l'être dans la pensée, en même temps que la pensée devient la pensée de l'être. Cette identité dialectique est fondamentale chez Hegel, pour qui l'Absolu est sujet-objet, synthèse absolue. Pour lui, l'Absolu est donc réflexion, pensée de la pensée. En d'autres termes, la philosophie est aussi bien connaissance de soi que connaissance de l'être. Et la philosophie ne se réalise qu'à travers le concept pur. Mais ce que Hegel atteint dans la philosophie, Mallarmé l'atteint dans le Grand Œuvre. Enfin, troisième suggestion claire de la lettre, l'idée que le poète doit mourir à lui-même afin d'accéder à une objectivation supérieure.

La nécessité de cette mort spirituelle découle encore du système hégélien, dans lequel l'individu n'a de valeur qu'en tant qu'il permet à l'universel de se réaliser. L'individu, qui ne possède aucune valeur absolue, doit se dépasser en reconnaissant les autres. La pure subjectivité ne relève que du hasard, tout comme la pure matérialité. Or le hasard est sans valeur pour la philosophie (Mallarmé traduira : pour la poésie) et doit être vaincu. Cette raison de répudier la poésie personnelle pour atteindre les régions de l'Eternité et de la Pureté, à l'abri du Temps, Mallarmé ne la découvre pas d'ailleurs en conclusion d'un raisonnement, mais à la faveur de l'extraordinaire expérience qu'il vient de décrire à Cazalis, expérience au cours de laquelle il s'aperçoit se dépersonnalisant, se décomposant littéralement sous ses propres yeux. Il se plaint de la poitrine, d'un système nerveux « retourné », et se découvre incapable de prononcer la plus simple phrase. Au cours de ces hivers terribles, il vit constamment dans une espèce d'hébétude somnambulique, ses excès de réflexion sur soi l'ayant réduit à l'état d'ombre véritable, et il se cherche avec inquiétude dans le reflet des miroirs pour ne s'y point reconnaître. Mais cette dure ascèse, il le sait, est nécessaire pour donner leur chance aux « belles choses » dont il rêve obstinément et qui doivent s'épanouir « dans la Vie — ou dans la Mort » (Corr., 226). Dans l'importante lettre qu'il écrit trois jours plus tard (17 mai 1867) à Eugène Lefébure, on retrouvera les mêmes thèmes développés autour de cette formule prestigieuse : « La destruction fut ma Béatrice » (*Corr.*, 246), laquelle indique que l'effacement de l'individu représente la seule possibilité de résurrection de l'esprit.

Ayant ainsi atteint à l'état idéal de Notion pure, l'écrivain n'a plus qu'à attendre les révélations de l'Univers spirituel qui se manifesteront à travers lui : « Je ne puis subir que les développements absolument nécessaires pour que l'Univers retrouve, en ce moi, son identité » (*Corr.*, 242). C'est encore Hegel qui dicte ici, à Mallarmé, sa nouvelle conception de l'inspiration. Selon le philosophe, l'être pensant doit, par réflexion, s'identifier à l'universel. L'évolution dialectique de l'individu vers l'universel est dialectiquement nécessaire puisque l'esprit absolu se réalise à travers cette aliénation de soi-même que l'individu doit subir. Cette révélation a lieu, en philosophie, dans la connaissance qui se connaît elle-même et qui s'identifie du même coup à l'universel; en poésie, selon les presciences de Mallarmé, elle se réalise dans la Beauté : « Il n'y a que la Beauté — et elle n'a qu'une expression parfaite, la Poésie » (*Corr.*, 243).

Le monde de la poésie ainsi compris est un monde pur dans lequel ne peuvent subsister que des notions dépouillées de leur matérialité et de leur temporalité. Sans doute l'inspiration ne peut-elle s'appuyer que sur les éléments du monde extérieur, mais ces éléments doivent être soumis par le poète à un processus de décantation qui leur conférera une sorte d'essentialité nouvelle, compatible avec les nouvelles vérités que ses récentes illuminations philosophiques viennent de découvrir à Mallarmé.

« Je n'ai créé mon œuvre que par *élimination*, et toute vérité acquise ne naissait que de la perte d'une impression qui, ayant étincelé, s'était consumée et me permettait, grâce à ses ténèbres dégagées, d'avancer profondément dans la sensation des Ténèbres absolues » (*Corr.*, 245-246). Il appellera plus tard *transposition* le procédé consistant à extraire un fait de nature de son contexte matériel pour l'effacer d'abord entièrement en tant que phénomène, et pour le recréer ensuite idéalement sous forme de notion ou d'abstraction pure. « La *divine transposition*, déclare-t-il, pour l'accomplissement de quoi existe l'homme, *va du fait à l'idéal* » (*O.C.*, 522). Par ce moyen, la poésie échappe aux filets du sentiment, aux pièges de l'éphémère où elle avait été trop longtemps prisonnière; s'appuyant sur la doctrine hégélienne de la constitution logique de l'univers (« toutes les fois que l'homme a entrevu le vrai, c'est-à-dire la constitution logique de l'univers », écrit Lefébure à Mallarmé, comme à quelqu'un qui communie dans cette même vérité), il est désormais loisible d'atteindre la région intemporelle des essences et de s'y maintenir. La poésie sera poésie de l'absolu, poésie de l'Esprit pur — ou elle ne sera pas.

Au reste, cette volonté de répudier le lyrisme sentimental et subjectif pour affirmer l'état de lucidité parfaite où le poète, capturant l'Absolu dans son œuvre, devient capable de « contempler l'éternité et d'en jouir, vivant, en soi » (*Corr.*, 225) rejoint l'attitude des Romantiques allemands et anglais, lesquels ne rêvaient rien d'autre que d'un livre, impossible, qui fût une sorte de synthèse poétique universelle, et qui fût en corrélation avec le sens même de l'Esprit. Novalis, dans ses *Fragments*, avait déjà dévoilé un rêve parallèle à celui du poète d'*Hérodiade* : « Les poésies qu'on a eues jusqu'ici sont à la poésie qui doit venir ce que sont à la logologie les philosophies données jusqu'à notre temps. Elles opèrent presque toutes dynamiquement; la future poésie *transcendantale* pourrait s'appeler

organique. » C'est à la même conception d'une poésie organique qu'obéira désormais l'inspiration de Mallarmé, à l'idée
d'une poésie fondée tout entière sur la prise de conscience de la
beauté de l'univers spirituel. La poésie n'est rien si elle ne
glorifie, au-delà de l'univers sensible, « l'immortelle réalité »
de l'Idée absolue et réalisée dans la dialectique hégélienne. C'est
ce qu'avait clairement vu Camille Mauclair qui appelle Mallarmé « un applicateur systématique de l'hégélianisme aux
lettres ».

L'homme nouveau • C'est à Avignon, en mai 1868,
après une sinistre année d'exil à
Besançon, que la crise commence à se dénouer. « Décidément,
écrit alors le poète à Eugène Lefébure, je redescends de l'absolu... mais cette fréquentation de deux années (vous vous
rappelez ? depuis notre séjour à Cannes) me laissera une marque dont je veux faire un sacre. » Jamais Mallarmé ne s'est
exprimé si simplement : il a jonglé pendant deux ans avec l'être
et le néant, ce qui lui a permis de prendre conscience de quelques vérités qui marqueront son œuvre d'un sceau sacré.
Sachant la poésie absolue qu'il a entrevue hors des possibilités
de l'être humain, il préconise maintenant des demi-mesures,
abandonnant à un problématique poète futur le soin de se maintenir constamment sur le plan de l'éternel :

*Je redescends dans mon moi, abandonné pendant deux ans : après
tout, des poèmes, seulement teintés d'absolu, sont déjà beaux, et il
y en a peu — sans ajouter que leur lecture pourra susciter dans l'avenir le poète que j'avais rêvé...* (Corr., *273*).

On lit ici le constat d'un échec et d'un renoncement; acculé
au délabrement physique et moral, visité par des troubles voisins de l'aliénation, le poète est obligé de comprendre qu'il s'est

aventuré dans les régions d'un rêve « trop pur »; il n'a ni la solide tête de son ami Villiers, qui lui permettrait de reconstruire intellectuellement la constitution de l'univers, ni la forte santé qui l'autoriserait à laisser sa sensibilité se jouer dangereusement dans des expériences dévastatrices. Mallarmé est décidé à poursuivre son œuvre, mais en assignant à son effort des ambitions plus modestes. A côté des déclarations où perce son enthousiasme de héros de l'absolu, sa correspondance contient des appels à des réalisations plus humaines et plus accessibles. Félicitant François Coppée pour ses *Intimités*, Mallarmé lui avoue :

Le seul mot qui vous ferait plaisir, si vous ne le saviez encore mieux que moi, est que cette série de poèmes est simplement réussie.

Et il ajoute cette phrase étonnante, qui annonce tous les futurs tombeaux aussi bien que les quatrains de circonstance :

Je donnerais les vêpres magnifiques du Rêve et leur or vierge, pour un quatrain, destiné à une tombe ou à un bonbon, qui fût réussi (Corr., *270*).

En février 1869, il est en train de « reconstituer son moi », sans être encore tout à fait quitte de la crise. Par exemple, il reste si gravement atteint dans sa santé qu'il est incapable de tenir une plume lui-même et qu'il est obligé de dicter ses lettres à sa femme. Néanmoins il a tout de même conscience d'émerger lentement des ténèbres et d'avoir acquis une nouvelle personnalité. « La conscience excédée d'ombres, se réveille, lentement, formant un homme nouveau, et doit retrouver mon Rêve après la création de ce dernier » (*Corr.*, 301). Ainsi quand Mallarmé aura recouvré l'unité de son être désagrégé par les horribles expériences passées, il se remettra quand même à la poursuite du Rêve. Se dessine donc, au moment où la crise s'achemine vers son dénouement, où le poète se sent

peu à peu délivré des « griffes du Monstre », une double pos-
tulation qui marquera tout le destin futur de Mallarmé, vers le
Rêve, vers la poésie expression de l'Esprit absolu, d'une part,
qui reste le but idéal, et d'autre part vers une poésie « seulement
teintée d'absolu », vers un chant « bas » visant à des réussites
directes.

Tout le développement dramatique par lequel il vient de passer,
Mallarmé l'a transposé dans *Igitur*, un texte inachevé, d'accès très difficile, mais important puisqu'il constitue un rappel
des obsessions métaphysiques par lui vécues et qu'il apporte
un essai de solution. Sans compter que l'ouvrage représente
une première annonce du grand poème final : *Un Coup de Dés*.
Revenant à une méthode homéopathique qui lui a déjà servi,
Mallarmé élit son impuissance, la déchéance physique et mentale dans laquelle il se débat, et les visions absolues qui l'ont
visité, pour en faire le thème d'un « beau conte ». C'est ce qu'il
explique à Cazalis, à la veille des vacances de 1869. Ces vacances, le poète les passera, avec les siens, aux Lecques, dans le
Var, pays de verdures tranquilles, favorable au travail et aux
promenades. C'est là qu'*Igitur* fut entrepris. « C'est un conte,
par lequel je veux terrasser le vieux monstre de l'Impuissance,
son sujet du reste, afin de me cloîtrer dans mon grand labeur
déjà réétudié. S'il est fait (le conte), je suis guéri; *similia simi-
libus* » (*Corr.*, 313).

Igitur • *Igitur, ou la Folie d'Elbehnon* : titre étrange d'une
œuvre étrange. En hébreu, nous a appris Rolland de
Renéville, *El behnon* signifie : le fils des Elohim, c'est-à-dire
des anges, c'est-à-dire des astres, et l'adverbe-nom *Igitur*
serait emprunté au premier verset du deuxième chapitre de la
*Genèse : Igitur perfecti sunt caeli et terra et omnis ornatus
eorum*. Igitur serait donc le fils d'une race d'anges, le dernier

rejeton, l'ultime conséquence (« *igitur* ») d'une race de purs esprits, dont le destin, la « folie », si l'on veut, est de se maintenir sur le plan de l'esprit pur, sur le plan des essences éternelles et immuables, en se libérant du présent, du hasard, de l'individualité. Sous la figure de ce personnage, Mallarmé se peint donc lui-même, dernier venu des hauts poètes et héritier spirituel des grands philosophes, en qui doit se résumer Le texte donné par le Dr Bonniot se divise en cinq morceaux : 1. Le Minuit. 2. L'escalier. 3. Vie d'Igitur. 4. Le coup de dés. 5. Le sommeil sur les cendres, après la bougie soufflée, ce qui correspond à un plan retrouvé dans les papiers du poète, à ceci près que le morceau 3, Vie d'Igitur, n'y figurait pas. On possède en outre un argument de l'œuvre, un résumé dans lequel Mallarmé avait consigné ses intentions :

A peu près ce qui suit :

*Minuit sonne — le Minuit où doivent être jetés les dés. Iigitur
Minuit sonne — le Minuit où doivent être jetés les dés. Igitur
descend les escaliers de l'esprit humain, va au fond des choses : en
« absolu » qu'il est. Tombeaux — cendres (pas sentiment, ni esprit)
neutralité. Il récite la prédiction et fait le geste. Indifférence.
Sifflements dans l'escalier. « Vous avez tort » nulle émotion. L'infini
sort du hasard, que vous avez nié. Vous, mathématiciens expirâtes —
moi projeté absolu. Devais finir en Infini. Simplement parole et geste.
Quant à ce que je vous dis, pour expliquer ma vie. Rien ne restera de
vous — L'infini enfin échappe à la famille, qui en a souffert, — vieil
espace — pas de hasard. Elle a eu raison de le nier, — sa vie —
pour qu'il ait été l'absolu. Ceci devait avoir lieu dans les combinaisons de l'Infini vis-à-vis de l'Absolu. Nécessaire — extrait l'Idée.
Folie utile. Un des actes de l'univers vient d'être commis là. Plus
rien, restait le souffle, fin de parole et geste unis — souffle la bougie
de l'être, par quoi tout a été. Preuve.*

(Creuser tout cela)

(O. C., *434*.)

Malgré l'hermétisme de cet argument, c'est tout de même d'ici qu'il faut partir pour essayer de débroussailler les cinq morceaux et les scolies qui s'ensuivent, encore qu'il y ait peu d'espoir d'en éclairer jamais tous les détails. Même le thème général approximatif ne se laisse pas si aisément dégager de ces proses coriaces.

Igitur représente l'être arrivé à un état de dépersonnalisation tel qu'il se transforme en esprit pur. Il est le double parfait de Mallarmé lorsque celui-ci déclare, dans la lettre du 14 mai 1867, qu'il n'est plus qu'une « aptitude qu'a l'Univers spirituel à se voir et à se développer, à travers ce qui fut moi ». Et la quête dont il est le héros se trouve assez précisément définie dans le passage de la lettre à Villiers, du 24 septembre 1867, où Mallarmé déclare avoir « compris la corrélation intime de la Poésie avec l'Univers, et, pour qu'elle fût pure, conçu le dessein de la sortir du Rêve et du Hasard et de la juxtaposer à la conception de l'Univers ». Jusqu'à lui, les poètes qui forment sa race, dont il est le dernier représentant, n'ont pas su voir cette corrélation de la poésie avec l'univers; ils ont été la proie du temps, des âmes personnelles et des apparences. La destinée d'Igitur, c'est d'accomplir, dans des circonstances prescrites par un grimoire, un acte par lequel sera réalisée la Notion même de cette race des poètes, dont la mission est de préparer « l'explication orphique de la terre ». Pour y parvenir, il lui faudra échapper au Temps, et supprimer le Hasard en jetant les dés. C'est pourquoi l'action, tout abstraite et symbolique (cf. l'épigraphe : « Ce Conte s'adresse à l'Intelligence du lecteur qui met les choses en scène, elle-même »), se passe à minuit, qui est le temps ramené à zéro. Il y a une tour, dans cette tour une espèce de chambre — la « chambre du temps » — meublée d'un vague mobilier, dans laquelle se tient Igitur, lequel a par avance l'allure d'un quelconque héros de nouveau roman : « dénué de toute signification que de présence ». C'est un fantôme qui n'a même plus assez de corps pour se refléter dans le miroir placé devant lui (et on se souvient que Mallarmé, au sortir de ses épreuves, avait besoin de se regarder dans les glaces pour s'assurer qu'il n'était pas fondu dans le Néant). Sur la table, le grimoire et une bougie allumée — « l'un annonçant cette négation du hasard, l'autre éclairant le rêve où il en est ». Le grimoire représente l'ensemble des efforts et des leçons des poètes du passé, des poètes de la race, qui n'ont pas abouti mais qui révèlent tout de même des suggestions importantes sur la tâche essentielle de la fonction littéraire. Le livre dévoile le but à atteindre — la négation du hasard — et les conditions particulières à observer pour y parvenir — le coup de dés. Quant à la flamme du luminaire, elle est censée représenter la conscience qui présidera à ces diverses opérations. A minuit, donc, au moment où le temps suspend son vol, le héros accomplit la première phase de l'ascèse nécessaire qui, à la suite d'une dépersonnalisation totale, fait de lui un être complètement dépouillé, un pur esprit : « Adieu, nuit, que je fus, ton propre sépulcre, mais qui, l'ombre survivante, se métamorphosera en Eternité. » Là-dessus, le grimoire dans une main, la bougie dans l'autre, Igitur sort de la chambre et va se perdre dans les escaliers.

Cet escalier, ainsi qu'il apparaît dans l'*Argument* — et qui peut être aussi un couloir, ou un corridor — est le symbole de l'esprit humain. Il conduit à une crypte où sont les tombeaux et les cendres des ancêtres, et les marches d'escalier sont « faites des pierres funéraires de toutes les ombres », ce qui semble indiquer que revit en lui-même le processus du développement spirituel parcouru par l'humanité, ou par les chercheurs d'absolu, depuis les origines. Il appartient à Igitur-Mallarmé de repasser par chacune de ces étapes. C'est ce qu'il avait exposé à Cazalis :

Cela durera quelques années, pendant lesquelles j'ai à revivre la vie de l'humanité depuis son enfance et prenant conscience d'elle-même (Corr., *301*).

Le troisième fragment, *Vie d'Igitur*, évoque le même passage du monde de l'indécision à celui de la conscience — « avant que son Idée n'ait été complétée », c'est-à-dire avant la découverte de Hegel; « depuis que son idée a été complétée », c'est-à-dire après la découverte de Hegel, après qu'il est parvenu à une « notion pure de lui-même ». C'est cette découverte qui lui a permis de former une nouvelle conception du Beau et par là de sortir de l'impuissance. Sa vie ancienne est résumée ainsi : « Névrose, ennui (ou Absolu!) »; ici pseudo-Absolu, qui correspond à cet idéalisme hyperbolique de l'époque du Parnasse qui le laissait vide devant la page vide. Prisonnier de l'éphémère : « J'ai toujours vécu mon âme fixée sur l'horloge. » Hegel l'a délivré du Temps, l'a guéri de cette « maladie d'idéalité » dont il souffrait et dont avait déjà souffert toute sa race, et lui a enfin découvert quelque chose de l'Absolu de soi et des choses. Mais toute vérité révélée exige des sacrifices. « Cette perfection de ma certitude me gêne : tout est trop clair, la clarté montre le désir d'une évasion. » Mais pour aller plus loin, il est nécessaire d'aller au bout de sa purification, de devenir tête séparée de son corps (symbole utilisé dans le *Cantique de saint Jean* pour évoquer l'absolue conscience de soi), Ombre parfaite et éternelle, figée « au point de jonction de son futur et de son passé devenus identiques ».

Bref, ayant par là accompli le vœu de sa race, armé pour entrer dans l'âge moderne de la poésie, Igitur va accomplir l'acte de lui exigé, révélé par le grimoire, qui lui permettra d'accéder à l'Absolu : il va jeter les dés qui abolissent le hasard. A vrai dire, dans les brouillons primitifs, Mallarmé avait d'abord utilisé, dans le même sens, à ce qu'il semble, le symbole d'une fiole de poison. Arrivé aux tombeaux des ancêtres, Igitur saisissait une fiole ancienne et buvait le poison défendu qu'elle contenait. Plus tard, peu satisfait du motif du poison, Mallarmé l'a remplacé par celui du coup de dés, par lequel Igitur veut prouver à ses ancêtres que leur entreprise est une folie vis-à-vis de la vie, c'est-à-dire du hasard. Mais l'interprétation des deux derniers fragments (4, *Le coup de dés*; 5, *Il se couche au tombeau*) est fort difficile, car, outre qu'ils sont beaucoup moins élaborés encore que les premiers, plusieurs versions et projets s'y superposent. Il n'est même pas certain qu'Igitur lance réellement les dés; peut-être fait-il simplement le geste de les lancer, mais sans les lâcher.

L'idée essentielle reste que la pensée pure doit s'accomplir dans la négation du hasard, ou du moins le tenter. L'impuissance ancienne, née de l'ennui qui ronge la vie, née de la conviction que rien n'a d'existence et que tout est Mensonge et Illusion, se trouve du même coup vaincue par l'Acte nécessaire du jet des dés, accompli dans les conditions de lucidité requise. Le poète a donc dû passer par une ascèse horrible, mourir à lui-même, à sa conscience et à sa vie, mais c'était le prix à payer pour accéder à l'absolu, pour extraire de l'infini un chiffre, et des choses leur notion pure :

Elle a eu raison de le nier, — sa vie — pour qu'il ait été l'absolu. Ceci devait avoir lieu dans les combinaisons de l'Infini vis-à-vis de l'Absolu. Nécessaire — extrait l'Idée. Folie utile. Un des actes de l'univers vient d'être commis là...

Le coup de dés abolit le hasard parce que, dans l'infini mathématique des possibilités, il projette sur le tapis un seul nombre. Il *fixe* l'infini. De même que l'indétermination des choses, l'Acte poétique, selon le rêve hérité de toute la lignée des poètes, extrait et fixe une Idée. De même encore, et ce prolongement se trouvera dans le *Coup de Dés*, furent fixés au ciel, à l'origine des temps, les jeux sublimes des constellations. Ayant ainsi accompli sa mission, Igitur peut disparaître. Il ne lui reste qu'à souffler la bougie de la conscience sans laquelle rien n'aurait eu lieu — « Plus rien, restait le souffle, fin de parole et geste

Banquet de la Plume.

185

Stéphane Malla

MALLARMÉ au banquet de la Plume. Dessin de CAZALS

MALLARMÉ. Photographie de Nadar, vers 1896

« ... la belle photographie au châle, de Nadar, la dernière chose faite
d'après père, d'une absolue ressemblance. »

« Mallarmé par sa fille »
(Nouvelle Revue Française, *novembre 1926*).

unis — souffle la bougie de l'être, par quoi tout a été. Preuve. »
Preuve que c'est bien à partir de la conscience absolue que
l'aventure spirituelle de l'homme peut commencer.

Ainsi *Igitur* transpose, sous forme de conte ou de scène, l'extraordinaire processus par lequel Mallarmé, au cours des années de crise 1866-1869, a gravi les degrés d'une conscience
philosophique et poétique de plus en plus informée et de plus en
plus exigeante, pour finir par amalgamer à son esthétique une
certaine vision hégélienne du développement de l'Esprit. De
sorte que la poésie moderne ne peut plus se contenter, comme
elle le fut dans le passé, d'être l'expression approximative d'un
tempérament ou la transposition des phénomènes éphémères, ou
le recours à un vague idéal, mais elle doit — ainsi pensent plus
ou moins précisément Mallarmé et les Symbolistes — recéler
en elle le sens même et l'explication de l'univers. Les mots doivent être soustraits au hasard pour se transformer en notions
essentielles à la faveur d'un Acte comparable au coup de dés, lequel extrait des séries infinies de possibilités un résultat unique
qui revêt les apparences d'un absolu. Par le moyen qui fait la
poésie participer de la vie de l'Esprit selon Hegel, Mallarmé
trouve le secret de substituer à une poésie du contingent, une
poésie du nécessaire, et à une poésie des existences une poésie
des Idées. La poésie moderne s'enrichit par là d'une dimension
qui est à la fois sa dignité et sa justification, et qui fournit un
soubassement philosophique élaboré à ce qui n'était qu'une profonde intuition chez les grands Voyants, de Nerval à Rimbaud, intuition à laquelle Baudelaire avait donné cette forme :
« Il y a dans le *Verbe* quelque chose de *sacré* qui nous défend
d'en faire un jeu de hasard. »

Ces révélations furent pour Mallarmé capitales, mais elles n'en
perdirent pas moins leur efficace dans la suite de son existence.
Assurément la poésie absolue restera pour lui, dans le secret

de son être, celle qu'il s'est définie au cours de sa crise métaphysique. C'est elle qui restera le but suprême, rarement avoué, l'objet même du Grand Œuvre. Mais le Mallarmé public n'y fera des allusions que clairsemées, comme si une pensée aussi haute était contraire à la vie. Sorti très diminué, tant physiquement que moralement, de ses années de drame, il semble qu'il ait tout fait pour oublier les illuminations dévorantes qui l'avaient visité, les vérités empoisonnées qui avaient failli le perdre. Les textes qui témoignent directement de la crise, et en particulier *Igitur*, resteront définitivement dans ses tiroirs. Jamais, dans ses écrits théoriques, de rappel direct de Hegel, ni d'une poésie explicitement définie comme étant l'expression de l'Idée extériorisée dans l'Univers. Il semble avoir décidé de se refuser à cette ambition impossible et trop cruellement exigeante au bénéfice d'une poésie, ainsi qu'il le dit, « seulement teintée d'absolu » et qui se rattache dès lors à une doctrine bien plus vague des correspondances, amalgamant sans trop de rigueur des données bouddhistes, illuministes, swedenborgiennes ou platoniciennes. Et plutôt que des problèmes se rapportant au substrat métaphysique de la poésie, qui se contentera désormais, selon le mot de Mallarmé, de dégager « le mythe inclus dans toute banalité », ce seront des problèmes techniques qui requerront désormais son attention : technique de l'acte poétique, tactique du lancement des dés, problèmes du Verbe et du langage.

LES MOTS DE LA TRIBU

Paris • A l'automne de 1871, Mallarmé s'installe à Paris. Appréciation désabusée de Leconte de Lisle : « Arrivée de Stéphane Mallarmé, plus doux, plus poli et plus insensé que jamais, avec de la prose et des vers absolument inintelligibles, une femme et deux enfants, dont un non encore venu au monde, et *pas un centime.* » Cette situation alarmante trouva heureusement une rapide solution : l'enfant naquit, le 16 juillet — un garçon, Anatole — et une nomination de chargé de cours au lycée Fontanes (aujourd'hui Condorcet) assura, en septembre, la situation matérielle de la famille qui s'installa, en novembre, 29, rue de Moscou.

Ces débuts modestes n'ont rien d'un assaut capable de forcer l'attention de la capitale. Néanmoins, un ensemble de publications dont le hasard réunit et renforce l'effet, attire à ce moment-là l'attention des esprits rares sur le nouveau venu. Le second *Parnasse Contemporain*, retardé par la guerre, révèle la *Scène d'Hérodiade*, qui séduit profondément quelques écrivains, entre autres Huysmans. L'*Art Libre* de Bruxelles procède à une nouvelle publication d'anciens poèmes en prose qui n'avaient paru que dans des revues inaccessibles : *Plainte d'Automne, Frisson d'Hiver, Pauvre Enfant pâle, La Pipe* et *Réminiscence.* Enfin Emile Blémont, dans la revue qu'il vient de fonder, la

Renaissance artistique et littéraire, révèle les premières traductions d'Edgar Poe, en particulier le fameux *Corbeau*.

« Je redeviens un littérateur pur et simple » (*Corr.*, 342) : telle est la volonté de Mallarmé une fois redescendu de l'Absolu. Voire. Mallarmé ne se laissera jamais confondre avec François Coppée, quand bien même il trouve à louer ses quatrains *réussis*. Le littérateur qu'il est décidé à devenir n'est « pur et simple » que par rapport à celui qu'il avait voulu être : le chantre des « vêpres magnifiques du Rêve », l'Orphée en qui se serait incarné l'Esprit constitutif de l'Univers. Redevenir un littérateur pur et simple signifie seulement pour Mallarmé qu'il renonce à une poésie qui serait pleinement transcendantale au profit d'une poésie qui partira des mots et qui retiendra, dans ses entrelacs étudiés, ce qu'elle pourra des suggestions de la métaphysique. Ayant reconnu douloureusement que la Beauté absolue est hors des prises humaines, il voit bien que le meilleur doit se contenter d'en accrocher des reflets. La tâche du poète revient donc à définir et à réaliser les moyens pratiques d'une poésie qui repart à zéro, c'est-à-dire qui repart des mots, et qui atteint à la pureté — à une relative pureté — par le travail sur le langage. Ainsi se circonscrit une nouvelle poétique qui trouvera plus tard sa magnifique expression sibylline dans ce passage connu de *Crise de Vers* :

> *L'œuvre pure implique la disparition élocutoire du poëte, qui cède l'initiative aux mots, par le heurt de leur inégalité mobilisés; ils s'allument de reflets réciproques comme une virtuelle traînée de feux sur des pierreries, remplaçant la respiration perceptible en l'ancien souffle lyrique ou la direction personnelle enthousiaste de la phrase* (O. C., *366*).

Rhétorique de l'absence • Dans la lettre de l'araignée (à Aubanel, 28 juillet 1866), au plus fort de ses méditations hégéliennes, Mallarmé pressentait

déjà clairement que le principe de la Beauté devait se situer
dans un poème, un mot qui serait centre de liaisons avec le
monde, dont il suggérerait l'ordre suprême, la Beauté, en réali-
sant son image immanente. Il n'importe donc plus de décrire un
paysage, d'exprimer un sentiment, ni même de nommer un
objet : il suffit de lui désigner sa place dans le système abstrait du Beau, d'en susciter l'idée. Le mystère poétique trouvait ainsi, dans la théorie hégélienne, une nouvelle justification
— en même temps que la chance d'être découvert, puisqu'il
n'est pas inconnaissable, mais seulement caché au profane.

Si Mallarmé semble avoir définitivement tiré le rideau sur le
drame spirituel qu'il a vécu, il n'en reste pas moins que c'est
en jonglant avec l'Etre et le Néant qu'il a eu l'illumination
d'une poétique qui lui permet de passer des mots à leur négation, et de cette négation à une synthèse supérieure — « du fait
à l'idéal » — où le langage vit de sa vie singulière et obéit à ses
propres initiatives. *Crise de Vers* dira nettement comment le
poète passe du plan des phénomènes à la recréation de l'art :

> *Le vers qui de plusieurs vocables refait un mot total, neuf, étranger
> à la langue et comme incantatoire, achève cet isolement de la parole :
> niant, d'un trait souverain, le hasard demeuré aux termes malgré
> l'artifice de leur retrempe alternée en le sens et la sonorité, et vous
> cause cette surprise de n'avoir ouï jamais tel fragment ordinaire
> d'élocution, en même temps que la réminiscence de l'objet nommé
> baigne dans une neuve atmosphère* (O. C., *368*).

Cette propension à *néantiser* les objets sensibles, répondant
au second moment de la dialectique hégélienne, reste l'une des
tendances les plus curieuses de la poésie de Mallarmé, poésie
du silence et de l'absence, de la blancheur et du vide. Elle est
spécialement sensible dans un cycle de trois pièces sur lesquelles
on a peu de renseignements extérieurs, à ceci près qu'elles parurent, ensemble, en janvier 1887, dans la *Revue Indépendante*.

Elles remontent sans doute, ainsi que Guy Michaud nous le persuade, à l'année 1866 et doivent représenter les pièces annoncées par Mallarmé dans une lettre à Cazalis (à Mendès, dit par erreur Michaud), de mai 1866 :

Je suis en train de jeter les fondements d'un livre sur le Beau. *Mon esprit se meut dans l'Éternel, et en a eu plusieurs frissons, si l'on peut parler ainsi de l'Immuable. Je me repose à l'aide de trois courts poèmes, mais qui seront inouïs, tous trois à la glorification de la Beauté* (Corr., *216*).

Il s'agit des trois sonnets : *Tout Orgueil fume-t-il du soir, Surgi de la croupe et du bond* et *Une dentelle s'abolit*, qui par les thèmes (intérieur, plafond, cheminée, mandore, dentelle du lit) et le vocabulaire (ténèbres, trophée, sépulcre) s'apparentent aux pièces de 1865-1866, *Don du Poème, Ouverture ancienne* ou *Sainte.* Ces trois sonnets inaugurent véritablement la troisième et définitive manière de Mallarmé, *Hérodiade* et le *Faune* pouvant être considérés comme une étape intermédiaire sur la voie qui va du Parnasse au Symbolisme. Ils répondent à la poétique née de ses découvertes hégéliennes et de ses premières recherches sur le langage. C'est dire que le *ton* en est « tout nouveau » (Michaud) et que nous abordons ici ce type de poèmes où presque chaque vers est une énigme et chaque mot un rébus sur lesquels peut s'exercer la sagacité des commentateurs, ces « scoliastes futurs » auxquels le poète n'est pas sans témoigner, avec quelque ironie, « quelque déférence ».

Les trois pièces, numérotées I, II, III, forment donc, dans l'esprit du poète, un triptyque et sont toutes les trois des poèmes de l'absence. Le décor en est une chambre, peut-être celle du poète à Tournon, celle qui figurait déjà dans *Don du Poème*, mais peut-être aussi une chambre plus impersonnelle, qui se rapprocherait de la « chambre du temps » d'*Igitur. Tout Orgueil* est un poème éclairé par la lumière du crépuscule; l'om-

bre et le froid enveloppent les choses. *Surgi de la croupe* se
passe dans les ténèbres de la nuit, au cours d'une dure veillée.
Une dentelle s'abolit nous amène à l'aube, à l'heure de la « vitre blême ». Lorsque Mallarmé écrivait *Hérodiade*, la Beauté
était déjà son sujet, mais il la comprenait alors au sens traditionnel et ne visait qu'à en donner une image qui surpassât en
scintillation la *Joconde* ou la *Vénus de Milo.* Aussi son Hérodiade est-elle une statue idéalisée. Or, dans nos trois sonnets,
consacrés eux aussi, au dire même du poète, à exalter la Beauté,
que trouvons-nous ? Dans le premier une console de cheminée,
dans le second un lustre de verre suspendu au plafond, dans
le troisième un rideau encadrant un lit, tous objets qui, réduits
à leur prosaïque réalité, ne sont pas spécialement faits pour
électriser la fibre esthétique. Mais remarquons que ces objets
dont il est question ne sont pas là réellement : ils sont absents,
ils sont niés en tant que « faits ». « Une dentelle s'abolit », « absence de lit », « pur vase d'aucun breuvage », toutes ces notations répondent bien à la dialectique négative que le poète
vient de découvrir et renvoient les objets au néant. Mais à un
néant plein de promesses — le « creux néant musicien » —
d'où ils ressusciteront sous formes d'Idées, de Notions pures.
Car il ne s'agit nullement d'évoquer par ces absences un gouffre
noir de non-être. Au contraire, chacun des objets en question
évoque d'autres réalités qui lui sont complémentaires, par le
truchement de nouvelles analogies et surimpressions. Ainsi la
console de marbre de la cheminée illuminée par le feu, permet de passer à l'idée de la torche, et de là à celle d'orgueil.
A la source de ces images se situe une suite d'impressions :
le poète, dans son orgueil qui le brûle comme une flamme, a rêvé
d'incarner en son œuvre les plus hautes visions du Rêve. Mais
si l'héritier (« l'hoir ») de ce rêve, le poète, revient dans sa
chambre faire le compte des trophées de ses victoires, il la
trouve vide et froide. D'où ses « affres », remords provoqué

par l'échec de son ambition majeure, que ne réchauffe plus la flamme d'aucun feu. Le lustre, dans le second poème, a un col recourbé qui s'interrompt brusquement. Mais il revêt aussi l'apparence d'un vase vide et celle d'un sylphe. Il est alors l'image des rêves du poète, être impuissant parce que sa nature n'a jamais été une, ceux qui l'ont engendré n'ayant jamais bu « à la même Chimère ». L'effort vers la Beauté, illustré par les jolies courbes de la « verrerie éphémère », n'aboutit qu'à des images de vacuité : une coupe vide de tout breuvage, une rose, mais absente. Cette rose symbolique est la beauté, mais son absence laisse le poète prisonnier des ténèbres. Dans la troisième pièce, on voit d'abord flotter une dentelle dans l'encadrement d'une fenêtre derrière laquelle montent les premières lueurs du jour. Cette blancheur fluctuante évoque avec insistance une autre blancheur : celle d'un lit, qui n'est pas là, mais dont la présence s'impose comme étant le réceptacle où s'opère toute naissance. Réceptacle symbolique, lui aussi, auquel se superpose l'image de la mandore, ventre spirituel, grosse des œuvres harmonieuses que le poète n'a pas su encore mettre au monde. C'est dans le poète lui-même que dort cet instrument dont il sait qu'il contient les secrets du Beau qui naît du Néant, et d'où pourrait naître un grand poème pur, selon l'Esprit et selon la Musique.

« Inouïs » : ces poèmes l'étaient assurément, par la surcharge des images, la concentration de l'idée et de la syntaxe, la transposition constante « du fait à l'idéal ». Mallarmé doue ici d'une importance privilégiée quelques simples objets familiers qui disparaissent en tant que tels pour ne conserver que leur valeur de signe et résumer en leur absence, et dans les images corrélatives qui en naissent, telle impression ou idée qui illumine en leur centre les secrets d'une création poétique. En ce sens ces pièces glorifient bien la Beauté, puisqu'elles échappent à l'évocation des sentiments personnels ou de la nature éphémère pour s'établir sur un plan supérieur où les vérités sont fixes et pures, autant qu'il est donné à la poésie de les incarner.

Céder l'initiative aux mots • C'est encore pendant les années de crise, consa-crées alternativement à *Hérodiade* et au *Faune*, que Mallarmé écrivit, en 1868, à la demande de Cazalis, l'une de ses pièces les plus curieuses : le fameux sonnet en -*yx*. Cazalis espérait faire figurer ce sonnet dans un recueil de *Sonnets et Eaux-fortes*, dû à divers collaborateurs, qu'allait publier Lemerre. Mais le sonnet de Mallarmé n'y parut pas; il ne vit le jour qu'en 1887, dans la première édition des *Poésies*, sous une forme profondé-ment remaniée. La pièce s'intitula d'abord : *Sonnet allégorique de lui-même*, puis : *La Nuit*, et finit par paraître sans titre.

> *Ses purs ongles très-haut dédiant leur onyx,*
> *L'Angoisse, ce minuit, soutient, lampadophore,*
> *Maint rêve vespéral brûlé par le Phénix*
> *Que ne recueille pas de cinéraire amphore*
>
> *Sur les crédences, au salon vide : nul ptyx,*
> *Aboli bibelot d'inanité sonore,*
> *(Car le Maître est allé puiser des pleurs au Styx*
> *Avec ce seul objet dont le Néant s'honore.)*
>
> *Mais proche la croisée au nord vacante, un or*
> *Agonise selon peut-être le décor*
> *Des licornes ruant du feu contre une nixe,*
>
> *Elle, défunte nue en le miroir, encor*
> *Que, dans l'oubli fermé par le cadre, se fixe*
> *De scintillations sitôt le septuor.*

Ce sonnet irrégulier d'alexandrins représente d'abord une véri-table prouesse technique. Remarquons que les rimes des quatrains (*-yx* et *-ore*) restent les mêmes dans les tercets, mais en changeant de genre (*-ixe* et *-or*). Qu'en outre la série des rimes en *-yx* ou en *-ixe* est parmi les plus pauvres de la langue, ce qui oblige le poète à des tours de force, peut-être même à inventer des mots. Ainsi ce *ptyx*, qui ne figure dans aucun dictionnaire français et autour duquel se sont déjà livrés de grands combats exégétiques. Dans une lettre du 3 mai 1868, Mallarmé écrivait à Lefébure : « Enfin, comme il se pourrait toutefois que rythmé par le hamac, et inspiré par le laurier, je fisse un sonnet, et que je n'ai que trois rimes en ix, concertez-vous pour m'envoyer le sens réel du mot ptyx, on m'assure qu'il n'existe dans aucune langue, ce que je préférerais de beaucoup afin de me donner le charme de le créer par la magie de la rime » (*Corr.*, 274). Ce serait donc l'histoire de Hugo et de Jerimadeth. Finalement, la plupart des commentateurs s'entendent pour expliquer ce mot par son origine grecque, selon laquelle il désigne un coquillage, de l'espèce de ceux qui font entendre le bruit de la mer quand on les colle à son oreille. De toute façon, observons une fois de plus que ce *ptyx* n'est nommé que pour être nié : aucun bibelot de ce genre ne décore la cheminée de cette chambre vide. Au reste, ce détail ne fait pas beaucoup avancer l'explication du poème, l'un des plus sibyllins qui soient. Pourtant, ici encore, nous disposons d'une exégèse du poète lui-même, dans une lettre à Cazalis, du 18 juillet 1868, mais qui n'a guère trait qu'au décor :

Par exemple, une fenêtre nocturne ouverte, les deux volets attachés; une chambre avec personne dedans, malgré l'air stable que présentent les volets attachés, et dans une nuit faite d'absence et d'interrogation, sans meubles, sinon l'ébauche possible de vagues consoles, un cadre belliqueux et agonisant, de miroir appendu au fond, avec sa réflexion, stellaire et incompréhensible, de la grande Ourse, qui relie au ciel seul ce logis abandonné du monde (Corr., *279*).

C'est donc un intérieur, éclairé par une statue de bronze

portant une lampe, statue du Crime dans la première version,
de l'Angoisse dans la dernière, et abandonné par son propriétaire,
le poète, qui est allé chercher l'oubli. Au fond de la chambre
un miroir, au cadre compliqué de sujets mythologiques, et qui
ne reflète, dans sa noire solitude, que les sept étoiles lumineuses de la grande Ourse. Sur la signification même de ce curieux
nocturne, remarquons que Mallarmé ne nous apprend rien. Il
semble que nous soyons ici en présence d'une allégorie ouverte,
et que cette imagerie n'ait d'autre objet que de suggérer, sans
que chaque détail puisse trouver son explication, cette descente
dans le néant, dans la mort spirituelle par où le poète doit passer pour se soustraire à la vaine bibeloterie des choses naturel-
les ou personnelles. Du moins le poète indique-t-il par là une
voie pour relier le ciel à la terre, pour laisser se refléter dans
le miroir obscur de son esprit les pures lumières de l'autre
monde. Au reste, Mallarmé dit encore à Cazalis qu'il n'a visé
qu'à faire un poème « aussi « blanc et noir » que possible »
et capable d'être le digne accompagnement d'une « eau-forte
pleine de Rêve et de Vide ».

Il y a toute apparence que, dans ce poème, et pour la première fois, Mallarmé cède véritablement « l'initiative aux mots ».
Cette façon de les écrire d'abord, comme le mot *ptyx*, et de
courir ensuite après leur signification, constitue tout de même
une bien curieuse indication. Toutefois, qu'on ne s'y trompe
pas : si, dans le présent sonnet, Mallarmé a l'air de sacrifier
au bout-rimé, il faut se garder de lire dans la formule « céder
l'initiative aux mots » une apologie de cet aimable jeu de so-
ciété. Non plus d'ailleurs qu'un satisfecit présurréaliste : les Sur-
réalistes ouvrent tout grands les bras à ce même hasard que Mallarmé récuse de toutes ses forces. Il veut seulement dire que,
dans la création poétique, l'initiative (les commencements) appartient aussi bien aux mots qu'à la pensée, cette dernière n'ayant
ni à préjuger des premiers, ni à les asservir. Aussi Mallarmé

à partir, semble-t-il, du présent sonnet, va-t-il recourir souvent à la technique des bouts-rimés; on a là-dessus le témoignage formel de Ghil et de Valéry, et d'ailleurs les brouillons d'*Hérodiade*. C'est la preuve que, pour Mallarmé, l'inspiration et la poésie se dessinent à travers des complexes de mots, qui s'imposent à celui qui écrit, avant même les schèmes logiques. Obsessions verbales du type de « La Pénultième est morte » du *Démon de l'Analogie*. Les mots semblent ainsi doués d'une vie personnelle, et ils subissent en outre une métamorphose, dans le creuset du poème, dont les effets sont incalculables. On trouve, à la pratique de cette alchimie verbale, une espèce d'exaltation enivrante, dont Mallarmé a fait l'expérience :

J'extrais ce sonnet, auquel j'avais une fois songé cet été, d'une étude projetée sur la Parole *: il est inverse, je veux dire que le sens, s'il en a un (mais je me consolerais du contraire grâce à la dose de poésie qu'il renferme, ce me semble), est évoqué par un mirage interne des mots mêmes. En se laissant aller à le murmurer plusieurs fois, on éprouve une sensation assez cabalistique* (Corr., 278).

Alternative • Dans une lettre du 13 octobre 1868, Emmanuel des Essarts communique à Mallarmé qu'il a transmis ses *deux* sonnets à Mendès, en vue du recueil *Sonnets et Eaux-fortes*, l'un étant le sonnet en -*yx*. Le second est désigné de la manière suivante : « Celui que tu destines à Nina [de Villars] en vers de huit pieds est remarquable. » Il ne peut s'agir que du poème *De l'orient passé des Temps*, qui avait été également envoyé à Bonaparte Wyse, dans la correspondance duquel Mme Eileen Souffrin l'a retrouvé (*Fontaine*, nº 56) :

De l'orient passé des Temps
Nulle étoffe jadis venue

Ne vaut la chevelure nue
Que loin des bijoux tu détends.

Moi qui vis parmi les tentures
Pour ne pas voir le Néant seul,
Aimeraient ce divin linceul.
Mes yeux, las de ces sépultures,

Mais tandis que les rideaux vagues
Cachent des ténèbres les vagues
Mortes, hélas! ces beaux cheveux

Lumineux en l'esprit font naître
D'atroces étincelles d'Être,
Mon horreur et mes désaveux.

(La ponctuation est certainement fautive aux vers 7 et 8; il faut reporter le point à la fin du vers 8, « Mes yeux » étant le sujet de « aimeraient ».) Ce poème, quoique écrit en même temps que le sonnet en *-yx*, ne ressortit aucunement à la technique « cabalistique » : c'est la pensée, ici, qui mène le jeu. On a déjà remarqué que la présence simultanée d'une chevelure et d'un drapeau existe déjà dans le *Château de l'Espérance*, de 1863, (« D'une chevelure qui a fait naître en mon cerveau l'idée d'un drapeau, mon cœur, pris d'une ardeur militaire, s'élance... »), mais qu'ici le thème de la chevelure se produit pour la première fois d'une façon absolument personnelle. Il est sans doute excessif d'affirmer, comme on l'a fait, que Mallarmé fut un fétichiste de la chevelure; mais il est non moins certain qu'il existe chez lui une propension évidente à évoquer la femme tout entière par ce seul ornement — et blond, de préférence — de la tête féminine, qu'il associe à des évocations d'eau, de feu, d'onde, de métal : rivière, torrent, flamme, casque. Rivière, quand les cheveux dénoués suggèrent l'abandon voluptueux, comme c'était le cas, ainsi que nous l'avons vu, dans *Tristesse d'Eté*. Ici, il s'agit d'une chevelure flottante, assimilée à des tentures, rideaux, linceuls, évoquant l'idée de Néant. Ces images funèbres nous rappellent que c'est dans le plus sombre passage de son existence spirituelle que Mallarmé compose le présent sonnet, qui se relie à *Igitur*, écrit dans le même été, et où paraissent également à maintes reprises les tentures et les ténèbres. De sorte que, s'il faut considérer la pièce comme un madrigal à Nina, il faut avouer aussi qu'il s'agit d'un madrigal noir. Ces rideaux ou tentures doivent symboliser le temps, comme dans *Igitur*, et le poète regrette de ne pouvoir dissoudre sa personnalité dans le Néant, car les charmes de la vie sont les plus forts

> *... ces beaux cheveux*
> *Lumineux en l'esprit font naître*
> *D'atroces étincelles d'Etre...*

Autrement dit : j'aime donc je suis, alors que le Rêve serait de n'être pas. Dans une atmosphère plus sereine, cette opposition continue à faire le fond du poème dans un second état du texte, révélé par le professeur Mondor en 1954 (*Nouvelle Revue Française*) et qui porte le titre significatif : *Alternance*. Cette version date probablement d'avant l'arrivée de Mallarmé à Paris. En mars 1885, ce sonnet paraît sous une troisième forme, complètement nouvelle, dans la *Revue Indépendante*. Cette version définitive, en même temps qu'elle donne au sonnet une structure tout à fait classique, élimine « l'alternative » entre l'être et le non-être qui était le sujet des deux premières et opte finalement pour l'effacement du Rêve au profit d'un total abandon à l'amour. En outre, la chevelure « nue » évoquée n'est plus celle de l'amie Nina, mais celle, couleur blond-acajou, de Méry Laurent, à qui le poète doit de trouver des charmes à la vie. Malgré l'apparent renforcement de l'hermétisme du poème dans sa dernière version, celle-ci est peut-être plus facile à déchiffrer que la première :

> *Quelle soie aux baumes de temps*
> *Où la Chimère s'exténue*
> *Vaut la torse et native nue*
> *Que, hors de ton miroir, tu tends !*
>
> *Les trous de drapeaux méditants*
> *S'exaltent dans notre avenue :*
> *Moi, j'ai ta chevelure nue*
> *Pour enfouir mes yeux contents.*
>
> *Non ! La bouche ne sera sûre*
> *De rien goûter à sa morsure,*
> *S'il ne fait, ton princier amant,*
>
> *Dans la considérable touffe*
> *Expirer, comme un diamant,*
> *Le cri des Gloires qu'il étouffe.*

La « soie aux baumes de temps » est celle des drapeaux, sur laquelle une figuration de chimères s'efface (« s'exténue ») sous l'effet du temps. Il peut aussi s'agir d'une de ces vieilles soieries chinoises, avec dragons se livrant à des contorsions farouches, comme on devait en trouver dans le salon de Méry, où régnait aussi avec quelques autres, la mode extrême-orientale. Ces soieries, dit le premier quatrain, qui forme un joli intérieur impressionniste, ne valent pas la tresse que tu déroules et que ton miroir n'est pas assez grand pour contenir toute. Dehors, c'est quelque fête qui motive la présence, à la fenêtre, de drapeaux vétustes, mais que leurs trous ennoblissent, comme les blessures les vétérans. Ici encore, on peut faire des rapprochements avec des toiles impressionnistes, la *Rue Montorgueil pavoisée* de Monet (1878, Musée de Rouen) ou la *Rue Mosnier aux drapeaux* de Manet (1878, New York, Coll. Jakob

Goldschmidt), ainsi que le suggère Luigi de Nardis. Mais moi, dit le poète, je me détourne de cet extérieur en fête pour enfouir mon visage dans ta chevelure et y déposer des baisers qui sont des diamants, qui sont le prix de ma renonciation à la gloire que le monde aurait pu m'offrir. Ayant reconnu l'inutilité de mourir à son Rêve, puisque de toute façon le secret de vaincre le hasard ne lui fut pas révélé, Mallarmé choisit de mourir ici d'une petite mort commune, mais qui atteste suffisamment à ses yeux la vanité foncière de toute individuelle présomption.

Premiers tombeaux • Après cinq ans de silence, *Toast funèbre* marque, en 1873, le retour de Mallarmé à la poésie. Retour précaire, motivé par les circonstances. En fait, sorti de sa crise métaphysique et dans les années qui suivront, Mallarmé limite à l'extrême sa production poétique. En quinze ans, d'*Igitur* (1869) à la *Prose pour des Esseintes* (1884), il ne donne que trois pièces funèbres, le *Toast* de 1873, le *Tombeau* de Poe (1876), *Sur les bois oubliés*, à quoi s'ajoute peut-être *Quand l'ombre menaça* (1883 ?) La seconde version du *Faune* n'est que la refonte d'une œuvre plus ancienne. Ce qui accapare le poète durant ces longues années, ce n'est donc pas la poésie, mais des occupations plus ou moins alimentaires, comme la rédaction de la *Dernière Mode*, en 1874, l'édition du *Vathek* de Beckford, en 1876, la traduction de l'*Etoile des Fées*, en 1881, et surtout l'élaboration d'études linguistiques, scolaires ou mythologiques comme la *Petite Philologie à l'usage des Classes et du Monde : Les Mots anglais* (1877), les *Dieux antiques*, nouvelle mythologie illustrée d'après G. W. Cox (1880), les *Contes favoris*, recueil de lectures anglaises à l'usage des classes de 8e et de 9e et des commençants (1885), des *Thèmes anglais* pour toutes les grammaires (1937), à quoi il faut ajouter aujourd'hui une récente découverte d'Henri Mondor, les *Beautés de l'anglais*, copieuse anthologie restée manuscrite (1154 pages!) qui devait accompagner et complé- ter les *Mots anglais* (« Mon Anthologie n'est rien du tout; un petit livre de classe, contenant de Chaucer à Tennyson et de Bacon à Carlyle »), ainsi qu'une *New English Mercantile Cor- respondence*, ne comprenant pas moins de 611 feuillets manus- crits. Sur toute cette production, où l'on découvrira bien des pages passionnantes, spécialement dans la préface des *Dieux antiques*, et où se trahit souvent le poète curieux d'étudier les vocables sous le rapport de leur sens et de leur sonorité, ainsi qu'il s'y exerce spécialement à propos des *Mots anglais*, Mallarmé aura plus tard, dans son *Autobiographie*, ce jugement sec : « J'ai dû faire, dans des moments de gêne ou pour acheter de ruineux canots, des besognes propres et voilà tout *(Dieux an- tiques, Mots anglais)* dont il sied de ne pas parler : mais à part cela les concessions aux nécessités comme aux plaisirs n'ont pas été fréquentes. » Si donc, dans ces années 1869- 1884 la production poétique de Mallarmé se réduit à quelques pièces d'inspiration funèbre, ce n'est aucunement sous l'in- fluence d'événements biographiques spécialement morbides. Il est simplement redevenu un « littérateur pur et simple » qui s'adonne, avec la conscience merveilleuse qu'il met à tout ce qu'il fait, à des travaux de grammaire et de philosophie. Et il faudra chaque fois des sollicitations extérieures pour le rame- ner à la poésie. Mais il profitera alors de chacune de ces occa- sions pour réaffirmer, dans la valeur absolue de l'art des vers, une foi qui semblait l'avoir déserté.

C'est précisément le cas de *Toast funèbre*, le premier de la série des *Tombeaux*. Il s'agit d'un grand poème de cinquante- six alexandrins à rimes plates (forme imposée au poète, son texte devant primitivement s'intégrer à une sorte de pièce collective à laquelle finalement on renonça), dans lequel Mallarmé se proposait de « chanter », ainsi qu'il le déclare dans une lettre à Coppée, « une des qualités glorieuses de Gautier : le don mystérieux de voir avec les yeux (ôtez mystérieux). Je chanterai le voyant, qui, placé dans ce monde, l'a regardé, ce qu'on ne fait pas » (*O. C.*, 1465). L'hommage rendu ici au poète dépasse de beaucoup la personne et l'œuvre de Théophile Gautier. A travers lui c'est la conception hyperbolique du poète « voyant », du poète dominant l'univers par la puissance et la concentration intellectuelle, que Mallarmé propose dans une grandiose méditation sur la mort qui nie la mort, non pas en vertu d'une vérité religieuse qu'il rejette, mais au nom d'une religion esthétique qu'il exalte. Le poète survit à la mort par son art : il n'y a pas là de thèse nouvelle, mais il y a quelque chose de nouveau dans le ton absolu avec lequel Mallarmé accepte la disparition radicale de l'être humain et oppose au « faux orgueil des hommes » le juste orgueil de ceux qu'emprisonne et que libère « la gloire ardente du métier ».

Après un vers isolé, apostrophe à Gautier, symbole de toute destinée poétique qui ne se réalise fatalement que dans la mort, Mallarmé, dans une première strophe, lève son verre (une coupe d'or ciselée) à son ami défunt. Mais ce n'est pas dans l'espoir de voir apparaître son fantôme, car Gautier est mort et bien mort, déposé dans un « lieu de porphyre », imposant monument qui « l'enferme tout entier ». Ce qui lui survit seulement, c'est sa gloire poétique qui s'identifie, dans une image compliquée et où l'ordre chronologique est inversé, avec celle du soleil mourant, dont les rayons descendent dans la tombe du poète par un curieux « carreau » :

> *Retourne vers les feux du pur soleil mortel!*

Les hommes ordinaires, la « foule hagarde », n'ont point ce recours exaltant. Tout ce qu'ils peuvent se promettre, c'est la « triste opacité » de leur vie future dans l'au-delà, selon les normes de leur foi religieuse. Si la mort de Gautier n'a point fait venir de larmes aux yeux de Mallarmé, c'est que c'est par elle, par ce retour au néant exact et définitif, que Gautier se transforme en héros d'une attente différente. Jamais Gautier n'a dit de mots qui permettraient de le rattacher à une tradition religieuse. Sa profession de foi est d'un agnostique. Si on l'interroge sur le sens de l'univers, ce n'est même pas Gautier, puisqu'il est mort, mais l'espace symbolisant son absence qui répond pour lui et qui affirme que l'aventure terrestre échappe à la compréhension des hommes. Mais ce qui donne un sens à la vie du poète, c'est son œuvre réalisée. Gautier l'avait dit dans des vers célèbres :

> *Tout passe. — L'art robuste*
> *Seul a l'éternité...*

S'il en est ainsi, c'est donc la noblesse première et le devoir idéal du poète que d'arracher les choses à leur destinée périssable, que de jeter sur elles ce regard de voyant qui les fixe dans leur être essentiel et éternel. C'est précisément cette vertu du regard, habile à extraire la beauté essentielle des choses sur lesquelles il pose son « œil profond », que Mallarmé loue en Gautier dans la troisième strophe. Il se sert une fois de plus de l'exemple des fleurs, rose et lis, comme symboles des beautés fugaces éparses « aux jardins de cet astre », que le rôle du poète est de muer en notions pures. Ainsi le poète n'est pas soumis à la loi commune, le poète ne périt pas; c'est le sens du magnifique alexandrin :

> *Le splendide génie éternel n'a pas d'ombre.*

Ce qui survit au poète, c'est un monde de paroles transfiguratrices, un « regard diaphane » qui remonte à la source de l'être et empêche les fleurs de se faner. Le poète pur a naturellement pour mission, et c'est la conclusion de la quatrième strophe, de se maintenir dans cette perspective essentielle et de lutter contre le « rêve » — ici : hasard, sensibilité ou mysticisme — qui tend à fausser le projet de ce surnaturel esthétique en faisant de la mort autre chose que ce qu'elle est en effet : le retour définitif à la « massive nuit ».

Telle est la ligne générale de ce grand poème orgueilleux et noir où se lisent en filigrane, au-delà des obsessions d'*Igitur*, les lois d'un salut par la poésie. La démarche lente de l'écriture, les détours de la syntaxe, l'inattendu des images lui confèrent une puissance de rayonnement particulière, en même temps qu'ils établissent de ces « rapports » subtils et rares où Mallarmé voyait l'essentiel de sa nouvelle esthétique. Ces rapports nouveaux reposent surtout sur des rapprochements de mots imprévus (*l'heure de la cendre, de vains murs, l'irascible vent des mots, souvenirs d'horizons...*), qui vont parfois jusqu'à marier des mots inconciliables (*pur soleil mortel, tranquille désastre...*), et sur l'emploi de l'apposition. L'apposition constitue le procédé le plus naturel pour mettre en rapport deux notions, tout en laissant à l'esprit le soin d'établir entre elles la liaison; mais Mallarmé s'amuse souvent à projeter l'apposition bien avant (ou bien après) le mot auquel elle se rapporte (ainsi *Vaste gouffre* est une apposition à *néant* qui n'apparaît que deux vers plus bas). Enfin on voit se perfectionner ici cette syntaxe audacieuse qui, au lieu de lier — ce pourquoi elle est faite — les éléments de la phrase, semble s'ingénier à les éparpiller :

> *Moi, de votre désir soucieux, je veux voir,*
> *A qui s'évanouit, hier, dans le devoir,*
> *Idéal que nous font les jardins de cet astre,*
> *Survivre pour l'honneur du tranquille désastre*
> *Une agitation solennelle par l'air*
> *De paroles, pourpre ivre...*

Il faut une attention serrée pour arriver à rétablir ici l'ordre

d'une syntaxe normale : « Moi... je veux voir... survivre...
une agitation... de paroles... » C'est l'ensemble de ces procédés qui donne à la langue de Mallarmé son caractère si personnel : une obscurité, mais pleine de sens, et où la simultanéité
des pensées et des images, à travers les ruptures de la syntaxe, la polyvalence rayonnante des mots, souvent « pris de pro-
fil », comme dit Thibaudet, les rapports spécieusement suggérés,
s'ordonne selon un ordre et par référence à un univers idéal.

On lira, dans la lignée de *Toast funèbre*, le beau sonnet trop
négligé, *Quand l'ombre menaça*. Pour le comprendre, il faut
voir, dans la « salle d'ébène » de la deuxième strophe, la voûte
céleste nocturne (le titre ancien de la pièce était : *Cette nuit...*)
éclairée par des « guirlandes célèbres » qui représentent les
constellations. Le poème se présente alors comme une grave
méditation pascalienne sur le thème des espaces infinis. Cette
poussière de mondes balisant les espaces obscurs ne revêt aucun sens aux yeux du poète « ébloui de sa foi ». Mais à cette
masse de matière aveugle s'oppose « l'insolite mystère », le
mystère de la conscience, qui sauve de la nuit la planète Terre
où s'opère, sous les « feux vils » de l'univers muet, le miracle
de la naissance de la pensée, de l'art, ou du génie.

Autre poème funèbre à propos d'un poète mort, et le plus
vénéré de tous : *Le Tombeau d'Edgar Poe*. Ecrit à Paris, en
1876, ce texte ne put être, comme le prétend Mallarmé dans la
bibliographie des *Poésies*, « récité en l'érection d'un monument
de Poe à Baltimore, un bloc de basalte que l'Amérique appuya
sur l'ombre légère du Poète, pour sa sécurité qu'elle n'en
ressortît jamais ». En fait cette cérémonie eut lieu en 1875,
et ce n'est que l'année suivante qu'une des organisatrices de
la cérémonie, Mrs. Sara Sigourney Rice, rassembla des textes
littéraires commémoratifs de cet événement. Ces textes parurent à Baltimore, en 1877, dans un recueil intitulé : *Edgar
Allan Poe, A Memorial Volume*. Le *Tombeau* de Mallarmé en

hommage à son Maître y représentait la seule contribution française. S'il y eut récitation du *Tombeau*, ce ne put être qu'à l'occasion d'une autre cérémonie en l'honneur du poète américain.

Tel qu'en Lui-même enfin l'éternité le change...

Affirmation splendide, tant par la pensée que par l'expression, constituant aussi, et à juste titre, l'alexandrin le plus célèbre de Mallarmé. Rien de plus saisissant que cette idée que la mort, en mettant le point final à une vie, non seulement l'interrompt, mais fixe les traits définitifs, désormais immuables, d'un destin et d'une œuvre. Mort, ce poète immuable reste un reproche vivant pour ses contemporains qui n'ont pas su reconnaître en lui un véritable héraut de l'art et de la pensée, dont l'œuvre allait affronter victorieusement l'avenir. Au lieu de saluer son essentiel mérite, qui fut de « donner un sens plus pur aux mots de la tribu » (seconde admirable formule, résumant l'art de Mallarmé lui-même), « eux » — la « foule hagarde » de *Toast funèbre*, l'hydre de la Bêtise aux mille têtes — l'accusèrent, comme ils accusèrent Baudelaire, de chercher l'inspiration dans l'alcool (évoqué ici par une de ces périphrases néo-classiques, « le flot sans honneur de quelque noir mélange », dont Mallarmé ne voit pas assez la faiblesse) et de s'évader dans les paradis artificiels. Les persécutions contre le génie, maudit du ciel et de la terre, voilà ce qui aurait pu servir de thème aux bas-reliefs qui manquent sur la tombe du poète. Mais « du moins » le bloc de basalte choisi sera un symbole suffisant pour désigner à l'avenir l'étrangeté absolue du destin d'Edgar Poe — « Calme bloc ici-bas chu d'un désastre obscur » — et pour figurer la borne massive contre laquelle viendront se briser toutes les tentatives futures (car le Blasphème renaît perpétuellement de ses cendres) pour discréditer l'œuvre du pur poète.

LE TOMBEAU D'EDGAR POE

Tel qu'en Lui-même enfin l'éternité le change,
Le Poëte suscite avec un glaive nu
Son siècle épouvanté de n'avoir pas connu
Que la mort triomphait dans cette voix étrange !

Eux, comme un vil sursaut d'hydre oyant jadis l'ange
Donner un sens plus pur aux mots de la tribu
Proclamèrent très haut le sortilège bu
Dans le flot sans honneur de quelque noir mélange.

Du sol et de la nue hostiles, ô grief !
Si notre idée avec ne sculpte un bas-relief
Dont la tombe de Poe éblouissante s'orne

Calme bloc ici-bas chu d'un désastre obscur
Que ce granit du moins montre à jamais sa borne
Aux noirs vols du Blasphème épars dans le futur.

Ce sonnet, l'un des plus parfaits de Mallarmé et qui contient
quelques-uns de ses vers les plus célèbres, n'offre pourtant
rien de neuf sous le rapport de son contenu, qui n'est qu'une
protestation indignée en faveur du premier des poètes maudits, l'affirmation que le génie sera toujours scandale aux yeux
de l'hydre populaire. Ce thème, que Baudelaire avait traité sur
le ton pittoresque dans l'*Albatros*, prend ici des résonances
quasi cosmiques grâce à la présence de l'étrange aérolithe final
qui, dans un monde noir et désert, dresse sa protestation
éblouissante. « En plein tumulte, note Claudel, en plein cam-
pement humain, pourquoi n'y aurait-il pas un surgissement,
une pierre cette fois authentique, ce bloc dont parle le sonnet
de Mallarmé, qui au nom des grandes forces élémentaires, de
la profonde clameur autochtone... prête serment à l'éternité. »
Autre et dernier tombeau de cette période 1869-1884, pendant

laquelle Mallarmé réalise si parfaitement son vœu d'écrire, pour une tombe ou un bonbon, quelques vers *réussis* : le sonnet, *Sur les bois oubliés*, révélé seulement dans l'édition des *Poésies* de 1913. La date (2 novembre 1877) et la dédicace (*Pour votre chère morte, son ami*) composent des références à une circonstance et à des personnes précises. Dans l'état actuel des recherches, la « chère morte » ne peut guère désigner que la femme du célèbre égyptologue Maspero, laquelle n'est autre qu'Ettie Yapp qui avait été, à travers bien des vicissitudes, la grande passion de jeunesse d'Henri Cazalis. Mme Maspero était morte en 1875. En l'honneur d'Ettie, on se rappelle que Mallarmé avait peut-être écrit déjà *Apparition*. La même chère muse d'autrefois inspire donc encore le présent poème commémoratif. Deux ans après la disparition de l'amie, à l'occasion du jour des morts, Mallarmé offre au veuf désolé cette plainte consolante qu'il place dans la bouche de l'épouse disparue.

C'est en effet ici — ainsi que l'indiquent le titre initial et les guillemets qui enferment le sonnet — la morte elle-même qui parle. Elle s'adresse à son mari qui (« captif du seuil »), s'enterre chez lui depuis qu'il a perdu sa compagne, songeant au jour où il ira la rejoindre au cimetière dans le « sépulcre à deux ». En attendant, cette absence du mari, ce « manque » est comblé par la profusion de bouquets qui encombrent la dalle. (Certains, ici, veulent qu'il n'y ait pas de bouquets et qu'on ait affaire à une de ces notions négatives-positives avec lesquelles Mallarmé aime tant à jouer; pourtant il paraît bien improbable que M. Maspero n'ait pas trouvé moyen, le 2 novembre, d'acheter quelques chrysanthèmes pour fleurir la tombe de sa femme). La voix lui reproche, dans le second quatrain, de passer solitairement ses soirées à rêvasser dans son fauteuil, au coin du feu, en attendant l'apparition du cher fantôme venant rejoindre l'époux abandonné. Dans les tercets, elle indique à celui qui l'attend la conduite à tenir pour avoir souvent sa visite. Nul besoin d'entasser des couronnes sur sa tombe : il suffit simplement, « tout un soir », de l'appeler doucement, de murmurer son nom.

SONNET

(Pour votre chère morte, son ami), 2 novembre 1877

— « *Sur les bois oubliés quand passe l'hiver sombre*
Tu te plains, ô captif solitaire du seuil,
Que ce sépulcre à deux qui fera notre orgueil
Hélas ! du manque seul des lourds bouquets s'encombre.

Sans écouter Minuit qui jeta son vain nombre,
Une veille t'exalte à ne pas fermer l'œil
Avant que dans les bras de l'ancien fauteuil
Le suprême tison n'ait éclairé mon Ombre.

Qui veut souvent avoir la Visite ne doit
Par trop de fleurs charger la pierre que mon doigt
Soulève avec l'ennui d'une force défunte.

Ame au si clair foyer tremblante de m'asseoir,
Pour revivre il suffit qu'à tes lèvres j'emprunte
Le souffle de mon nom murmuré tout un soir. »

Valvins. Rue de Rome • La réputation du professeur Mallarmé, que son proviseur accusait de se livrer à de « folles élucubrations », ne s'arrangea pas lorsqu'on le vit, dans l'été de 1874, s'atteler seul à la rédaction d'un magazine féminin : *La Dernière Mode, gazette du Monde et de la Famille.* L'ensemble des huit numéros que compta ce périodique constitue peut-être l'œuvre la plus délicieuse de Mallarmé. Ses conseils relatifs aux choix d'une robe ou d'un éventail, à la décoration d'une table ou d'un arbre de Noël représentent des improvisations parfaites, dont beaucoup tournent naturellement, par la recherche et la liberté du style, au poème en prose.

Dans le même temps qu'il s'ingénie à satisfaire aux caprices des Parisiennes, ses lectrices, Mallarmé trouve dans la vie un établissement définitif et orienté par deux pôles : la rue de Rome et Valvins. C'est en été 1874 qu'il s'installe pour la première fois à Valvins, sur la Seine, près de Fontainebleau, dans la modeste maison de campagne que son séjour a rendu illustre. C'est là qu'il passera désormais ses jours de loisirs, souvent avec sa femme et sa fille, dans une méditation studieuse interrompue parfois par la visite d'un ami qu'on allait cueillir en grande pompe à la gare avec la petite charrette anglaise, avant de l'entraîner, au moindre souffle sur l'eau, dans la « yole à jamais littéraire ». A Paris, l'amitié était plus collective. C'est au mois de janvier 1875 que Mallarmé avait trouvé à s'installer dans l'appartement qu'il ne quittera plus, 87, rue de Rome. C'est là que se tinrent, comme on sait, dès 1880-1881, les fameuses séances du mardi, ces espèces d'offices poétiques auxquels présidait, parmi la fumée des pipes et des cigarettes, le Maître du Grand Œuvre. On trouvera là, au cours des années, parmi les habitués ou les passants les plus notoires, Villiers de l'Isle-Adam, Paul Fort, Verhaeren, Maeterlinck, Dujardin, Bourges, les peintres Whistler et Gauguin, plus rarement Verlaine, Paul Adam, Barrès, puis une deuxième vague avec Rodenbach, Régnier, Vielé-Griffin, Théodore Duret, Fénéon, Ghil, Kahn, Laforgue, Mockel, Morice, Tailhade, Vignier, Wyzewa, Dorchain, Schwob, Albert Haas, Jarry, Hérold, Mauclair, Stuart Merrill, Retté, Jean de Mitty, Debussy, Stefan George, John Payne, Oscar Wilde, Alfred Douglas, etc., bref, toutes les troupes du Parnasse et du Symbolisme, en attendant la nouvelle avant-garde de 1891 : Louÿs, Gide, Valéry, quelquefois Fargue ou Claudel. « Nous passions là des heures inoubliables, a rapporté Albert Mockel, les meilleures sans doute que nous connaîtrons jamais; nous y assistions, parmi toutes les grâces et toutes les séductions de la parole, à ce culte désintéressé des idées qui est la joie religieuse de l'esprit. Et celui qui nous accueillait ainsi était *le type absolu du poète*, le cœur qui sait aimer, le front qui sait comprendre —, inférieur à nulle chose et n'en dédaignant aucune, car il discernait en chacune un secret enseignement ou une image de la Beauté... »

D'autres contacts humains peuvent combler l'esprit et le cœur de Mallarmé. Le grand Manet est son ami, que le poète entreprend courageusement de défendre contre les fureurs et les injures que suscite son œuvre révolutionnaire. Par Manet, il se lie à Berthe Morisot; par elle, à tout un groupe d'artistes bientôt illustres : Renoir, Degas, Pissarro, Odilon Redon. C'est aussi dans l'atelier de Manet que Mallarmé rencontra celle qui fut la seule femme de sa vie de poète, Méry Laurent, une opulente blonde, amie des poètes et des peintres dont elle fut, selon sa plus récente historienne, « le confort et le réconfort ». Durant plus de vingt années, Mallarmé fut son discret et fidèle chevalier servant. En son honneur il composa une guirlande de poèmes, tantôt sérieux, tantôt badins, qui sont parmi ce qu'il a produit de plus tendre et de plus délicat : des *amours* non indignes de leurs grands modèles du passé.

Hélas! en 1879, la vie du poète fut assombrie par un drame affreux : il perdit son fils Anatole, un charmant enfant de huit ans.

... Oui, je suis bien hors de moi et pareil à quelqu'un sur qui souffle un vent terrible et prolongé. Veilles, émotions contradictoires de l'espoir et de la crainte soudaine, ont supplanté toute pensée de repos là-bas, mais ne sont rien à côté du combat si multiple qu'il

va falloir soutenir ici contre mille soucis... Je ne croyais pas cette flèche terrible dirigée contre moi de quelque coin d'ombre indiscernable...

C'est à Henri Cazalis, retrouvé dans cette épreuve, que le poète blessé se plaint. Dans la même occasion, Robert de Montesquiou fut également, pour le petit malade et ses parents, un ami d'une merveilleuse générosité de cœur. De son côté, Mme Mallarmé a vieilli de dix ans, et on ne reverra jamais de joie dans le bleu de ses yeux fatigués. Disparaîtront aussi bientôt d'autres amis, d'autres admirations : Wagner en 1883, et la même année Manet, qui meurt d'une mort terrible, d'une gangrène; on l'a amputé d'une jambe *in extremis*. En 1884, c'est Nina de Villars qui s'éteint dans une maison de santé où l'a conduite une vie follement dépensée; on l'ensevelit dans l'indifférence presque générale, revêtue, selon son vœu, de la belle robe japonaise qu'elle portait lorsque Manet l'avait peinte parmi les éventails. Témoin désemparé de tant de tristesses, Mallarmé se réfugie dans son cabinet de travail où il remue lugubrement de vieux papiers et de vieux souvenirs, en caressant distraitement le poil soyeux de sa chatte. Ecrire, il n'y songe guère. Ou plutôt, s'il y songe, c'est l'impuissance qui reprend le dessus. On sait maintenant, par exemple, qu'il a essayé de composer, à propos de la mort de son fils, une espèce de *Tombeau*, mais aussi qu'il n'eut jamais la force de l'achever. Le peu qu'on devine, à travers les notes qui subsistent, de cette œuvre avortée (cf. *Pour un Tombeau d'Anatole*), révèle seulement que ce *Tombeau* intime semblait devoir être construit, selon son éditeur J.-P. Richard, sur le modèle des tombeaux célèbres, ceux de Poe, de Baudelaire, de Verlaine, qui aboutissent à une victoire sur la mort et où la traversée du Néant est suivie d'une transfiguration par l'art et la pensée. Mais à l'occasion d'une déchirure aussi profonde et personnelle, sans

doute le poète ressentait-il trop crûment la vanité des paroles
humaines.

Prose pour des Esseintes • En 1884, deux coups de
clairon sonore font con-
naître au grand public les hérauts de la nouvelle poésie. Ce
sont d'abord les *Poètes Maudits* de Verlaine, qui avaient paru
en feuilleton dans *Lutèce* l'année précédente; réunis en plaquette, ces médaillons révèlent les transformations capitales
qui étaient en train de s'opérer dans la poésie française. Un
mois après les *Poètes Maudits* paraît le roman de J.-K. Huysmans, *A Rebours*, qui eut une répercussion considérable dans
le monde littéraire. C'était la gloire pour les écrivains qui étaient
admis à figurer dans la bibliothèque du singulier des Esseintes,
écrivains dont la commune caractéristique était d'incarner « la
décadence d'une littérature, irréparablement atteinte dans son
organisme et pressée de tout exprimer à son déclin ». Cette
notion de *décadence* connaît alors une extrême fortune; elle n'é-
tait pas neuve puisqu'elle avait déjà servi à désigner le prétendu
déclin des lettres à l'époque romantique et que Baudelaire et
Gautier l'avaient maintes fois exprimée; mais elle retrouve
un regain de faveur après la défaite de 1870.
Après la publication d'*A Rebours*, par une lettre, Mallarmé
a remercié aussitôt Huysmans; mais il le remercie d'une façon
bien plus éclatante en publiant, en janvier 1885, dans la *Revue
Indépendante*, un poème scandaleusement « décadent » : *Prose
pour des Esseintes*.
De tous les poèmes hermétiques de Mallarmé, c'est ici le
plus hermétique, et on ne dispose d'aucune déclaration du poète
qui nous permettrait d'orienter l'exégèse dans une direction
ou dans une autre. Beaucoup expliquée, la Prose n'en est,
hélas! guère plus claire. C'est le casse-tête absolu. Certains

ont pu penser que le poète s'était diverti, dans cette œuvre, à mystifier le public en mettant sous ses yeux un véritable rébus littéraire qui n'aurait pas de sens accessible. Le plaisir de la mystification et du jeu verbal pur a réellement compté pour Mallarmé, qui n'est pas du tout l'ennemi de la plaisanterie. Il a même déclaré péremptoirement à Sacha Guitry, dans une lettre inédite : « Tout écrivain complet aboutit à un humoriste. » Seulement cette interprétation se heurte à une difficulté : en 1954, Henri Mondor a publié une version inédite de la *Prose* qui comporte douze strophes au lieu des quatorze de l'état définitif, et aucun titre ni dédicace; l'encre et le papier plaident, selon l'éditeur du document, pour une date antérieure à 1884. Ainsi, et encore que la preuve absolue ne soit pas faite, la *Prose pour des Esseintes* serait une pièce ancienne, longuement travaillée, qui n'aurait pas été composée en vue de répondre à *A Rebours*, mais qui aurait été mise à jour et au jour à l'occasion de la publication de cet ouvrage.

Si donc la *Prose* n'est pas, originellement, une réponse humoristique à des Esseintes, il convient de la prendre très au sérieux. C'est d'ailleurs ce que font la plupart des commentateurs qui voient ici, à la suite de Thibaudet, qui a le premier aiguillé les recherches dans cette direction, « l'Art poétique mallarméen » — par conséquent un texte essentiel. Dans cette perspective, on reconstruit peu à peu le poème pour en faire l'illustration du fameux passage de l'*Avant-Dire* : « Je dis : une fleur... »; la poésie rétablit, à partir de la vision quotidienne et du monde des apparences un monde d'essences pures, ici représenté par une île merveilleuse (strophes III, IV, V), où les « fleurs plus larges » symbolisent les Idées ou Notions pures. Telle est la ligne générale de développement qui aboutit à l'instauration d'un art poétique à tendance platonicienne, dont nous avons vu déjà se former les linéaments dans d'autres pièces. Celle-ci débute par deux strophes, séparées des suivantes, dans la livraison de la *Revue Indépendante*, par deux tirets, formant une espèce d'invocation à la poésie absolue, dite ici : Hyperbole.

<table>
<tr><td>(Version
plus ancienne)</td><td>PROSE
pour des Esseintes</td></tr>
</table>

(Version plus ancienne)	PROSE pour des Esseintes
Indéfinissable, ô Mémoire, *Par ce midi, ne rêves-tu* *L'Hyperbole, aujourd'hui grimoire* *Dans un livre de fer vêtu ?*	*Hyperbole ! de ma mémoire* *Triomphalement ne sais-tu* *Te lever, aujourd'hui grimoire* *Dans un livre de fer vêtu :*
Car j'installe par la Science *L'hymne des cœurs spirituels* *En l'œuvre de ma patience,* *Atlas, herbiers et rituels.*	*Car j'installe, par la science,* *L'hymne des cœurs spirituels* *En l'œuvre de ma patience,* *Atlas, herbiers et rituels.*
Nous promenions notre visage — *Nous fûmes deux ! je le maintiens,* *Sur maints charmes de paysage.* *Aurais-je su dire : les siens !*	*Nous promenions notre visage* *(Nous fûmes deux, je le maintiens)* *Sur maints charmes de paysage,* *O sœur, y comparant les tiens.*
L'ère d'infinité se trouble *Lorsque, sans nul motif, on dit* *De ce climat que notre double* *Inconscience approfondit,*	*L'ère d'autorité se trouble* *Lorsque, sans nul motif, on dit* *De ce midi que notre double* *Inconscience approfondit*
Que, sol des cent iris, son site, *Ils savent s'il a, certe, été,* *Ne porte pas de nom que cite* *Entre tous ses fastes, l'Été.*	*Que, sol des cent iris, son site,* *Ils savent s'il a bien été,* *Ne porte pas de nom que cite* *L'or de la trompette d'Été.*
Oui, dans une île que l'air charge *De vue et non de visions,* *Toute fleur s'étalait plus large* *Sans que nous en devisions,*	*Oui, dans une île que l'air charge* *De vue et non de visions* *Toute fleur s'étalait plus large* *Sans que nous en devisions.*
Telles, immenses, que chacune *Ordinairement se para* *D'un lucide contour, lacune* *Qui du jour pur la sépara.*	*Telles, immenses, que chacune* *Ordinairement se para* *D'un lucide contour, lacune,* *Qui des jardins la sépara.*

La suite serait l'affirmation de la vocation du poète dont le « nouveau devoir » consiste, comme dans *Toast funèbre*, à opérer la transposition « du fait à l'idéal ». Mais la « sœur », la compagne du poète à travers « les jardins de cet astre », et à qui le poète explique tout ce qu'il y a d'exaltant dans sa nouvelle science — un peu à la manière de Fontenelle dévoilant à la marquise des *Entretiens sur la pluralité des mondes* les charmes révolutionnaires du système de Copernic — se contente de sourire et de s'étonner. Intervient, à la strophe X, un « Esprit de litige » qui complique beaucoup les choses, et à la strophe XII, l'allégation que « ce pays n'exista pas » : ce monde idéal, figuré par l'atlas, la carte, le ciel, et créé par l'art transpositif du poète, n'aurait donc jamais eu d'existence. Cette dernière affirmation semble devoir être mise au compte des philosophes ou des philistins de la « rive » — la syntaxe ne s'y oppose pas — qui nient l'existence du Beau en soi.

Cette vision du Beau, le poète est capable d'en jouir, mais seulement en de courts moments privilégiés. Au cours de sa grande crise métaphysique, Mallarmé s'est approché d'une vision pure de la Beauté; mais quand il a voulu rompre le silence de l'extase (« nous nous taisons ») et la fixer dans son œuvre, il a été obligé de « redescendre de l'Absolu », de se contenter de vers « seulement teintés d'Absolu », ce qui correspond, au regard de ses ambitions premières, à une véritable abdication. Nous sommes amenés ainsi aux deux strophes finales où, précisément « l'enfant abdique son extase » et invite le poète à se lever et à s'élever (« Anastase ») pour tenter l'aventure littéraire, cependant que la Beauté en soi (« Pulchérie ») continue de régner dans sa pure différence, dans un monde qui n'est pas celui des hommes (« sous aucun climat »).

Obsession! Désir, idées,
Tout en moi triomphait de voir

Gloire du long désir, Idées
Tout en moi s'exaltait de voir

La famille des iridées	*La famille des iridées*
Connaître le nouveau devoir,	*Surgir à ce nouveau devoir,*
Mais cette sœur, sensée et tendre,	*Mais cette sœur sensée et tendre*
Ne porta ses regards plus loin	*Ne porta son regard plus loin*
Que moi-même : et, tels, les lui	*Que sourire et, comme à l'en-*
* rendre*	* tendre*
Devenait mon unique soin.	*J'occupe mon antique soin.*
Oh! sache l'Esprit de litige,	*Oh! sache l'Esprit de litige,*
A cette heure où nous nous taisons,	*A cette heure où nous nous taisons,*
Que de multiples lis la tige	*Que de lis multiples la tige*
Grandissait trop pour nos raisons.	*Grandissait trop pour nos raisons*
Et non, comme en pleure la rive ! —	*Et non comme pleure la rive,*
Car le jeu monotone ment	*Quand son jeu monotone ment*
Pour qui l'ampleur de l'île arrive	*A vouloir que l'ampleur arrive*
Seul, en mon jeune étonnement	*Parmi mon jeune étonnement*
D'entendre le Ciel et la carte	*D'ouïr tout le ciel et la carte*
Sans fin attestés sur nos pas	*Sans fin attestés sur mes pas,*
Par l'onde même qui s'écarte,	*Par le flot même qui s'écarte,*
Que ce pays n'exista pas!	*Que ce pays n'exista pas.*
	L'enfant abdique son extase
	Et docte déjà par chemins
	Elle dit le mot : Anastase !
	Né pour d'éternels parchemins,
	Avant qu'un sépulcre ne rie
	Sous aucun climat, son aïeul,
	De porter ce nom : Pulchérie !
	Caché par le trop grand glaïeul.

Cette explication linéaire ne fait que survoler le poème et le prive de toute épaisseur en supprimant les rapports qui s'établissent entre les mots et les font scintiller à des hauteurs différentes, ainsi que les développements philosophiques et esthétiques qui se greffent sur les symboles ici utilisés; elle laisse de côté toutes les difficultés qui naissent du vocabulaire et de la syntaxe, qui sont considérables, et nous épargne un mot à mot générateur d'inextricables apories. Des vocables comme *Prose* (qu'il faut naturellement prendre dans son sens liturgique ordinaire), *hyperbole, grimoire, sœur, midi, Esprit de litige, site, Anastase, Pulchérie*, entre beaucoup d'autres, ont motivé des flots de commentaires, hélas! souvent divergents. La fameuse *sœur* du vers 12, par exemple, a représenté tantôt une lectrice (Thibaudet), tantôt une maîtresse spirituelle (Charpentier, Delfel), tantôt une maîtresse réelle (Mauron, Goffin, Michaud), tantôt la Vie inconsciente (Gengoux), tantôt la patience (Noulet), tantôt la conscience (Soula), tantôt la mémoire (Boulay), tantôt enfin l'âme du poète (Wais, Austin, Jourdain). C'est sans doute cette dernière interprétation qui s'impose, d'autant qu'elle se concilie assez aisément avec celle de Daniel Boulay : âme habitée par une mémoire enfantine, au travers de laquelle resplendissent les charmes du Vert paradis de l'enfance, chez Wais, des pures essences du monde des Idées, chez Boulay. Dans l'ensemble, par la rigueur de l'interprétation et la richesse des rapports mis en lumière, par le dualisme fondamental évoqué entre une extase absolue qui requiert le silence et une exigence littéraire qui suppose la parole et le sacrifice de l'Absolu, sans compter la relation avec le drame vécu par Mallarmé, c'est l'explication de Daniel Boulay qui paraît le mieux rendre compte, en dépit de sa coloration platonicienne, de la trame profonde de la *Prose*, dont il résume ainsi l'ambition : « Si *Toast funèbre* constitue une psychologie de la création artistique, *Prose* est une ontologie du Beau. Elle affirme résolument un « réalisme platonicien » des Idées existant en soi et ce réalisme est irréductible à un nominalisme créant l'être par le mot. »

Musique et symbole ● Dix ans avant les autres, Mallarmé a découvert que la poésie a pour tâche de résumer logiquement l'Univers en un réseau d'allusions et de symboles. Or l'effervescence théorique dont il est le témoin, vers 1885, lui est une occasion d'affirmer et de préciser sa doctrine, spécialement par référence à la musique. Par essence, la musique est tout entière suggestion et n'est que cela; d'où la passion de Mallarmé pour cette nouvelle Muse. Le jour du Vendredi Saint de l'an 1885, il s'était laissé emmener par Edouard Dujardin au concert Lamoureux, pour un concert spirituel où une place était réservée à l'ouverture de *Tannhäuser*. La France était alors en pleine fièvre wagnérienne. Mallarmé se laissa gagner par le mouvement. Ses contacts réguliers avec la musique déclenchaient chez lui une suite de réflexions importantes, qui enrichirent son esthétique d'éléments nouveaux et parfois contradictoires, dont les premiers principes sont développés dans un article qu'il donna, en juillet 1885, à la *Revue Wagnérienne : Richard Wagner, Rêverie d'un Poète français*. Ce qui éblouissait les Français, dans l'œuvre wagnérienne, c'était la création d'un drame total, dans lequel la musique n'avait plus pour fin de charmer des oreilles distraites, mais devait tendre à exprimer des sentiments et des états d'âme, et se voulait de nature plus métaphysique que physique. C'est pourquoi Wagner répudie la découpage de l'opéra en morceaux d'apparat, les exhibitions de virtuosité, la construction par phrases limitées et définies, pour viser à ce qu'il appelle la « mélodie infinie » (*unendliche Melodie*) qui permet de réaliser l'unité parfaite du drame, où musique, poésie, décor, mise en scène, danse, concourent au même but. Au-delà du monde des sons se forme une musique intérieure, parfaitement pure, qui « manifeste l'essence du monde au même titre que les idées ». Or, jusqu'ici, dans l'esthétique de Mallarmé, c'était précisément le rôle dévolu à la poésie. D'où sa « sublime jalousie » à l'égard d'un art si directement ouvert sur le monde idéal, et sa volonté expressément affirmée dans une formule célèbre, de « reprendre à la musique son bien ».

D'autre part, parmi les procédés propres à hisser et à maintenir la poésie sur le plan rêvé, c'est-à-dire « strictement imaginatif et abstrait », Mallarmé élit le *symbole*, à quoi il attache une importance de plus en plus marquée, comme le plus apte. Le mot apparaît alors dans tout l'éclat d'un nouvel usage; c'est le sésame auquel on prête de confiance le pouvoir de forcer les « cassettes spirituelles ». Alors que l'Académie, en 1884, définit encore bonnement le symbole comme une « figure ou image qui sert à désigner quelque chose, soit par le moyen de la peinture ou de la sculpture, soit par le discours. *Le chien est le symbole de la fidélité. La colombe est le symbole de la simplicité. La girouette est le symbole de l'inconstance...* », tout le Symbolisme récuse, Mallarmé en tête, cette « fonction de numéraire facile et représentatif ». A tout instant, dans les revues d'avant-garde, on tentera une définition exhaustive du symbole, sans toujours s'entendre. Mais partout on retrouve cette idée latente que le symbole représente une espèce de formule-clé grâce à laquelle l'univers suggéré prend son sens secret et véritable. Si la structure du monde est logique au sens hégélien, ou analogique au sens baudelairien (la philosophie de Mallarmé est assez souple pour concilier les deux systèmes), tout élément du monde réel est nécessairement le reflet de tous les autres, il est le symbole, par le complexe de rapports qu'il met en jeu, de l'univers tout entier. Ainsi le symbole, image de tout, prend une extension capitale, finit par marquer le point de ralliement des nouveaux poètes et par donner son nom à une nouvelle école, en dépit des divergences personnelles, qui restent profondes, entre les divers représentants du groupe. Ainsi entendu, le symbole était d'ailleurs l'apanage, à n'importe quelle époque, de toute haute poésie. Le mérite du Symbolisme sera surtout d'avoir mis en pleine lumière le rôle essentiel que doit jouer le symbole dans l'art et d'avoir démontré, par les contradictions des pratiques et des théories, l'extrême complexité du problème.

Mallarmé n'avait pas attendu les débats de 1886 pour donner une nouvelle portée au symbole littéraire. Et il semble avoir été l'un des premiers, à l'occasion des mardis, à préciser la nature du symbole tel qu'il l'entendait et tel qu'il l'avait pratiqué en brodant les « merveilleuses dentelles » qui s'élaboraient aux points de rencontre des principaux fils sortis de son esprit (cf. la lettre à Aubanel du 28 juillet 1866, *Corr.*, 225). « C'était Mallarmé, affirme Gustave Kahn, qui avait surtout parlé du symbole, y voyant un équivalent au mot synthèse et concevant que le symbole était une synthèse vivante et ornée, sans commentaires critiques. » (René Ghil nous montre aussi de son côté Mallarmé parlant « comme un prêtre suprêmement initié, du Symbole ».) De cette nouvelle poésie, dont on s'aperçoit de mieux en mieux que le symbole est la spécification essentielle, le poète d'*Hérodiade*, depuis longtemps silencieux, va bientôt donner de nouveaux exemples.

C'est d'abord *Le vierge, le vivace...*, le sonnet du cygne, pièce sans doute plus ancienne (déjà mentionnée à ce titre), encore toute marquée par l'obsession de l'impuissance. Mais le resserrement de la forme dans la version définitive (qui paraît dans la *Revue Indépendante* de mars 1885), les abstractions victorieuses, comme aussi le symbole présent dans quelques images synthétiques (« Le transparent glacier des vols qui n'ont pas fui ») font de la pièce une des belles réussites du Mallarmé de la maturité. Paraît en même temps, à la même date et dans la même revue, *Quelle soie aux baumes de temps*, sonnet qui doit remonter également à un poème plus ancien, de toute façon bien curieux par son dessein général, puisque s'y affirme le triomphe de l'extase amoureuse sur l'extase poétique. Cette tendresse triomphante est encore au centre d'une pièce de 1885, écrite pour être jointe à la notice que Verlaine allait consacrer à Mallarmé dans la série des *Hommes d'Aujourd'hui*, où elle parut en effet, sous une forme très différente du texte définitif (première version dans *O.C.*, 1481). C'est le sonnet : *Victorieusement fui le suicide beau*, qui met en œuvre deux symboles dès longtemps exploités, celui de la chevelure et celui du soleil couchant. Au centre du sonnet, l'opposition entre la tentation de la vie et de l'amour et la dépersonnalisation totale de l'individualité dans la recherche d'une poésie métaphysique. C'était en quelque sorte le thème du *Pitre châtié*. Mais ici la femme n'est plus la rivale de l'art. Le poète a su échapper au suicide moral et au tombeau qui le guettait, parce qu'à ses côtés la présence d'une chevelure blonde — « trésor présomptueux de tête » — lui enseigne que le choix n'est pas inéluctable entre la Femme et la Poésie.

> *La tienne si toujours le délice ! la tienne*
> *Oui seule qui du ciel évanoui retienne*
> *Un peu de puéril triomphe en t'en coiffant*
>
> *Avec clarté quand sur les coussins tu la poses*
> *Comme un casque guerrier d'impératrice enfant*
> *Dont pour te figurer il tomberait des roses.*

Ainsi cette chevelure retient dans ses reflets quelque chose du soleil poétique, des traces de ce Rêve que le poète demandait autrefois à son miroir ou au Néant. Ce Rêve assurément est loin des flots de clarté qui devaient aveugler le véritable pèlerin de l'Absolu. Mais puisqu'il s'agit plus que de réaliser des poèmes « seulement teintés d'absolu », cette teinture peut se situer partout, fût-ce dans une chevelure. Très importante, très nou-

velle, venant après tant de Tombeaux, cette quasi-réconcilia-
tion du poète avec la Vie. Que de chemin parcouru depuis les
dégoûts de l'intransigeante jeunesse (« Le bonheur d'ici-
bas est ignoble... »), depuis la traversée des « glaciers de l'Esthétique », depuis la descente vertigineuse dans les escaliers
de l'Etre! Le poète ne bannit rien du vieux Rêve, certes, mais
ayant renoncé à en embrasser la forme pure et totale, il accepte
que l'accompagne quelque forme de l'amour, ce baume du Temps.
Il accepte cette réconciliation de la pensée et de la vie, dont
il admirait, en 1867, que Cazalis eût trouvé le chiffre, tout en
restant, lui, farouchement attaché à son idéal de Beauté transcendante :

Puisque tu es assez heureux pour pouvoir, outre la Poésie, avoir
l'amour, aime : en toi, l'Être et l'Idée auront trouvé ce paradis
que la pauvre humanité n'espère qu'en sa mort [...] Pour moi, la
Poésie me tient lieu de l'amour parce qu'elle est éprise d'elle-même
et que sa volupté d'elle retombe délicieusement en mon âme (Corr.,
243).

Mais vint le partage de Minuit, l'impossibilité de se faire
éternel, l'impossibilité d'échapper au temps et au hasard, la
vanité du coup de dés. D'où ce nouvel équilibre (précaire,
d'ailleurs, Mallarmé n'étant jamais fixé) qui se manifeste dans
des poèmes comme *Victorieusement fui, M'introduire dans ton*
histoire, Dame sans trop d'ardeur, La Chevelure, O si chère
de loin, Rondels I et II, Eventail de Mme Mallarmé, dans
lesquels Mallarmé sacrifie sur l'autel de la tendresse humaine
ses exigences de pensée pure.
    A deux reprises, Mallarmé s'en ira à l'étranger appuyer de
sa voix musicale la leçon qu'avaient répandue, dans des cercles
d'ailleurs restreints, ses écrits. En 1894, il prononce à Oxford
et à Cambridge sa conférence sur la *Musique et les Lettres*, à
laquelle il n'est pas sûr que ses auditeurs anglais aient com-

pris grand-chose. Les Belges n'étaient d'ailleurs pas beaucoup plus ouverts à sa syntaxe. Quatre ans plus tôt, au cours de sa première tournée de conférences, en Belgique cette fois — Bruxelles, Anvers, Gand, Liège, Bruges — un colonel chamarré, au premier rang de l'assistance, s'était levé rouge de fureur, après cinq minutes d'exposé, et avait quitté la salle avec une rogue toute martiale, criant qu'on insultait à la langue française et à l'armée belge. Il s'agissait de la conférence sur Villiers de l'Isle-Adam, mort l'année précédente. Le poète la répéta à Paris, le 27 février 1890, 40, rue de Villejust, dans le milieu plus compréhensif des Morisot, Manet, Rouart : « Je le vois comme si j'y étais avec ses yeux si doux, racontait récemment la fille de Berthe Morisot, Mme Julie Rouart. Il était avec mon cousin près de la chaise longue, Renoir était là, sur la méridienne, en habit — l'habit lui allait très bien — et Degas était dans le fond, un peu bougon ce soir-là. D'habitude, quand Degas venait dîner, on n'entendait que lui! Mallarmé était toujours médusé par les colères de Degas, il ne les comprenait pas. » Il y avait une trentaine de personnes, parmi lesquelles outre les peintres cités, Monet, Régnier, Vielé-Griffin, Dujardin et Wyzewa. Et Mallarmé commença, de sa voix aux inflexions subtiles et séductrices, et debout : « Un homme, au rêve habitué, vient ici parler d'un autre, qui est mort. » Puis, assis, entame son sujet : « Mesdames, Messieurs, sait-on ce que c'est qu'écrire ? une ancienne et très vague mais jalouse pratique, dont gît le sens au mystère du cœur... »

Là Mallarmé est aussi à l'aise, aussi détendu qu'en ses mardis lesquels continuent, toujours courus, toujours brillants. C'est là que le poète mesure le mieux la qualité de la gloire dont il est entouré, dont Valéry disait qu'il l'avait acquise tête par tête, comme il avait vaincu le hasard mot par mot. Les mardis, pour les initiés, restent le grand événement de la semaine parisienne, et l'on y voit paraître assez souvent d'illustres étrangers de passage. Le Maître est moins touché de ces hommages flatteurs que de la piété et de la fidélité quasi filiales que lui témoignent les meilleures têtes de la génération poétique nouvelle — « quelques jeunes hommes vrais et subtils » (*P. P.*, 148). Aucune ambition, d'ailleurs, chez Mallarmé, de jouer au chef d'école, et c'est malgré lui qu'il est devenu le porte-drapeau du Symbolisme. Mais la vocation du pédagogue et de l'endoctrineur n'est pas la sienne. Tout ce qu'il veut, c'est apprendre à quelques autres qui en valent la peine à réfléchir sérieusement pour leur propre compte, ainsi que lui le fit toute sa vie pour le sien, à des objets qu'il juge sérieux. Attitude qui suffit pour éveiller, autour de lui, des enthousiasmes fanatiques.

Extérieurement, toujours la même apparence de petit bourgeois un peu étriqué, frileux, ignorant des élégances vestimentaires, le cheveu maintenant gris; un « vieux monsieur » qui prend son parti de vieillir poliment. « Petit. L'impression d'un bourgeois tranquille et fatigué de quarante-six ans » : telle est la fiche signalétique dressée par Valéry au lendemain de sa première rencontre avec le Maître. La belle photographie au châle, de Nadar, nous restitue avec une absolue ressemblance son apparence physique des dernières saisons.

Un homme si touché de l'attention dont il est enfin l'objet, après vingt années d'obscurité, qu'il y répond par une gentillesse, une disponibilité constantes. Il estime de son devoir d'être présent à la littérature ou à la poésie partout où elles se font, partout où elles sont en question. Parfois même des problèmes extérieurs à la littérature le sollicitent, et on le voit répondre à des enquêtes ou à des interviews sur l'automobile, sur Robert-Louis Stevenson, sur la graphologie, sur le livre illustré, sur le costume féminin à bicyclette (jupe ou culotte ?), sur le printemps, sur le chapeau haut de forme (« le monde finira, pas lui »). A la mort de Verlaine, il se laisse élire Prince des Poètes français. Il vole au secours des confrères dans le besoin, se fait leur témoin devant l'opinion. Il assista fraternellement Villiers de l'Isle-Adam à son lit de mort et fut son exécuteur testamentaire. Il s'occupa activement du monument Baudelaire, du monument Verlaine. Et les démarches publiques ne lui étant pas excessivement à charge, il fut de tous les banquets et de tous les enterrements.

Poèmes de Poe ● Ces poésies — « quelque chose de profond et de miroitant comme le rêve, de mystérieux et de parfait comme le cristal » — Baudelaire, on le sait, ne se hasarda jamais à les traduire, à part quatre pièces : *A ma Mère*, au début des *Histoires extraordinaires*, le *Ver conquérant*, inséré dans *Ligeia*, le *Palais hanté*, dans la *Chute de la Maison Usher*, et le *Corbeau*. Il recula devant la difficulté de transposer le reste en français. Il notait : « Une traduction de poésies aussi voulues, aussi concentrées, peut être un rêve caressant, mais ne peut être qu'un rêve. » Ce rêve tenta Mallarmé dès sa jeunesse, et au lycée de Tournon déjà il avait mis en français quelques poèmes de l'écrivain américain. Il ne faisait d'ailleurs en cela qu'imiter son ami Lefébure qui, avant lui, avait composé une version française complète des poésies de Poe. Mallarmé se mit de son côté à la tâche avec assiduité, et ne cessa par la suite de travailler à cette noble matière; il passait auprès de ses amis pour le grand spécialiste de Poe. Néanmoins, et malgré les demandes réitérées des directeurs de revue, il mit très longtemps avant de consentir à mettre au jour quelques-uns de ces calques où il ne veut, explique-t-il, « sans prétention que rendre quelques-uns des effets de sonorité extraordinaire de la musique originelle, et ici et là peut-être, le sentiment même » (*O. C.*, 229). Ce ne fut qu'en 1872, dans la *Renaissance artistique et littéraire* que parurent pour la première fois huit pièces traduites par Mallarmé. Il y en eut huit autres, dont six inédites, dans la *République des Lettres*, entre 1876 et 1877. En 1875, le poète avait donné une édition séparée du *Corbeau*, surtout pour le plaisir de collaborer avec Manet, qui illustra l'ouvrage. Deux pièces déjà connues reparaissent en outre, en 1886, dans *L'Art et la Mode*. Mais ce n'est qu'en 1888 que Mallarmé se décide enfin à faire paraître, vingt-neuf ans après ses premières tentatives, le recueil complet de ses traductions de Poe. Il parut à Bruxelles, édité par Edmond Deman, dans une belle publication ornée d'un fleuron et d'un portrait par Edouard Manet. L'année suivante, une édition plus modeste parut à Paris, chez Vanier.

Beaucoup se sont penchés sur ces séduisantes transcriptions pour tenter de surprendre les secrets de Mallarmé traducteur. Comme on pouvait s'y attendre, ils ont découvert que le poète français prend des libertés avec le texte du poète américain, qu'il ajoute des mots qui ne sont pas dans l'original, qu'il en retranche d'autres qui y sont, qu'il saute des vers ou modifie la place des mots, qu'il commet enfin des confusions ou des contresens. Seulement, comme il est impossible le plus souvent de connaître si ces écarts, d'ailleurs relativement peu nombreux, sont volontaires ou non, il n'est pas possible non plus d'en tirer d'utiles conclusions. Il est évident que Mallarmé est conscient des difficultés inhérentes à toute traduction poétique, les vers, en passant d'une langue dans l'autre, perdant automatiquement leur sonorité et leur rythme pour ne garder que leur sens, c'est-à-dire ce qui n'est pas poésie. La tâche du traducteur consiste à recréer dans sa langue, des charmes de remplacement. « *The weary, wayworn wanderer bore* » (*Stances à Hélène*), qui n'est qu'un jeu d'allitérations, donnera en français : « portaient doucement *le défait et las voyageur* », dont la justesse étrange tient au groupement des deux épithètes littérales et inattendues. Ce qui caractérise en effet les traductions de Mallarmé, c'est qu'elles tendent nûment à la littéralité. Alors que Baudelaire vise à une traduction littéraire, c'est-à-dire force l'anglais à se plier à des habitudes de langage connues et éprouvées, Mallarmé compte sur la surprise et l'étrangeté qui naîtront d'un calque aussi fidèle que possible. Sa traduction est même, dans l'ensemble, plus précise et plus correcte que celle de Baudelaire. Le *Ver Vainqueur* (*the Conqueror Worm*) est préférable à : *Le Ver Conquérant*. Il a raison de traduire *river* par *fleuve*, là où Baudelaire met : *rivière*; ou *puppets* par *marionnettes*, là où Baudelaire met : *poupées*. Mallarmé « est littéral jusqu'à l'obscurité », a remarqué Léon Lemonnier; au lieu de mettre, comme Beaudelaire « scrutant profondément les ténèbres », il a traduit : « loin dans l'ombre regardant ». Et il traduit exactement « par le grave et sévère décorum de la contenance qu'il eut », alors que Baudelaire introduit une symétrie qui n'est pas dans le texte : « par la gravité de son maintien et la sévérité de sa physionomie ».

Mallarmé refuse cet harmonieux équilibre quand il ne le trouve pas dans l'original et se refuse à traduire logiquement et explicativement. La valeur de suggestion de la poésie ne peut être retrouvée, selon lui, que si le traducteur met au mieux ses pas dans les pas du poète américain, d'où naîtront une démarche non naturelle et des adéquations forcées, tant du point de vue des rythmes qu'au regard de la syntaxe et des images, mais c'est à travers de telles maladresses apparentes que les secrets et le sentiment d'une âme étrangère se laisseront le plus facilement et le plus précisément surprendre. Un transfert absolu étant au-dessus des forces du plus sûr talent, Mallarmé estime que ce qui est traduit ne doit pas se refuser à sentir quelque peu la traduction. En sorte que certaines impuissances du langage, certaines lourdeurs et inconséquences pourront passer comme autant d'invitations à se faire une sensibilité exotique, qui goûtera ces faiblesses voulues et acceptées comme à des fruits venus de loin. Ce charme opère à n'importe quelle page du beau recueil :

STANCES A HÉLÈNE

Hélène, ta beauté est pour moi comme ces barques nicéennes d'autrefois qui, sur une mer parfumée, portaient doucement le défait et las voyageur à son rivage natal.

Par des mers désespérées longtemps coutumier d'errer, ta chevelure hyacinthe, ton classique visage, tes airs de Naïade m'ont ramené ainsi que chez moi à la gloire qui fut la Grèce, à la grandeur qui fut Rome.

Là! dans cette niche splendide d'une croisée, c'est bien comme une statue que je te vois apparaître, la lampe d'agate en la main ah! Psyché! de ces régions issue qui sont terre sainte.

A cette figure parnassienne de la Beauté, symétriquement évoquée en ces *Stances*, datant de la prime jeunesse du poète américain, il faut opposer, pour faire voir la souplesse du traducteur, l'espèce de ballade romantique, d'une inoubliable mélancolie, suavité et musicalité, dans laquelle Poe évoque, sous le nom chantant d'Annabel Lee, Virginie, la trop jeune cousine qui fut sa femme :

ANNABEL LEE

Il y a mainte et mainte année, dans un royaume près de la mer, vivait une jeune fille, que vous pouvez connaître par son nom d'Annabel Lee : et cette jeune fille ne vivait avec aucune autre pensée que d'aimer et d'être aimée de moi.

J'étais un enfant, et elle était un enfant, dans ce royaume près de la mer; mais nous nous aimions d'un amour qui était plus que l'amour, — moi et mon Annabel Lee; d'un amour que les séraphins ailés des cieux convoitaient à elle et à moi,

Et ce fut la raison qu'il y a longtemps, — un vent souffla d'un nuage, glaçant ma belle Annabel Lee; de sorte que ses proches de haute lignée vinrent et me l'enlevèrent, pour l'enfermer dans un sépulcre, en ce royaume près de la mer.

Les anges, pas à moitié si heureux aux cieux, vinrent, nous enviant, elle et moi — Oui! ce fut la raison (comme tous les hommes le savent dans ce royaume près de la mer) pourquoi le vent sortit du nuage la nuit, glaçant et tuant mon Annabel Lee.

Car la lune jamais ne rayonne sans m'apporter des songes de la belle Annabel Lee; et les étoiles jamais ne se lèvent que je ne sente les yeux brillants de la belle Annabel Lee; et ainsi, toute l'heure de la nuit, je repose à côté de ma chérie, — de ma chérie, — ma vie et mon épouse, dans ce sépulcre près de la mer, dans sa tombe près de la bruyante mer.

Mais, pour notre amour, il était plus fort de tout un monde que l'amour de ceux plus âgés que nous; — de plusieurs de tout un monde plus sages que nous, — et ni les anges là-haut dans les cieux, ni les démons sous la mer ne peuvent jamais disjoindre mon âme de l'âme de la très belle Annabel Lee.

Il y a ici de visibles maladresses : « une jeune fille, que vous pouvez connaître par son nom d'Annabel Lee »., « convoitaient à elle et à moi », « Les anges, pas à moitié si heureux aux cieux », etc.; il n'est que trop aisé de substituer à ces phrases boiteuses des tournures plus élégantes, mais du même coup le charme étrange disparaît, l'expression se banalise, la poésie n'a plus lieu. C'est ce qu'a très finement pressenti Mallarmé qui, se confrontant à Poe, a trouvé dans cet exercice difficile mais enrichissant, l'art d'oser une syntaxe sans doute impertinente et des séductions un peu gauches, mais qu'il sentait en intime accord avec son sentiment de la poésie. La transcription, à la fois abrupte et très surveillée, qu'il a faite des poèmes d'Edgar Poe reste un modèle de traduction poétique, le meilleur peut-être qui soit en français, et dont la vertu tient à ce que Mallarmé a réussi à y donner aux mots leur rayonnement, aux liaisons leurs nuances, aux formes un nouveau corps.

Le Coffret de Laque •

Est-ce le plaisir qu'il prend aux ultimes revisions de sa traduction de Poe, ou plus probablement la peine que lui coûte le moindre quatrain qui ramène Mallarmé, vers 1885, au poème en prose ? Ou s'il répond tardivement aux conseils que lui donnait Lefébure pour oublier l'Absolu : « Peut-être pourriez-vous aussi vous distraire à quelque bijouterie littéraire, à terminer d'anciens poèmes en prose par exemple, pour lesquels vous n'auriez besoin que de votre admirable et exquis sentiment d'artiste, non de la grande et écrasante conception de l'Univers ? » C'est aussi sûrement parce que l'on continue à lui réclamer des pages inédites et que le poème en prose est à la mode; les petites revues en sont pleines. « Deux poursuites particulières et chères à notre temps, observe le poète dans sa conférence d'Oxford : le vers libre et le poème en prose . » A son tour, Mallarmé va se remettre à cette forme poétique, abandonnée par lui depuis 1864, et écrire et publier, entre 1885 et 1887, un nouveau cycle de quatre pièces : *Le Nénuphar blanc, La Gloire, L'Ecclésiastique, La Déclaration foraine.* La première et la dernière parurent dans *L'Art et la Mode*, en 1885 et 1887; la *Gloire*, en 1886, dans la notice de Verlaine pour les *Hommes d'Aujourd'hui;* l'*Ecclésiastique* enfin dans une revue de Turin, la *Gazetta letteraria*, que dirigeait un grand admirateur de Mallarmé, Vittorio Pica.

Par rapport au groupe de 1864, ces nouveaux poèmes apportent de sensibles nouveautés : toujours fondés sur une base anecdotique, ils sont plus longs et moins lisibles. On y constate l'aboutissement extrême d'un système d'écriture qui se refuse, même en prose, à utiliser les normes communes et vise à se tenir aussi éloigné que possible du style de la conversation et des habitudes du journalisme. Rien de plus intéressant, de ce point de vue, que de comparer la première version de l'*Orphelin* (1864) à la nouvelle mouture qui en est faite, en 1891, dans *Pages*, sous le titre : *Réminiscence*.

L'enfant [...] *mangeait, sous la forme d'une tartine de fromage blanc, les lys ravis, la neige, la plume des cygnes, les étoiles, et toutes les blancheurs sacrées des poëtes : je l'eusse bien prié de m'admettre à son repas si je n'avais été si timide, mais il le partagea avec un autre qui vint brusquement, en sautant, — un petit saltimbanque de la baraque voisine dans laquelle on allait donner les tours de force, ces frivole exercice ne se refusant pas à la banalité du grand jour. Il était tout nu dans un maillot lavé et pirouettait avec une turbulence surprenante : ce fut lui qui m'adressa la parole : « Où sont tes parents ? — Je n'en ai pas », lui dis-je* (O. C., *1553*).

Ce texte discursif donne lieu, en 1891, à cet étrange condensé, dont on aurait grand-peine à saisir la trame sans le fil de la version première :

qui rentrait en soi, sous l'aspect d'une tartine de fromage mou, déjà la neige des cimes, le lys ou autre blancheur constitutive d'ailes au dedans : je l'eusse prié de m'admettre à son repas supérieur, partagé vite avec quelque aîné fameux jailli contre une proche toile en train des tours de force et banalités alliables au jour. Nu, de pirouetter dans sa prestesse de maillot à mon avis surprenante, lui, qui d'ailleurs commença : « Tes parents ? — Je n'en ai pas » (O. C., *278-279*).

On constate ici sur le vif comment Mallarmé passe d'une langue soignée, mais orthodoxe, à une langue syntaxiquement hérétique, hérissée d'ellipses, d'hypallages, de métaphores et d'allusions, la langue à laquelle il aboutit au terme d'une vie de recherche consacrée à la purification des « mots de la tribu ». Objectivement c'est un gâchis. Dans cette nouvelle langue, dont l'auteur est seul à posséder la clé, « manger » se traduit par

« rentrer en soi »; « toutes les blancheurs des poètes » par « autre blancheur constitutive d'ailes au dedans »; « un petit saltimbanque de la baraque voisine » par « quelque aîné fameux jailli contre une proche toile », etc. Force est de constater que le poète fait bien tout ce qu'il peut pour mériter sa réputation de Sphinx et de Lycophron, et il n'y a pas autrement lieu de s'étonner que les Goncourt s'étonnent que Mallarmé, depuis longtemps, n'ait pas été mis à Sainte-Anne.

La *Gloire*, l'*Ecclésiastique*, la *Déclaration foraine* sont de la même encre, synthétique et noire. Pourtant, malgré l'abandon des formes usuelles de parler, les prétextes s'en laissent à peu près deviner. La *Gloire* évoque un voyage en train, en automne, à Fontainebleau, l'*Ecclésiastique*, un ecclésiastique qui s'ébroue, au printemps, dans les herbes du bois de Boulogne. La *Déclaration foraine*, une jolie anecdote dont Méry et son poète furent sans doute les acteurs véritables : en passant près d'une fête foraine, au cours d'une promenade en voiture, la blonde et joyeuse Laurent fut tentée de se mêler à la foule et de prendre sa part des plaisirs populaires. Elle oblige son admirateur à monter sur le tréteau d'une baraque délaissée, à battre la caisse et à divertir le public ainsi assemblé de quelque tour. Le poète récite alors le sonnet : *La chevelure vol d'une flamme à l'extrême*, pour le plus grand ébahissement des badauds de hasard. Ce pourrait être charmant, si le contexte où s'inscrit l'anecdote n'était composé de rébus le plus souvent désarmants, où l'esprit peine à « rejointoyer » des fils syntaxiques qui à tout instant se nouent ou se rompent. La lecture devient déchiffrement d'allusions plus ou moins adroites, d'images plus ou moins cohérentes, de développements toujours éparpillés en incidentes introuvables, où l'oreille même ne trouve plus jamais à se consoler par quelques mesures suivies d'un véritable chant.

A qui ce matelas décousu pour improviser ici, comme les voiles dans tous les temps et les temples, l'arcane! appartint, sa fréquen-

tation durant le jeûne n'avait pas chez son possesseur excité avant qu'il le déroulât comme le gonfalon d'espoirs en liesse, l'hallucination d'une merveille à montrer (que l'inanité de son famélique cauchemar); et pourtant, mû par le caractère frérial d'exception à la misère quotidienne d'un pré... (O. C., 280).

Le drame c'est que ce langage transposé et trop personnel devint, dans les dernières années de Mallarmé, sa prose ordinaire, celle qu'il utilise aussi bien dans ses articles critiques que dans ses conférences, dans ses toasts aussi bien que dans sa correspondance. C'est qu'il ne peut y avoir pour lui qu'une langue, et c'est une langue littéraire, à l'opposé du journal. Il est significatif qu'un texte comme *Conflit*, qui appartenait primitivement aux chroniques publiées dans la *Revue Blanche*, passe ensuite tel quel dans le groupe des *Poèmes en prose* figurant dans *Divagations*. C'est la preuve qu'à la fin de son existence, Mallarmé distingue de moins en moins entre prose et poésie. La vraie distinction, pour lui, n'est pas là. Il déclarait à Jules Huret : « Toutes les fois qu'il y a effort au style, il y a versification. »

Le *Nénuphar blanc*, écrit dans la paix de Valvins, en 1885, échappe heureusement à ces excès de contention langagière et se tient juste aux confins où les exigences stylistiques forment un parfait équilibre avec les séductions du rêve et du chant. Poème de l'été, du fleuve et de l'absence, sur une mince anecdote : le poète, dans sa yole d'acajou, passe la Seine pour aller saluer, sur l'autre rive, « l'amie d'une amie »; mais il vient s'échouer dans un bouquet de roseaux situé à l'extrémité d'une espèce de débarcadère, juste devant le parc de l'inconnue. Dissimulé dans les joncs, il entend des pas s'approcher, s'arrêter, repartir — et lui aussi repartira sans s'être montré, heureux d'avoir goûté à un « aussi intuitif accord que maintenant, l'ouïe au ras de l'acajou vers le sable entier qui s'est tu »,

emportant avec lui, en tant qu' « imaginaire trophée » pour la
victoire qu'il aurait pu remporter sur « la Méditative ou la Hautaine, la Farouche, la Gaie », une fleur idéale de nénuphar
blanc :

> *Conseille, ô mon rêve, que faire ?*
>
> *Résumer d'un regard la vierge absence éparse en cette solitude et,*
> *comme on cueille, en mémoire d'un site, l'un de ces magiques nénu-*
> *phars clos qui y surgissent tout à coup, enveloppant de leur creuse*
> *blancheur un rien, fait de songes intacts, du bonheur qui n'aura*
> *pas lieu et de mon souffle ici retenu dans la peur d'une apparition,*
> *partir avec : tacitement, en déramant peu à peu sans du heurt briser*
> *l'illusion ni que le clapotis de la bulle visible d'écume enroulée à*
> *ma fuite ne jette aux pieds survenus de personne la ressemblance*
> *transparente du rapt de mon idéale fleur* (O. C., *286*).

L'explication orphique de la terre ● La rumeur d'amitié et

d'admiration qui entoure le Mallarmé des dernières années, motivée tant par le rayonnement des mardis que par la publication
des abruptes et saisissantes traductions de Poe ou des derniers
poèmes en prose, n'intéresse pourtant qu'un cercle social assez
étroit : les jeunes poètes, les amis personnels, les petites revues.
Mais la grande presse dans son ensemble se montre le plus
souvent hostile à une forme d'art qui lui reste totalement étrangère. En 1890 encore, le *Figaro* appelle les Symbolistes des
« Poes de Chambre », et Zola les traite d' « empoisonneurs ».
Bien abrités derrière leurs gros tirages, les Naturalistes ont
beau jeu de se moquer des plaquettes confidentielles qui représentent toute l'artillerie ennemie. « J'en suis encore à me demander, déclare Zola à Jules Huret, où se fond le boulet qui doit
nous écrabouiller. » Quand on veut citer un exemple des désar-
mantes élucubrations de la nouvelle école, c'est en général à

l'œuvre de Mallarmé que l'on s'adresse; on cite *Une dentelle s'abolit*, ou *Quand l'ombre menaça*. Ou bien l'on fabrique de toutes pièces un mauvais sonnet bien abscons, comme le *Pauvre Mathusalem* d'Emile Bergerat, et on l'intitule « sonnet mallarmiste ». Et si par hasard un homme du jour élève la voix en faveur du poète, il outre à tel point l'expression de son admiration que son intervention va à fin contraire. C'est le cas du mot d'Octave Mirbeau : « Si je croyais en Dieu, je croirais que Dieu, c'est Mallarmé. »

Mallarmé accueille avec un sourire vrai cette avalanche d'injures et d'hyperboles. Son audience est assez sûre dans certains milieux pour qu'il ne souffre pas des bouderies du grand public, dont l'applaudissement lui importe peu. Mais il n'a pas été l'espèce de paria intellectuel que nous présente Camille Mauclair dans le *Soleil des Morts*. Et il ne fut le « poète maudit » de Verlaine qu'avant les *Poètes Maudits*. Après, il se plaint au contraire du trop d'attention dont il est l'objet, des questionnaires auxquels il faut répondre, des cérémonies auxquelles il faut prendre part. « Nous avons plus que jamais, écrit-il, les semelles enfoncées dans l'indécrottable existence que fait Paris à qui s'isole des affaires publiques ou privées et rêve... » Mais, on le sait, il ne s'en prête pas moins, avec une inlassable patience et civilité, aux fidèles, aux confrères, aux amis, à Méry, aux « dames Mallarmé » sur lesquelles il referme sa tendresse attentive et peut-être égoïste (ne vient-il pas de refuser la main de Geneviève au parfait Dujardin ?) Mais au-delà de ces tentations extérieures, on trouve Mallarmé très fidèle à lui-même et luttant comme il peut pour préserver, au for de son existence, une chambre close réservée à la méditation et au rêve. « Je passe ma vie à subir, déclare-t-il, excepté peut-être dans la littérature, mais c'est bien le moins. » S'il accepte de bonne grâce tout ce qui vient à lui, lui marque peu de curiosité pour les autres. (Etonnant de penser qu'à Rol-

lin, il avait pour collègue Bergson, et qu'il ne lui a jamais
adressé la parole). C'est que ses curiosités sont intérieures
et ne valent que pour lui, ayant pour objet ces réalités redoutables avec lesquelles son esprit est en lutte depuis des années :
le Poème, le Drame, le Livre. Quand l'éparpillement de l'existence lui laisse quelque répit pour rentrer en lui-même et con-
fronter les fragments et les essais sortis de sa plume à la vision
totale du Grand Œuvre rêvé, il connaît alors l'amère désillusion
de constater que tout reste à faire. Il s'isole donc chaque fois
qu'il le peut et s'attache à répondre du mieux qu'il peut à
l'image qu'il se fait du poète idéal : « Un homme qui s'isole
pour sculpter son propre tombeau. »

Parmi les motifs de sa réflexion essentielle, la poésie, le
Livre figurent naturellement au premier plan. Le texte le plus
explicite et le plus accessible de Mallarmé sur les aspirations
de l'école symboliste et sur le fond de sa propre doctrine reste
la réponse qu'il fit à l'enquête de Jules Huret. Journaliste à
l'*Echo de Paris*, Jules Huret avait eu l'idée, en 1891, d'inter-
roger soixante-quatre des écrivains les plus en vue (Renan, les
Goncourt, Zola, Maupassant, Huysmans, Barrès, France, Le-
maître, Verlaine, Moréas, etc.), sur le sens de l'évolution littéraire. Ce qui caractérise l'époque, aux yeux de Mallarmé, c'est
que les poètes nouveaux ne « chantent plus au lutrin », comme
les Parnassiens le faisaient encore, mais que chacun se cherche
une voix et une théorie personnelles — « allant, dans son coin,
jouer sur une flûte, bien à lui, les airs qu'il lui plaît ». Il n'y
aura donc plus d'école au sens historique du terme, mais seulement des créations fortement marquées par les différentes indi-
vidualités. D'autre part, les techniques poétiques enregistrent
une innovation importante : la création du vers libre, dont Mallarmé devine qu'il est promis à un grand avenir. Encore que
pour son compte il soit resté fidèle, du moins jusqu'au *Coup
de Dés*, au « vers officiel », il reconnaît volontiers que c'est par

lassitude envers les rythmes trop uniformes de la versification traditionnelle qu'on en est venu au vers nouveau. Ce sera de là aussi qu'il partira dans sa conférence d'Oxford, où il annonce d'abord cette surprenante nouvelle : « On a touché au vers. » Non qu'il annonce la disparition de l'alexandrin classique ou parnassien au profit du vers libre : il prévoit plutôt, et l'avenir lui donnera raison, un emploi beaucoup plus libre et plus souple des formes consacrées, celles qui se développeront chez Régnier ou chez Verhaeren. « Et le volume de la poésie future sera celui à travers lequel courra le grand vers initial avec une infinité de motifs empruntés à l'ouïe individuelle. » Tandis que six ans plus tard, dans la préface du *Coup de Dés*, le poète assigne curieusement au seul alexandrin « l'empire de la passion et des rêveries ».

Après la forme, le fond. Ici se placent les fameuses déclarations sur la nécessité de l'*allusion* en poésie, lesquelles, a remarqué Valery Larbaud, ne font que reprendre une vieille recommandation d'Aristote : « se servir de la définition au lieu du nom », pour en faire une application systématique :

Je pense qu'il faut, au contraire, qu'il n'y ait qu'allusion. La contemplation des objets, l'image s'envolant des rêveries suscitées par eux, sont le chant : les Parnassiens, eux, prennent la chose entièrement et la montrent : par là ils manquent de mystère; ils retirent aux esprits cette joie délicieuse de croire qu'ils créent. Nommer un objet, c'est supprimer les trois-quarts de la jouissance du poème qui est faite de deviner peu à peu : le suggérer, voilà le rêve (O. C., 869).

Quant à l'obscurité qui résulte de l'opération, explique Mallarmé, elle ne peut pas ne pas être. « Il doit y avoir toujours énigme en poésie, et c'est le but de la littérature, — il n'y en a pas d'autres — d'*évoquer* les objets. » Mais aussi les lecteurs

moyens ne sont nullement tenus d'exercer leurs modestes facultés sur « un livre ainsi fait », qui suppose des esprits suffisamment entraînés. A la suite de ces déclarations limpides,
d'après lesquelles il est possible d'imaginer quels devaient être
les thèmes et variations du Maître des mardis, il faut lire *Crise
de Vers*, qui date de l'année suivante, où l'on retrouve exactement les mêmes thèmes, non plus dans le style oral, mais dans
le style écrit de Mallarmé. Une fois de plus, la comparaison
est édifiante.

Dans ses articles sur la poésie, le langage, le Livre, la pensée du poète reste toujours assez discursive et procède par
essais et approximations. Rarement elle vise à la synthèse. Une
fois pourtant, en 1884, répondant à une « injonction brusque
d'un autre journaliste », Léo d'Orfer, Mallarmé risqua cette définition globale de la poésie :

> La Poésie est l'expression, par le langage humain ramené à son
> rythme essentiel, du sens mystérieux des aspects de l'existence : elle
> doue ainsi d'authenticité notre séjour et constitue la seule tâche spiri-
> tuelle (P. P., *134*).

Cette très saisissante formule, qui envisage le mystère poétique
dans sa totalité, n'est spécifiquement mallarméenne — on l'imagine aussi bien chez Baudelaire, chez Saint-Pol-Roux ou dans
la *Revue Wagnérienne* — qu'à condition d'en éclairer les termes. Que sont, pour Mallarmé, les « aspects mystérieux de
l'existence » qu'il appartient à la poésie de dévoiler ? Il veut
faire entendre — comme Nerval, Baudelaire, Rimbaud — que
les objets matériels et connus ne sont là que comme signes ou
symboles d'une réalité seconde et mystérieuse avec laquelle la
poésie, mieux que la musique, mieux que le drame, est capable
de nous mettre en communication. Au cours de sa grande crise
métaphysique, il a cru que cette réalité mystérieuse pouvait se
confondre avec l'Esprit donnant un sens à l'Univers, selon la

révélation hégélienne. Mais par la suite et sur ce point sa pensée semble avoir perdu beaucoup de sa rigueur. Elle tendit à se confondre avec toutes les théories plus ou moins occultistes et plus ou moins platoniciennes qui foisonnaient en cette époque particulièrement accueillante à toutes les espèces de Mages, où Villiers aussi bien que Papus, Péladan aussi bien que Jules Bois pouvaient prétendre posséder les clés — d'ailleurs différentes entre elles — d'un Autre Monde. Mais si Mallarmé n'éprouve pas le besoin de définir plus clairement sa doctrine philosophique, laquelle n'a rien d'original (ou dont il n'est guère possible de préciser l'originalité), en revanche, ce dont il est certain c'est que, ces clés, la poésie les possède aussi. Si elle ne nous ouvre pas toutes grandes les portes de ce « ciel antérieur où fleurit la Beauté », du moins permet-elle à celui qui en est digne d'en recueillir quelques presciences et quelques scintillations. La poésie devient donc avec Mallarmé un moyen de découverte — « l'explication orphique de la Terre », pour reprendre les termes de l'*Autobiographie* — un moyen d'abolir le monde matériel et de le dépasser pour recréer, au-delà des apparences, un monde de Notions pures dans lesquelles se révèlent, ou plus modestement se devinent, la Beauté immarcescible en même temps que les lois de l'Univers, en tant qu'elles sont l'incarnation de l'Esprit.

Pour opérer ce dépassement vers les réalités supérieures dont il a le pressentiment, le poète ne dispose que d'un instrument imparfait : le langage. Aussi importe-t-il de le ramener « à son rythme essentiel ». C'est-à-dire que le poète doit disparaître sous sa forme « élocutoire », abandonner les moyens périmés de l'ancienne poésie, éloquence ou description, au profit uniquement de la parole majeure. Celle-ci est faite de mots purifiés de leur contexte habituel de journalisme ou de pédagogie et obéissant à leur propre initiative. Ils deviennent ainsi hautement capables de remplir les fonctions d'*allusion* et

de *suggestion* grâce auxquelles ils pourront se mouvoir dans la
« forêt de symboles » et en éclairer les obscurs sentiers. L'hermétisme sera la rançon de cette nouvelle méthode, mais elle
est inévitable, puisque suggérer n'est ni dire, ni expliquer.
C'est par le seul jeu de reflets de l'un à l'autre que les mots
s'illumineront et seront, dans le chatoiement de leurs résonances intimes, poésie essentielle.

Ayant ainsi défini le but et les moyens de la fonction poétique,
Mallarmé précise enfin le rôle de la poésie dans l'existence et
dans la vie spirituelle. « Elle doue d'authenticité notre séjour » : l'univers où nous vivons est un univers contingent,
où règnent les lois du hasard, de l'espace et du temps. La vie
humaine est faite de fragmentation, de dispersion et d'éparpillement. Tous les Symbolistes ont profondément ressenti l'impu-
reté foncière de notre « séjour » et ont porté sur lui condamna-
tion. « Nous ne sommes pas au monde », constate Rimbaud.
Et tous ont aspiré à un ciel, à un paradis antérieur ou posté-
rieur où les choses échapperaient à la nécessité et redevien-
draient « authentiques ». C'est dans ce sens que Mallarmé
affirme à René Ghil : « On ne peut se passer d'Eden. »

Le poète qui s'est fait Voyant n'a donc d'autre issue que de
rester fidèle à la vision qui lui a fait discerner, au-delà du pittoresque des apparences, la scintillation du monde absolu, l'univers de la « vraie vie », comme dit encore Rimbaud, le lieu du
Rêve et du Miracle. Son destin se confond désormais avec
sa volonté d'être à la hauteur de ce qui l'illumine. C'est là sa
« seule tâche spirituelle », c'est-à-dire une tâche quasiment religieuse et sacrée, dont l'instrument est l'ascèse poétique et le
but la saisie de l'aspect transcendant du réel. « Si, dans l'avenir, en France, resurgit une religion, ce sera l'amplification à
mille joies de l'instinct de ciel en chacun » (*O. C.*, 654).

Ces prémisses permettent de comprendre comment Mallarmé,
à la fin de sa vie, a pu en venir à rêver d'un livre qui serait le

condensé de l'univers. Il déclarait à Jules Huret, en conclusion de leur entretien : « Au fond, voyez-vous, le monde est fait pour aboutir à un beau livre » (*O. C.*, 872). Il faisait allusion ici à un projet essentiel qu'il avait déjà découvert dans son *Autobiographie* où, après avoir rappelé qu'il avait d'abord songé à un livre « en maints tomes », il déclare qu'il faut même aller « plus loin » :

J'irai plus loin, je dirai : le Livre, persuadé qu'au fond il n'y en a qu'un, tenté à son insu par quiconque a écrit, même les Génies. L'explication orphique de la Terre, qui est le seul devoir du poëte et le jeu littéraire par excellence : car le rythme même du livre, alors impersonnel et vivant, jusque dans sa pagination, se juxtapose aux équations de ce rêve, ou Ode (O. C., *663*).

Mallarmé veut dire au fond que si le poète, fidèle à la mission qu'il lui assigne, parvenait à faire un livre dans lequel n'entreraient que les Notions pures des choses, il aurait réussi à reconstituer logiquement l'univers qui se trouverait du même coup résumé totalement dans un tel ouvrage. Ainsi « l'explication orphique de la Terre » aurait eu lieu, et tout serait dit une fois pour toutes. Encore qu'après la grande crise métaphysique Mallarmé semble avoir abandonné sa foi hégélienne, il est évident que l'idée du Livre total peut encore dériver de Hegel, selon qui c'est dans la philosophie que l'éternel apparaît, que l'Esprit absolu se réfléchit et se rassemble totalement. Mallarmé n'avait qu'une adaptation à faire pour attribuer au Livre le rôle capital que le philosophe assigne à la philosophie : l'Univers prenant conscience de soi et de sa fulgurante unité.

Derniers tombeaux ⚬ Tout en rêvant dans le secret au Livre impossible, Mallarmé n'en continue pas moins à écrire, selon le rythme avare qui était le sien, tombeaux, hommages, sonnets. Beaucoup de tombeaux littéraires, mais aussi, autour de lui, que de tombeaux véritables! Villiers en 1889, Banville et Roumanille en 1891, Eugène Manet en 1892, Alfred des Essarts en 1893, Leconte de Lisle en 1894, Berthe Morisot en 1895, Verlaine en 1896...

Président, dès 1892, d'un comité pour l'érection d'un monument Baudelaire, Mallarmé composa l'année suivante, pour un recueil collectif d'hommages (*Tombeau de Charles Baudelaire*), un *Tombeau* qui paraîtra dans la *Plume* en 1895 (non le 15 janvier, comme on lit partout, mais le 1er). Poème ingrat, bourré d'allusions et d'images apparemment incohérentes, et dont la traduction mot à mot se heurte à des difficultés insurmontables. Il semble que, dans les quatrains, le poète ait tenté de ressusciter l'atmosphère des *Fleurs du Mal*, leur allégorie idéale : poésie de la grande ville, des rues mal famées, des réverbères, de la prostitution. D'où ces allusions aux égouts, à la boue, au gaz, au temple enseveli. Mais il y a aussi des rubis et l'idole Anubis, où il faut voir sans doute des images du luxe et de la débauche, et aussi de la mort, tous thèmes familiers à Baudelaire. Entre « boue » et « rubis » peuvent d'ailleurs se situer toutes les variations qui vont du « Spleen » à l' « Idéal ». Le gaz introduit de son côté un accent de modernité qui répond également à une exigence baudelairienne; mais Mallarmé se sert du nouvel appareillage pour en faire, semble-t-il, un symbole phallique. Ici les exégètes se divisent en deux camps poliment ennemis : les tenants du bec Auer et les partisans du bec papillon (on a même vu le directeur général du Gaz de France entrer résolument dans la bataille). Quelle que soit la solution adoptée, l'important reste que ces réverbères éclairent ou évoquent des scènes de prostitution. Dans les tercets, sujet nouveau : comme dans la plupart des *Tombeaux*, on assiste à la fin à l'hypostase du poète, à sa métamorphose « tel qu'en lui-même ». Baudelaire se dégage alors, sous la forme de cette Ombre « absente avec frissons », tant des images morbides qu'il a créées que des vains lauriers dont on prétend l'emprisonner, et devient essentiellement et idéalement cette nourriture empoisonnée dont ses admirateurs ne sauraient se passer — le poison qui « réconforte », à la fin du *Voyage* de Baudelaire. (Ce « poison tutélaire » où s'inscrit la puissance d'envoûtement des *Fleurs du Mal* offre un parallélisme évident avec les mots dont se sert Valéry pour définir l'un de ses maîtres : « cet opium vertigineux et mathématique : Poe, Poe! »)

Si cette ligne générale est discernable, dans le détail que de doutes et d'obscurités subsistent! Au reste, ce tombeau est regrettablement, s'adressant au poète qu'il a le plus admiré, le moins réussi de tous ceux que Mallarmé a écrits. On y sent trop l'essoufflement qui a pour origine le jeu des rimes en -*bis* (aussi compliquées, remarque avec raison le professeur Pommier, que celui des rimes en -*yx*), et un système de métaphores dont la subtilité des plus patients exégètes ne réussit pas à accorder harmonieusement les rapports. Ces images d'égout, de pubis et de bec de gaz ne paraissent finalement guère adéquates pour magnifier la généralité purificatrice du premier des grands poètes modernes.

Mallarmé fut plus heureux dans son hommage à Verlaine. La suscription : « Anniversaire — Janvier 1897 », indique que la pièce fut écrite à l'occasion du premier anniversaire de la mort du poète de *Sagesse*.

Ici l'exhaussement final, au lieu de figurer dans les tercets, intervient déjà dans le second quatrain, formant le centre rayonnant du poème. La strophe initiale, avec son « noir roc », pendant du « calme bloc » de Poe, suscite d'emblée une atmosphère tragique et eschylienne que le reste du sonnet va peu à peu contredire. Ce roc-ci, dit Mallarmé, ne s'arrêtera pas dans sa course, même si (*ni* = pas même si) on y taillait pieusement une effigie à l'image du poète mort. Cette sombre image du bloc

roulé par la bise fait place, dans le second quatrain, à une évocation plus sereine, celle d'un « deuil immatériel » : les pigeons
du cimetière des Batignolles, dont les cris tristes évoquent la
gloire de Verlaine, pour l'instant encore offusquée par l'incom-
préhension, comme un soleil voilé par des nuages (*nubiles*, ici,
devant être mis en rapport avec *nubes*), mais destinée à surgir
et à s'imposer.

> *Ici presque toujours si le ramier roucoule*
> *Cet immatériel deuil opprime de maints*
> *Nubiles plis l'astre mûri des lendemains*
> *Dont un scintillement argentera la foule.*

Verlaine nous a-t-il vraiment quittés, comme on dit, pour un
autre monde ? Non. Il était d'avance accordé à la mort qui l'a
couché, sans drame, sous ce tertre d'herbe, près de ce ruisseau,
qui est la mort, sans doute, mais qui symbolise mieux que les
blocs de granit la naïveté originelle du poète — cette naïveté
qui fut sa seule arme contre les attaques contemporaines et qui
équivalait, chez lui, à une « attitude absolue ». C'est pourquoi
l'évocation par l'herbe et le ruisseau est infiniment plus perti-
nente que celle par la bise noire du premier quatrain. La fluidité est une des vertus majeures de la poésie verlainienne,
qui versera aux lecteurs futurs, disait Mallarmé dans son oraison
funèbre de 1896, « un ruisseau mélodieux qui les désaltérera
d'onde suave, éternelle et française ». Rien n'est donc plus vrai
que l'image de cette eau, à la fois mort naturelle et quasi fra-
ternelle, par conséquent « calomniée » à tort, et source toujours
jaillissante où se retrouvera perpétuellement présent ce qu'il y
avait en Verlaine de plus ingénu et de plus digne de vivre :

> *Qui cherche, parcourant le solitaire bond*
> *Tantôt extérieur de notre vagabond —*
> *Verlaine ? Il est caché parmi l'herbe, Verlaine*

A ne surprendre que naïvement d'accord
La lèvre sans y boire ou tarir son haleine
Un peu profond ruisseau calomnié la mort.

Dans l'*Hommage* à Wagner (1886) encore, quelque chose disparaît et quelque chose est exalté. Ce qui est condamné, ce sont les anciennes formule théâtrales sur lesquelles reposait le théâtre auquel on était accoutumé : en s'écroulant, le « principal pilier » (peut-être le Drame, comme dit Soula; ou le théâtre de Hugo, comme disent Boschot-Austin; ou Ibsen, comme dit encore Walther Meier) va précipiter dans l'oubli (« le manque de mémoire »!) ces structures théâtrales périmées. Ce qui est condamné encore, ce sont les formes poétiques désuètes évoquées dans le second quatrain : « vieil ébat » qui n'est plus bon qu'à procurer aux foules (« le millier ») un « frisson familier » et trop connu. Puisque la poésie en est venue là, mieux vaut mettre toutes ces productions banales au cabinet du *Misanthrope* (ici : « armoire »). Enfin, Wagner vint... C'est son avènement triomphal qui a condamné et renvoyé aux vieilles lunes les essais dramatiques ou poétiques dans lesquels l'art ne faisait que se survivre. Mais voici Wagner, son génie et ses trompettes : alors tout explose, y compris les notes noires et muettes des partitions :

Trompettes tout haut d'or pâmé sur les vélins,
Le dieu Richard Wagner irradiant un sacre
Mal tu par l'encre même en sanglots sibyllins.

L'*Hommage* à Puvis de Chavannes s'adresse exceptionnellement à un vivant. Il figura dans un album remis à l'artiste au cours d'un banquet qui eut lieu à l'occasion de son soixante-dixième anniversaire; il parut ensuite dans un numéro spécial de la *Plume* consacré au peintre de sainte Geneviève, en janvier 1895. Pièce assez immédiatement accessible. Elle se présente comme une comparaison classique, articulée sur *ainsi;* les deux quatrains évoquent, dans une aube qui a de la peine à surgir des ténèbres, un pâtre courageaux, procédant « Le long de son pas futur », et frappant la terre de son bâton pour en faire jaillir (« sourde », de *sourdre*) une source. L'artiste-pâtre traverse ainsi son existence en jetant au-devant de lui les semences d'une victoire future. De même Puvis de Chavannes : lui aussi est en avance sur son époque; « jamais seul », puisqu'il est accompagné des générations à venir à qui il découvre, éclairée par le soleil de sa gloire enfin éclatante, une source pure, symbolisée ici par une nymphe ou une vérité sans voiles sortant de son puits. Ce n'est donc pas la mort, dans le présent *Hommage*, qui représente la victoire sur les ténèbres, mais simplement l'heureuse ténacité de toute une vie d'artiste probe.

Derniers sonnets • Autre « hommage » encore, la pièce intitulée : *Au seul souci de voyager*, qui figura d'abord dans un album commémoratif publié en 1898, « sous le patronage de la reine du Portugal », à l'occasion du quatrième centenaire du voyage de Vasco de Gama. Mallarmé ne paraît pas avoir nourri une admiration particulière pour le personnage qui n'apparaît nulle part ailleurs dans son œuvre : il se trouve simplement en face d'une commande. Que va-t-il célébrer dans le lointain héros ? D'abord celui qui a vaincu le temps : le salut qu'il lui adresse doit être le « messager / Du temps, cap que ta poupe double ». Ensuite, et c'est là le sujet même du poème, celui qui a vaincu l'espace en s'abandonnant

> *Au seul souci de voyager*
> *Outre une Inde splendide et trouble...*

Le Vasco historique s'est arrêté à Calicut. Celui de Mallarmé est le voyageur en soi, celui qui rêve d'aller toujours au-delà.

« Mais les vrais voyageurs sont ceux-là seuls qui partent /
Pour partir. » Le Vasco du sonnet est de cette race-là. Comme
Arthur Gordon Pym, comme le Hollandais volant, il double
les caps, traverse les tempêtes, affronte les récifs, s'entête à passer outre, tout en sachant qu'au bout de la course, il ne trouvera rien qui justifie tant d'héroïsme. Au fond, Mallarmé doute
qu'il fût bien utile même de s'embarquer. Sans doute *Brise
marine* est un beau thème, mais contredit par la prose de la réalité :

*Nous qui, de naissance, savons tous les mensonges exotiques et la
déception des tours du monde (ayant tout vu, dans un espace de
plusieurs lieues de chefs-d'œuvre, par les yeux de notre esprit et
les yeux de notre visage), nous allons, simplement, au bord de
l'Océan, où ne persiste plus qu'une ligne pâle et confuse, regarder ce
qu'il y a au delà de notre séjour ordinaire, c'est-à-dire l'infini et
rien* (O. C., *732*).

D'où les couleurs ambiguës projetées sur cette terre, cet « inutile gisement » (ici au sens maritime : situation d'une terre),
qu'annonce le chant monotone de l'oiseau et où le maître du
navire se refuse à aborder, passant au large « sans que la barre
ne varie », impassible et souriant.

> *Au seul souci de voyager*
> *Outre une Inde splendide et trouble*
> *— Ce salut soit le messager*
> *Du temps, cap que ta poupe double*
>
> *Comme sur quelque vergue bas*
> *Plongeante avec la caravelle*
> *Écumait toujours en ébats*
> *Un oiseau d'annonce nouvelle*
>
> *Qui criait monotonement*
> *Sans que la barre ne varie*

> *Un inutile gisement*
> *Nuit, désespoir et pierrerie*
>
> *Par son chant reflété jusqu'au*
> *Sourire du pâle Vasco.*

Ce navigateur est évidemment une nouvelle figure du poète qui conduit son navire au-delà de toutes les Indes accessibles — « au fond de l'Inconnu pour trouver du *nouveau* ». Aborder ? Etreindre l'OEuvre à bras-le-corps et risquer le tout pour le tout, quand on sait le gisement « inutile » ? Jeter les dés, sans discerner où ils rouleront ? — « Nuit, désespoir et pierrerie » : ces trois termes définissent les renaissantes difficultés et les éphémères récompenses attachées à la condition du poète, qui n'en va pas moins obstinément sa route, avec la même pâleur et le même sourire que Vasco, entre les découvertes et les naufrages.

Cette image du poète navigateur, Mallarmé l'avait déjà utilisée dans le beau sonnet, *Salut*, qu'il a placé en tête de ses *Poésies*, où il tranche, par sa facture, sur les pièces « parnassiennes » qui suivent, mais rappelle à bon escient que toute destinée poétique est essentiellement faite de risque et d'aventure. Il relève formellement de la dernière manière du poète puisqu'il fut écrit en 1893, pour être lu en guise de toast au septième banquet de la *Plume*, que Mallarmé avait l'honneur de présider. S'adressant amicalement à ses compagnons littéraires réunis autour de lui, aux plus jeunes surtout, il lève sous leurs yeux sa coupe de champagne. C'est de ce « rien », de ce peu d' « écume », de ce vin qui n'accuse encore que le contour du verre mais où se dessinent tous les développements possibles, que son imagination prend le départ. De cette écume, il glisse à l'idée d'une mer, dans laquelle s'ébattent, sous le regard amusé des poètes, toutes les sirènes de la littérature (« Telle loin se noie une troupe / De maintes sirènes à l'envers » : on croirait une légende pour *Tritons et Sirènes* de Boecklin). Nous voici sur la mer, embarqués dans l'aventure poétique. Le ton se fait plus sérieux; Mallarmé parle en vieux capitaine (il n'a pourtant que cinquante et un ans) dont la place n'est plus en tête des avant-gardes :

> *Nous naviguons, ô mes divers*
> *Amis, moi déjà sur la poupe*
> *Vous l'avant fastueux qui coupe*
> *Le flot de foudres et d'hivers...*

Mais, dans la chaleur communicative des banquets, il se laisse aller à une vision optimiste. Sans craindre le tangage de l'ivresse menaçante, c'est debout qu'il porte son salut à la plus belle des aventures : la poésie.

> *Une ivresse belle m'engage,*
> *Sans craindre même son tangage*
> *De porter debout ce salut*
>
> *Solitude, récif, étoile*
> *A n'importe ce qui valut*
> *Le blanc souci de notre toile.*

Il porte donc son toast « A n'importe ce qui valut / Le blanc souci de notre toile », c'est-à-dire à tous les obstacles et à tous les rêves qui définissent la condition du poète, la « toile » étant ici à la fois la voile du navire et la page blanche où s'inscrira le poème. « N'importe ce qui valut » est expliqué d'ailleurs par l'apposition : « Solitude, récif, étoile » (c'est la même triade que dans le sonnet à Vasco : « Nuit, désespoir et pierrerie »), qui signifie que l'artiste est enfermé solitairement dans sa création, écartelé entre la crainte de l'échec et ses aspirations absolues. Mais ce déchirement est sa grandeur s'il ne veut pas faillir à « la seule tâche spirituelle ».

Ces images maritimes peuvent nous introduire à la lecture

d'un des derniers sonnets, l'un des plus ingrats : *A la nue acca-blante tu*, qui parut en 1895 dans une revue berlinoise. Ici il s'agit d'un naufrage, préfigurateur de celui du *Coup de Dés*, dont témoigne un mât privé de sa voilure et autour duquel bave l'écume de l'Océan. Ce naufrage a été *tu* (au premier vers), est resté caché « à la nue accablante », formée de nuages bas et sombres, aux couleurs de basalte et de lave — et *tu* également aux échos, car la trompe du bateau, la sirène, fut trop faible dans l'ouragan pour les éveiller. Les tercets évoquent une autre possibilité : les forces déchaînées de la nature n'ont peut-être servi à noyer, faute de mieux, faute de « quelque perdition haute », qu'une sirène. Si le sonnet se laisse ainsi à peu près déchiffrer, sa portée et son symbolisme n'en restent pas moins tout obscurs et le lecteur ne peut se défendre d'avoir affaire à un inutile rébus. C'était en tout cas l'avis de Tolstoï qui cite ce sonnet comme exemple de poésie incompréhensible. Il est vrai qu'il ajoute : « Nous n'avons d'autre droit que de dire que cet art est incompréhensible pour nous. La seule supériorité de l'art que nous admirons sur l'art des décadents consiste en ce que l'art que nous admirons est accessible à un nombre d'hommes un peu plus grand que l'art d'aujourd'hui. »

De la même année date le joli impromptu heptasyllabique, en forme de quatorzain, que publia le *Figaro*, à l'occasion d'une enquête sur le *Vers libre et les Poètes* : *Toute l'âme résumée* :

> *Toute l'âme résumée*
> *Quand lente nous l'expirons*
> *Dans plusieurs ronds de fumée*
> *Abolis en autres ronds*
>
> *Atteste quelque cigare*
> *Brûlant savamment pour peu*
> *Que la cendre se sépare*
> *De son clair baiser de feu*

Ainsi le chœur des romances
A la lèvre vole-t-il
Exclus-en si tu commences
Le réel parce que vil

Le sens trop précis rature
Ta vague littérature.

Sur le ton plaisant, nous lisons ici, observe Mauron, un petit « art poétique » à l'usage des débutants. Comme l'*Hommage* à Puvis, il est construit sur une comparaison classique où les quatrains s'opposent aux deux strophes finales, et articulé sur l'adverbe *ainsi*. Comme le fumeur de cigare... ainsi le poète. Que fait le fumeur de cigare ? Il rassemble tout son être dans un souffle pour envoyer vers le plafond, comme émanés de lui-même, des ronds évanescents de fumée qui se superposent les uns aux autres en s'élargissant. L'opération suppose (« atteste ») la présence d'un cigare allumé dont le fumeur fait soigneusement tomber la cendre. Il y a donc au départ une réalité matérielle (cigare) qui est consumée par un feu et qui se transforme par un truchement adéquat (fumeur) en une réalité aérienne (fumée).

L'alchimie poétique ne procède pas autrement. Aussi le jeune artiste qui sent monter en lui le souffle de l'inspiration, voler à sa lèvre « le chœur des romances », doit-il, à l'exemple du fumeur, s'il veut obtenir de belles volutes, de ces images raffinées à la Mallarmé qui se superposent et s'abolissent l'une dans l'autre, commencer par réduire le réel en cendre. L'acte poétique est le feu qui consume la vile réalité et la transpose en sa pure signification, « résumée » dans l'œuvre, comme l'âme du fumeur se trouve résumée dans ses jeux de fumée. Corollaire : « Le sens trop précis rature (anéantit) / Ta vague littérature. » On rejoint ici le conseil antiparnassien de la réponse à Jules Huret : « *Nommer* un objet, c'est supprimer les trois quarts de la jouissance... »

C'est justement sur une forme héroïquement consumée à la flamme — le « sein brûlé d'une antique amazone » — que se termine encore le sonnet que Mallarmé a jugé digne de clore le recueil complet de ses poésies. Ce sonnet régulier d'alexandrins remonte sans doute à 1887, date à laquelle il parut dans la *Revue Indépendante* avec la série des trois poèmes de l'absence : *Tout Orgueil fume-t-il du soir, Surgi de la croupe et du bond* et *Une dentelle s'abolit*, qui venaient en tête sous le titre général : *Sonnets*, tandis que celui-ci — *Mes bouquins refermés sur le nom de Paphos* — venait en quatrième place et s'intitulait : *Autre Sonnet*. Ce dernier n'est pas un simple sonnet de l'absence, mais une pièce composée savamment sur le jeu absence-présence. Il évoque dans le premier quatrain une réalité rêvée, laquelle est effacée dans le second quatrain par une réalité vécue, tandis que le fruit de chair inexistant suggéré dans le second tercet voue à l'anéantissement le fruit de chair vivant rayonnant dans le premier.

Le présent sonnet, d'une structure remarquable, tant par sa cohérence que par son aisance, a pour sujet une rêverie du poète au coin du feu; un soir de bise et de neige, il se tient commodément dans son fauteuil, son travail terminé, les pieds posés sur les chenets en forme de « guivre ». Il a refermé le volume qu'il tenait en main et son imagination prend le départ sur le dernier mot qu'il a lu : Paphos. (Bien sûr, il est assez osé de risquer une hypothèse pour dire précisément dans quel « bouquin » Mallarmé a pu trouver ce nom de Paphos. Kurt Wais propose cependant avec beaucoup de vraisemblance *Sleep and Poetry* de Keats, et il démontre victorieusement qu'un grand nombre d'éléments de notre sonnet sont directement empruntés à une autre pièce du même poète : *Fancy*.) Paphos, ville de Chypre, possédait un temple célèbre consacré à Aphrodite; Mallarmé le connaît et le cite dans les *Dieux antiques* (où il fait mention également de la légende des Amazones). S'il sait aussi que la cité de Paphos passe pour avoir été fondée par les Amazones, c'est ce qui paraît probable, et qui rend en tout cas tout à fait satisfaisante l'apparition de la farouche guerrière du dernier vers, le caprice des allusions le cédant ainsi au nécessaire. Mais la chaîne de relations pourrait aussi passer moins archéologiquement du temple d'amour de Paphos au souhait amoureux du premier tercet, et à sa négation dans le second. Sur ce nom de Paphos, le poète organise consciemment (grâce à son « seul génie », esprit, *ingenium*) un rêve éveillé : sous un ciel violet, un paysage antique, avec un temple que baigne le sourire mille fois répété des vagues. Mais voici l'hiver, au-dehors, qui impose sa présence par « ses silences de faulx » et ses tourbillons de neige (« blanc ébat ») et obscurcit la vision imaginaire, comme les flocons véritables interdisent la netteté du regard. Donc la neige « dénie / A tout site l'honneur du paysage faux », c'est-à-dire qu'elle interdit au paysage imaginaire de se maintenir dans le champ de vision du poète. Qui ne s'en plaint pas : l'hiver peut me priver de mon rêve, dit-il « Je n'y hululerai pas de vide nénie »; cet alexandrin pataud signifie : je ne pousserai pas de vains gémissements. *Nénie* fait bizarre, surtout dans son emploi au singulier, mais a peut-être le mérite de relayer la couleur antique de la strophe I.

Ce passage de la possession à la privation, de la présence au manque laisse donc le poète indifférent. Il aime autant les biens imaginaires que les biens réels, et il va en donner un nouvel exemple dans les tercets :

> *Ma faim qui d'aucuns fruits ici ne se régale*
> *Trouve en leur docte manque une saveur égale :*
> *Qu'un éclate de chair humain et parfumant !*
>
> *Le pied sur quelque guivre où notre amour tisonne,*
> *Je pense plus longtemps peut-être éperdument*
> *A l'autre, au sein brûlé d'une antique amazone.*

Qu'on me donne, dit le poète, un « fruit de chair », un sein « humain et parfumant » (tout l'érotisme latent de Mallarmé se lit en filigrane dans ces épithètes choisies), eh bien, avoue-t-il, voyez comme je suis : à ces appas bien réels, je suis capable de préférer, y rêvant « longtemps peut-être éperdument » (ces deux adverbes joints font assez lourdement), un autre sein, le sein « brûlé » et donc absent « d'une antique amazone ». Mallarmé est assez charnel pour connaître la saveur d'un attirant fruit de chair; mais trop spirituel pour ne pas être capable d'apprécier en toute lucidité et sagesse leur « docte manque ».

Il est satisfaisant que le poète Stéphane Mallarmé ait clos le recueil des vers de sa vie sur ce vers aux riches et sombres résonances, où brûle une flamme purificatrice. Encore l'image de l'Amazone ne constitue-t-elle qu'une bien faible approximation de son destin. En véritable Bernard Palissy de la poésie, c'est son être personnel entier et tout son réel univers qu'il a jetés au fourneau du Grand Œuvre pour leur faire subir les subtiles et scintillantes métamorphoses qui seules les justifieront d'avoir été, et les hisseront au ciel des Mythes.

UN COUP DE DÉS

Symphonie typographique • Ces derniers poèmes — qui ne sont derniers que dans notre perspective — doivent donc pour la plupart leur origine aux circonstances. Ils représentent ces cartes de visite que l'homme de lettres ne peut refuser à ses contemporains comme signes de sa présence. Mais rien dans tout cela qui réponde au sublime projet de jadis : Grand Œuvre, Ode ou Livre. Cependant, dans le secret de son cœur Mallarmé n'a jamais renoncé à enrichir la littérature de l'œuvre absolue.

Il faut sans doute considérer que le premier fragment du Livre transcendant est représenté par l'étrange « poème » qui parut, en mai 1897, dans la revue londonienne *Cosmopolis : Un Coup de Dés jamais n'abolira le Hasard*. La surprise des contemporains n'eut d'égale que leur consternation, et l'une et l'autre étaient compréhensibles. Mallarmé en effet avait passé toutes les bornes. Imaginez dix pages de revue dans lesquelles les mots du poème, au lieu d'être sagement alignés vers par vers selon des formules convenues, étaient distribués apparemment au hasard à travers les pages, certain d'entre eux occupant à lui seul la page entière, les autres entourés de blancs importants et imprimés dans dix espèces différentes de caractères typogra-

phiques, allant de la majestueuse grande capitale à un fluide
italique, en passant par diverses variétés de bas de casse romain. On découvrait des mots importants, soulignés par la
typographie, et débordés par des phrases fuyantes courant de
biais du haut en bas de la page. Au reste le texte, composé
d'une seule immense phrase dénuée de toute ponctuation était
à première vue totalement incompréhensible. D'où ébahissement
et déception chez les premiers lecteurs (à part Valéry, Gide...)
qui, par respect pour le chef du Symbolisme, ne parlèrent guère
de cette œuvre insolite qui apparaissait à la plupart comme un
essai avorté, témoignant sans doute d'une belle audace mais plus
encore d'une incohérence mentale inquiétante. Mallarmé d'ailleurs, avec son ironie ordinaire, ne s'attendait pas à plus
de compréhension. Il disait à Valéry, le 3o mars, en lui donnant un jeu d'épreuves corrigées du poème : « Ne trouvez-vous
pas que c'est un acte de démence ? »

Valéry ne trouvait pas et, à son habitude, cherchait à comprendre les démarches secrètes qui avaient pu donner naissance
à une œuvre aussi révolutionnaire. A son exemple, beaucoup
de chercheurs de notre époque se sont penchés sur le dernier
poème de Mallarmé, de sorte qu'aujourd'hui les dix pages scan-
daleuses peuvent s'enorgueillir de quelques volumes de commentaires (Roulet, Cohn, Davies...), ce qui ne signifie pas d'ailleurs
que le poème soit unanimement compris. Mais les approches en
sont du moins heureusement facilitées. Car si on ouvre simplement les belles pages du *Coup de Dés* et qu'on en suit les méan-
dres d'un œil ingénu, force est de reconnaître qu'on n'y dis-
cerne pas grand-chose. Votre regard s'amuse un instant d'une
disposition typographique inédite, en même temps que vous
dégustez au passage du pire Mallarmé :

> froide d'oubli et de désuétude
>
> pas tant
> qu'elle n'énumère

sur quelque surface vacante et supérieure
le heurt successif
sidéralement
d'un compte total en formation

Si vous voulez dépasser cette résistance première, un moyen s'impose : *vivre avec* le poème de Mallarmé, en faire votre canon et votre bible, à l'exemple de ce professeur suisse, Claude Roulet, qui, ayant publié en 1943 une *Elucidation... du « Coup de Dés »*, lui adjoignit, en 1947, des *Eléments de poétique mallarméenne d'après le poème : « Un coup de Dés jamais n'abolira le Hasard »*, ouvrage que suivit, en 1949, une *Version du poème de Mallarmé : « Un coup de Dés »*, suivi lui-même, en 1956, d'un *Traité de Poétique supérieure. « Un Coup de Dés... »* Ainsi seulement, vous donnerez à vos yeux des chances de s'ouvrir et vous discernerez, dans les mots et dans les vides du poème, des merveilles de musique et d'architecture, des trésors de suggestion et de métaphysique. Car le *Coup de Dés* n'a rien, on s'en doute, d'un essai curieux que Mallarmé aurait risqué un jour par manière de fantaisie et d'improvisation. C'est au contraire une tentative hautement concertée dont tous les éléments font sonner un sens plein. Que voulait faire Mallarmé ? Révolutionner la présentation de la Page. Le *Coup de Dés* représente sa contribution à la « crise de vers » qui signale son époque. Fatigué de la monotonie qui entache obligatoirement et ennuyeusement la prosodie traditionnelle, il essaie autre chose, qui n'est ni prose, ni vers libre, mais une pensée poétique qui se distribue sur les pages et s'y soutient par le jeu des blancs et des caractères. Le résultat est tout de même nommé : Poëme. Dans ses méditations de 1895, sur le *Livre, instrument spirituel*, Mallarmé avait prévu avec assez de netteté la nouvelle formule :

Je méconnais le volume et une merveille qu'intime sa structure, si je ne puis, sciemment, imaginer tel motif en vue d'un endroit spé-

cial, page et la hauteur, à l'orientation de jour la sienne ou quant
à l'œuvre (O. C., *380*).

Avec le goût particulier qu'il eut toujours pour la belle typographie, Mallarmé lui chercha, dans ses dernières années, des
procédés de renouvellement et trouva des idées intéressantes
dans la considération des affiches, des annonces des journaux
ou des partitions musicales. En songeant à ce qu'on pourrait
faire de résolument neuf dans le domaine de la page écrite, il
décrit par avance de façon parfaite les principales caractéristiques du *Coup de Dés* :

> *Pourquoi — un jet de grandeur, de pensée ou d'émoi, considérable,*
> *phrase poursuivie, en gros caractère, une ligne par page à empla-*
> *cement gradué, ne maintiendrait-il le lecteur en haleine, la durée du*
> *livre, avec appel à sa puissance d'enthousiasme : autour, menus, des*
> *groupes, secondairement d'après leur importance, explicatifs ou déri-*
> *vés — un semis de fioritures ?* (O. C., *381*.)

Telle est bien la figure que revêtira la phrase du *Coup de*
Dés dans l'espace spatial de la double page, qui est la véritable
unité visuelle du nouveau livre. Dans la revue *Cosmopolis*, le
poète avait dû se plier aux exigences habituelles et distribuer
son texte — « rythmes immédiats de pensée ordonnant une
prosodie » (*O. C.*, 1570) — page par page en conservant la
pagination. C'est pourquoi l'édition de *Cosmopolis* ne repré-
senta jamais à ses yeux qu'un premier « état » du poème. Il
avait dû aussi se satisfaire des caractères fort bâtards de la
revue anglaise. Mais en juillet 1897 (et non 1898, comme indique Valéry), il prépare de son poème une édition cette fois
somptueuse, en purs caractères Didot et de format in-folio,
imprimée chez Lahure, et que devaient accompagner quatre
lithographies d'Odilon Redon. (Cette édition ne devait jamais
voir le jour. Les épreuves mêmes en avaient totalement disparu,

jusqu'au jour où on les vit resurgir, en 1960, cotées 18.000 NF., au catalogue d'un libraire. L'édition N.R.F. 1914, non illustrée, procurée par le Dr Bonniot, remplace pratiquement l'édition rêvée par le poète.) La nouveauté de l'édition définitive, c'est que la phrase passe de la page de gauche en belle page et que l'unité visuelle consiste donc dans la double page étalée, sans pagination, selon le projet initial de Mallarmé.

Cette vision simultanée de la Page constituait l'apport fondamental du poème (« cette disposition typographique qui était l'essentiel de sa tentative », constate Valéry), et c'est sur elle que Mallarmé insiste dans la préface (O. C., 455-456) qu'il a mise à son texte. On ne trouvera ici rien de neuf, explique-t-il, sinon un « espacement de la lecture ». Dans une page ordinaire de poèmes en vers courts, le blanc occupe les deux tiers de la page : je respecte cette proportion, explique Mallarmé, mais opère une redistribution des blancs qui, remplaçant la ponctuation, interviennent soit pour opérer une transition d'une image à une autre, soit pour marquer le rapport plus ou moins direct des groupes de mots — « subdivisions prismatiques de l'Idée » — avec la phrase centrale. Composer et ordonner les îlots de blancs lui paraît une opération aussi importante que l'acte même d'écrire — « significatif silence qu'il n'est pas moins beau de composer, que les vers » (O. C., 872). Cette disposition a l'avantage de porter en elle-même, avec évidence, son propre rythme : un simple coup d'œil sur la double page indique d'emblée les passages ou les mots importants sur lesquels il convient de ralentir, et les passages plus fluides que la voix devra parcourir plus rapidement. Au fond, le poème ainsi conçu doit se lire comme une *partition* musicale; de même que l'interprète voit tout de suite dans quelle direction et avec quelle rapidité il doit émettre ses notes, ainsi le lecteur du *Coup de Dés* sait, grâce à la disposition typographique du texte, si l'intonation doit monter ou descendre, le rythme se pré-

cipiter ou se ralentir. Les blancs et les différences de caractères remplacent les barres et les signes de mesure, la place des
notes sur la portée, les indications de mouvement et d'intensité, c'est-à-dire l'ensemble des sigles dont dispose le compo-
siteur, mais dont le poète est privé. De plus les empiétements
des lignes typographiques, leur rapports réciproques sous le regard de la parenté du corps des lettres, la récurrence des idées
ou des images constituent une sorte de contrepoint — « le con-
tre-point de cette prosodie » — et contribue à rapprocher encore le poème de la symphonie. Les dix pages de texte présentent ainsi différents thèmes qui s'inscrivent à des hauteurs
variables, se développent plus ou moins parallèlement pour
finir par consonner sur le même mot, comme une fugue ou un
canon à plusieurs voix se résout en son accord final. Ainsi le
mot HASARD qui clôt le poème est à la fois la résolution musicale du sujet prépondérant, jouant grammaticalement le rôle
de complément direct de la proposition principale : « *Un coup
de Dés... jamais... n'abolira... le Hasard* », et la résolution
du sujet adjacent, jouant le rôle d'attribut dans la proposition
hypothétique : « *Si... c'était le Nombre... ce serait... le Hasard.* » Il faut donc lire globalement ces différents sujets ou
motifs qui se renforcent réciproquement, et se garder de dévider à la suite la proposition principale et les subordonnées dans
une longue phrase bâtarde qui serait tout à fait à l'opposé de
ce que Mallarmé a voulu faire. Son contrepoint est véritablement contrepoint, et c'est au concert que Mallarmé en a appris
le secret :

*Leur réunion s'accomplit sous une influence, je sais, étrangère,
celle de la Musique entendue au concert; on en retrouve plusieurs
moyens m'ayant semblé appartenir aux Lettres, je les reprends.*

Un autre dessein, appartenant à l'intention initiale de Mallarmé, ne s'exprime pas dans cette préface, mais se déduit d'une

lettre à André Gide dans laquelle le poète s'exprime sur son œuvre en cours :

Le poème s'imprime, en ce moment, tel que je l'ai conçu quant à la pagination, où est tout l'effet. Tel mot en gros caractères à lui seul demande toute une page de blanc, et je crois être sûr de l'effet. Je vous enverrai à Florence la première épreuve convenable. La constellation y affectera, d'après des lois exactes, et autant qu'il est permis à un texte imprimé, fatalement une allure de constellation. Le vaisseau y donne de la bande, du haut d'une page au bas de l'autre, etc. : car, et c'est là tout le point de vue (qu'il me fallut omettre dans un périodique), le rythme d'une phrase au sujet d'un acte, ou même d'un objet, n'a de sens que s'il les imite, et figuré sur le papier, repris par la lettre à l'estampe originelle, n'en sait rendre, malgré tout, quelque chose.

Ainsi le ballet de mots que Mallarmé fait tournoyer à travers les doubles pages du poème n'exclut pas une intention idéogrammatique. Le poème n'est pas seulement partition, il est aussi calligramme. Mais ce souci de tracer sur le papier, en faisant concurrence à l'estampe, le schéma des événements évoqués, s'il fut premier dans l'intention de Mallarmé, n'est guère probant dans ses effets. Car enfin, si le poème parle bien d'un vaisseau donnant de la bande, d'une plume flottant sur les eaux et d'une constellation trouant le ciel, il faut un œil singulièrement perspicace pour en apercevoir le graphique sur la page avant d'avoir lu le texte — et même après. Néanmoins le côté absolument libre de cette composition et de son dessin eut une influence considérable sur les lettres du XXe siècle. C'est l'exemple du *Coup de Dés* certainement qui autorisa de nombreux écrivains à bouleverser la présentation traditionnelle de la page pour y inscrire des compositions simultanées ou des calligrammes, où l'on peut voir un effort pour imiter les choses par un certain graphisme. C'est à Mallarmé que peuvent se référer les innovations typographiques les plus considérables,

des *Stèle*s de Segalen au *Mobile* de Michel Butor, en passant par les audaces diverses d'Apollinaire, de Barzun, de Claudel, de Joyce, d'Ezra Pound, de Michaux, de Joyce, de Cum-
mings ou de Faulkner.

Mais enfin, et quoi qu'en dise Mallarmé lui-même, qui situe « tout l'effet » dans la « pagination » (il veut dire : la mise
en page), et quel qu'ait été le soin donné à cette présentation
formelle que le poète appelle « une mise en scène spirituelle
exacte », c'est tout de même l'aspect « symphonique » du
poème qui l'emporte sur tous les autres. Car le contrepoint mu-
sical n'est que le signe d'un contrepoint spirituel. Chaque note
appelle une contre-note, laquelle s'inscrit à son tour dans un
réseau harmonique dont tous les éléments répondent à une
composition organique et préméditée. Lorsqu'il répète à Camille
Mauclair, en lui envoyant également les épreuves du *Coup
de Dés*, ce qu'il a dit à Gide de la figure visible de son texte,
Mallarmé va aussi beaucoup plus loin en précisant que l'image
typographique n'est là que pour reproduire le rythme de l'objet,
non plus pour le simple plaisir des yeux, mais selon les rapports
qu'il entretient avec l'univers :

*Au fond, des estampes. Je crois que toute phrase ou pensée, si elle
a un rythme, doit le modeler sur l'objet qu'elle vise et reproduire,
jetée à nu, immédiatement, comme jaillie en l'esprit, un peu de
l'attitude de cet objet quant à tout. La littérature fait ainsi la preuve;
pas d'autre raison d'écrire sur du papier.*

Ainsi, parmi les mots du poème et « leur éparpillement en
frissons articulés proche de l'instrumentation », qui constitue la
« transposition au Livre », des moyens de la musique, l'objet
s'inscrit comme une structure idéale au centre d'un monde dont
il est le résumé et la justification :

*car, ce n'est pas de sonorités élémentaires par les cuivres, les cor-
des, les bois, indéniablement, mais de l'intellectuelle parole à son*

apogée que doit avec plénitude et évidence, résulter, en tant que l'ensemble des rapports existant dans tout, la Musique (O. C., 367).

La symphonie du *Coup de Dés* est donc une symphonie intellectuelle, la partition transcendante dans laquelle s'inscrit « l'hymne, harmonie et joie, comme pur ensemble groupé dans quelque circonstance fulgurante, des relations entre tout » (*O. C.*, 378). Le *Coup de Dés* devrait ainsi pouvoir se lire comme une cosmogonie — une « explication orphique de la Terre ».

Symphonie stellaire • Cette symphonie reprend la geste d'*Igitur* (en même temps que le naufrage de *A la nue accablante tu*) et parvient — c'est peut-être là la plus belle réussite du poème — à dépasser le récit, qui ressortit au temporel, pour se maintenir sur le plan de la poésie, qui ressortit à l'intemporel. « Tout se passe, par raccourci, en hypothèse; on évite le récit [...] ou son dessein même [...] » (*Préface*). Toujours hanté par le souvenir des grandes réalisations wagnériennes, Mallarmé, comme son époque, tente d'opérer dans le Poème la fusion de tous les arts que le musicien avait opérée sur la scène. La musique, comme le ballet, le théâtre, est un art du temps; l'originalité de Mallarmé est d'avoir conçu la symphonie du *Coup de Dés* également comme un art de l'espace, une instantanéité structurale, du type de la peinture ou de l'architecture. Dans son idée, le livre total doit réaliser une synthèse entre les arts de la durée (succession des lignes, écoulement de la lecture) et les arts de l'espace (espace fixe des blancs, dessin de la pensée). Et cette ambition donne à croire que son œuvre ultime, d'une audace si neuve et si radicale, et qui devait d'ailleurs, selon une confidence faite à Gustave Kahn, se développer dans une dizaine de « poèmes » semblables, constitue bien une première tentative relevant du Grand OEuvre dont Mallarmé avait rêvé toute sa vie, et dont il réussit, juste avant de mourir, à faire « scintiller par une place l'authenticité glorieuse » (*O. C.*, 663).

Quant au contenu du poème, il s'impose avec beaucoup moins d'évidence. Faut-il y lire le constat d'un échec, comme on est naturellement porté à le faire sur la seule foi du titre ? « Un Coup de Dés jamais n'abolira le Hasard », n'est-ce pas affirmer que ce Hasard, contre lequel Mallarmé a lutté toute sa vie pour « donner un sens plus pur... », lui paraît finalement invincible ? Il ne semble pas qu'il y ait de raison décisive pour rejeter cette signification première. La lecture linéaire du poème n'est pas autrement difficile, grâce au « fil conducteur latent » représenté par la phrase en grandes capitales formant le motif majeur : UN COUP DE DES... JAMAIS... N'ABOLIRA... LE HASARD. « La fiction affleurera, explique Mallarmé, et se dissipera, vite, d'après la mobilité de l'écrit, autour des arrêts fragmentaires d'une phrase capitale dès le titre introduite et continuée. » Il y a donc fiction, continuité et récit — mais « par raccourci, en hypothèse ». Le sujet est « d'imagination pure et complexe ou intellect ». A la formule centrale, disséminée sur quatre pages non consécutives, se rattache un motif secondaire, en capitales plus petites : QUAND BIEN MEME LANCE DANS DES CIRCONSTANCES ETERNELLES / DU FOND D'UN NAUFRAGE..., qui fait ensuite apparaître, dans ce décor cosmique, un être humain : SOIT... LE MAITRE. Ce Maître, c'est le maître d'un navire en perdition, c'est le poète qui a lancé les dés pour forcer l'absolu, mais sur qui vont souffler toutes les tempêtes du Hasard. La voile penche et s'engloutit dans les flots. Il y a naufrage : l'esprit est incapable de triompher du Hasard. Dans la « conflagration.. de l'horizon unanime », le Maître médite d'anciens calculs pour retrouver le secret de juguler les forces adverses par un Nombre idéal, symbole de l'Idée qui nie le Hasard — « le nombre unique qui ne peut pas en être un autre ». Mais le vieillard, « maniaque chenu », qui a rêvé mettre un sceau éternel et fixe sur le devenir universel, ne retrouve plus le secret du coup décisif; il perd pied et se laisse submerger par les flots.

Mais sa main crispée, avant de disparaître, évoque un nouvel être, d'abord touffe nébuleuse qui tournoie « autour du gouffre sans le joncher ni fuir et en berce le vierge indice ». Par un enchaînement d'images subtiles et fuyantes (indiquées par une cursive italique), la touffe se mue en plume, laquelle coiffe une toque, située sur une tête — et voici l'héritier du Maître, celui à qui a été transmise la mission, nouvel Igitur ou nouvel Hamlet, « prince amer de l'écueil ». A son tour, malgré sa « stature mignonne, ténébreuse », il va reprendre la lutte, réaliser les espoirs du vieux marin disparu, formuler enfin le Nombre qui confère puissance absolue. Cependant il ne réussira pas davantage dans son héroïque tentative; il sera vaincu par une « hallucination éparse d'agonie », car les forces chaotiques sont toujours les plus fortes. On voit bientôt la trop fière petite plume être happée elle-même par la tempête, flotter un moment parmi l'écume, puis disparaître pour toujours. Ainsi la « petite raison virile » à son tour a fait naufrage devant le redoutable « SI », et « rien n'aura eu lieu que le lieu » : l'univers redevient ce qu'il n'a jamais cessé d'être, le lieu des contingences funestes et des possibilités sans avenir.

EXCEPTE... PEUT-ETRE... UNE CONSTELLATION : ici s'ouvre un contre-sujet consolateur. L'harmonie qui règne dans les corps célestes n'est-elle pas la preuve que quelqu'un ou quelque puissance a su dominer le chaos et y inscrire à jamais le chiffre étincelant de sa lucidité ? Mallarmé crée ici, remarque A. R. Chisholm, un véritable « mythe nouveau, destiné à assurer l'immortalité des poètes ». Selon ce mythe, le génie de l'individu s'ajoute, après sa mort, à cette somme de génie qui a été accumulée au cours des siècles par les penseurs, les artistes, les poètes. Evidemment, cette constellation géniale, qui rivalise avec les constellations créées par le Hasard, n'est pas éternelle (cf. « les feux du soleil *mortel* » dans *Toast funèbre*); mais elle durera aussi longtemps que l'humanité ». Ainsi subsiste l'espoir que « l'âpre division » dans laquelle se débat le poète s'abolira un jour aux confins d'un univers qui n'a plus rien d'humain — « aussi loin qu'un endroit fusionne avec au-delà » — et se fondra dans la perfection d'un ordre aussi pur que l'ordre céleste. La lutte sera sans cesse reprise — « Toute Pensée émet un Coup de Dés » — mais le coup ne peut réussir que dans des conditions qui ne sont plus celles de l'univers humain. Ici-bas, les dés sont maîtres, ou comme dit un des proverbes des *Thèmes anglais* : « Le diable est dans les dés. »

C'est Thibaudet qui a lu le premier, dans le *Coup de Dés*, cette confession d'un échec poétique, et son explication est demeurée longtemps traditionnelle. Les commentaires plus récents y décèlent en revanche des intentions beaucoup plus compliquées. Mais en dépit de tout leur talent, leurs théories ne paraissent pas opposables absolument à celle de Thibaudet, et se fondent sur des prémisses fragiles. Identification du Maître avec Dieu, chez Claude Roulet, ce qui contredit le peu que nous savons de l'ontologie de Mallarmé. Refus de R. G. Cohn de prendre Hasard dans son sens obvie, ce qui l'amène à traduire à peu près le motif central par cette tautologie : « Un coup de dés n'abolira jamais le coup de dés », de sorte que l'univers est pris dans un cycle de récurrences éternelles et qu'en conséquence aucune combinaison de dés ne saurait avoir d'influence sur une matière en perpétuel devenir. Mais enfin, Mallarmé dit simplement : « Un coup de dés jamais n'abolira le hasard » et il conseille, de surcroît, de lire ses vers simplement.

Il faut aussi se laisser simplement illuminer par le composé poétique si révolutionnaire auquel Mallarmé, ici, a abouti. Devant les thèmes et les fioritures des grandes doubles pages, on se trouve comme devant un espace vierge habité par des signes, lesquels, espace et signes, parlent à notre imagination et à notre sensibilité autant qu'à notre entendement, et nous voici pas moins désorientés ni moins admiratifs que devant la vivante carte du ciel. Au-dessus du naufrage, au-delà de « la neutralité identique du gouffre » passe une scintillation d'infini qui se situe à la hauteur des aspirations poétiques ou humaines les plus aiguës, récompensées ici par la contemplation des astres. C'est ce qu'avait si violemment ressenti Valéry lorsque le Maître, au cours d'une mémorable soirée, sous un ciel « plein de coups de dés extraordinaires », lui avait mis sous les yeux pour la première fois les épreuves du poème, et qu'il a exprimé, après tout mieux que personne, dans cette page connue et admirable :

Le soir du même jour, comme il m'accompagnait au chemin de fer, l'innombrable ciel de juillet enfermant toutes choses dans un groupe étincelant d'autres mondes, et que nous marchions, fumeurs obscurs, au milieu du Serpent, du Cygne, de l'Aigle, de la Lyre, — il me semblait maintenant d'être pris dans le texte même de l'univers silencieux : texte tout de clartés et d'énigmes; aussi tragique, aussi indifférent qu'on le veut; qui parle et qui ne parle pas; tissu de sens multiples; qui assemble l'ordre et le désordre; qui proclame un Dieu aussi puissamment qu'il le nie; qui contient, dans son ensemble inimaginable, toutes les époques, chacune associée à l'éloignement d'un corps céleste; qui rappelle le plus décisif, le plus évident et incontestable succès des hommes, l'accomplissement de leurs prévisions, — jusqu'à la septième décimale; et qui écrase cet animal témoin, ce contemplateur sagace, sous l'inutilité de ce triomphe... Nous marchions. Au creux d'une telle nuit, entre les propos que nous échangions, je songeais à la tentative merveilleuse : quel modèle, quel enseignement, là-haut! Où Kant, assez naïvement, peut-être, avait cru voir la Loi Morale, Mallarmé percevait sans doute l'Impératif d'une poésie : une Poétique.

Cette dispersion radieuse, ces buissons pâles et ardents, ces semences presque spirituelles, distinctes et simultanées, l'immense interrogation qui se propose par ce silence chargé de tant de vie et de tant de mort, tout cela, gloire par soi-même, total étrange de réalité et d'idéaux contradictoires, ne devait-il pas suggérer à quelqu'un la suprême tentation d'en reproduire l'effet !

— Il a essayé, pensai-je, d'élever enfin une page à la puissance du ciel étoilé !

La plus haute poésie ne peut être que cela, dont justement le *Coup de Dés* nous donne le sentiment presque physique : cette réponse frémissante à une interrogation étoilée, réponse qui dépasse l'être singulier pour le relier aux plus grandes aventures ou révolutions de l'ordre universel.

La mort aux yeux ● Tels sont les essais révolutionnaires et les hauts soucis qui occupent Mallarmé dans ses ultimes années. Entre *Hérodiade* remise sur le chantier, les notes du *Livre*, les audaces du *Coup de Dés*, on peut imaginer à quel point le poète dut se sentir autre que tous, résolument unique, et décidément extravagant. La logique de son rêve l'a mené à des créations si inouïes, à des théories si choquantes pour autrui que le vide se creuse de nouveau autour de lui. Ses dernières saisons en sont un peu attristées. Méry elle-même s'éloigne. Assaillie par de nouveaux et plus jeunes admirateurs, elle se laisse distraire à ces nouvelles tentations et néglige un peu son vieux et fidèle fournisseur de madrigaux. Mais ce n'est pas une rupture; au printemps de 1897, Mme Laurent vient encore passer quelques jours à l'auberge de Valvins. Et Mallarmé peut écrire à sa femme et à sa fille, restées à Paris : « L'amie a été parfaite, affectueuse et contente de me voir joliment installé, avec une petite pointe amusante d'étonnement qui lui faisait dire : Mallarmé est un homme à qui il ne manque rien » et je répondais : « Vous trouvez surprenant que j'aie des pantalons, ou des souliers... » Si un « Banquet Mallarmé » vint récompenser celui qui fut longtemps assidu à des célébrations du même style, aux mardis même, les disciples, que d'obscures dissensions éparpillent en différents clans, s'égaillent un peu. Ne s'y retrouvent que les plus fidèles, Valéry, Louÿs, Fontainas, le Dr Bonniot... les derniers visiteurs des derniers cultes. Avec sa résignation ordinaire le poète constate : « Ma situation d'invendu me donne peu de crédit. Je vis du reste sans plus voir personne, que de rares amis, le mardi, pendant mon séjour en ville; m'abstrais en le travail et écarte à dessein un reste d'influence dite parisienne... Il faut passer, le dos voûté, sous les circonstances... » Très tôt dans l'année, en avril 1898, Mallarmé regagne son ermitage de Valvins, où il s'installe avec la chatte Lilith, ses bibelots et ses idées fixes : « deux ou trois obstinations dans un sens », comme il dit à Mauclair. Et la toujours même monotone pauvreté : « Le voyage a été avec le tabac, les très rares comestibles, excédents de voyage, à peu près vingt francs. Timbres, jamais autant harcelé que ce premier mois, quinze francs. Jardinier et fleurs, environ vingt, ma seule dépense... Chères têtes, vous voyez que je calcule aussi. » Eté calme et paresseux. Mme Mallarmé a rejoint son mari. En août, visite de Paul Valéry. Active correspondance. A l'occasion d'une nouvelle enquête journalistique, « sur l'idéal à vingt ans », le poète fait un retour sur lui-même et peut répondre par ces lignes où il rend justice à ses certitudes imperturbables :

Suffisamment, je me fus fidèle, pour que mon humble vie gardât un sens. Le moyen, je le publie, consiste quotidiennement à épousseter, de ma native illumination, l'apport hasardeux extérieur, qu'on

recueille, plutôt, sous le nom d'expérience. Heureuse ou vaine, ma
volonté des vingt ans survit intacte (O. C., 883).

Il y eut aussi cet été-là un déjeuner à Valvins, avec entre
autres Ponchon et Mme Philippe Berthelot; au moment de se
mettre à table, une jeune dame s'effraya que l'on fût treize.
« Ne vous inquiétez pas, mon enfant, dit Mallarmé, c'est le
plus vieux qui meurt. Et c'est moi. » Il mourut en effet quelques semaines plus tard.

Le 8 septembre 1898, alors qu'il travaillait à sa table, il
fut pris d'une crise d'étouffement. Le matin du 9, un vendredi,
en présence du médecin appelé pour un examen, il était emporté
par un spasme de la glotte qui l'étouffa littéralement en un instant. L'enterrement eut lieu le dimanche suivant, au petit
cimetière de Samoreau, d'où l'on a la même vue, sur les bois
et la Seine, que de la fenêtre de Valvins. C'est là qu'il repose
désormais, avec les chers siens, sous une modeste stèle où
les noms s'effacent peu à peu : Anatole Mallarmé 1871-1879;
Stéphane Mallarmé 1842-1898; Marie Mallarmé 1835-1910; Geneviève Bonniot Mallarmé 1864-1919. Aux obsèques se trouvèrent réunis tous les amis que l'été n'avait pas dispersés :
Catulle Mendès, Heredia, Régnier, Marguerite Moreno, Méry
Laurent, Dujardin, Duret, Thadée Natanson, Léon Dierx, Hélène Point, Bourges, Paul Fort, Stuart Merrill, le Dr Bonniot,
Uzanne, Rodin, Renoir, Vuillard... Petit cercueil, grandes couronnes. Henry Roujon, directeur des Beaux-Arts, un
fidèle compagnon, prit la parole, mais les sanglots étouffè-
rent bientôt sa voix. Il en fut de même pour Valéry qui, sol-
licité par Quillard de prendre la parole au nom des « jeunes »,
ne put que laisser entendre quelques bredouillements confus.
Sur le chemin du retour, Rodin demande à ses voisins : « Combien de temps faudra-t-il à la nature pour refaire un cerveau
pareil ? » Sur la berge, en face de la maison déserte, sous le

soleil étincelant, une barque abandonnée, à la voile tirée, rêve sur l'insensible fleuve.

Vève et sa mère remontent en sanglotant l'escalier de pierre par où tout à l'heure le cercueil fut descendu et découvrent sur le bureau, tracé d'une écriture pour la première fois affolée, l'extraordinaire testament où le poète, s'inquiétant du « monceau séculaire » de ses notes, indique aussi que seul il eût pu en tirer quelque chose :

Brûlez, par conséquent : il n'y a pas là d'héritage littéraire, mes pauvres enfants. Ne soumettez même pas à l'appréciation de quelqu'un : ou refusez toute ingérence curieuse ou amicale. Dites qu'on n'y distinguerait rien, c'est vrai du reste, et, vous, mes pauvres prostrées, les seuls êtres au monde capables à ce point de respecter toute une vie d'artiste sincère, croyez que ce devait être très beau.

BIBLIOGRAPHIE

I. OEUVRES DE MALLARMÉ

1876 *L'Après-Midi d'un Faune.* Églogue. Alphonse Derenne. (Illustrations de Manet.)

1877 *Les Mots anglais.* Petite philologie à l'usage des Classes et du Monde. Chez Truchy, Leroy frères succ.

1880 *Les Dieux antiques.* Nouvelle mythologie illustrée. J. Rothschild. (Réédition N.R.F., 1925.)

1885 *Les Contes favoris.* Recueil de lectures anglaises. Ch. Leroy.

1887 *Les Poésies de Stéphane Mallarmé.* Réunion de 9 cahiers photolithographiés. Tirage : 47 ex. Éd. de la Revue Indépendante.

1887 *L'Après-Midi d'un Faune.* Églogue. Édition définitive. Éd. de la Revue Indépendante. (Illustrations de Manet.)

1887 *L'Après-Midi d'un Faune.* Églogue. Nouvelle édition (= 3e éd.) Léon Vanier. (Illustrations de Manet.)

1887 *Album de Vers et de Prose.* Bruxelles, Librairie Nouvelle.

1890 *Villiers de l'Isle-Adam.* (Conférence.) Librairie de l'Art Indépendant.

1891 *Pages.* Avec un frontispice à l'eau-forte par Renoir. Bruxelles, Edmond Deman.

1892 *Les Miens I : Villiers de l'Isle-Adam.* Avec un portrait par Marcelin Desboutin (2e édition). Bruxelles, Paul Lacomblez.

1893 *Vers et Prose.* Morceaux choisis. Librairie Académique Didier-Perrin. (Rééd. L'Intelligence, 1926.)

1895 *La Musique et les Lettres.* (Conférence.) Librairie Académique Didier-Perrin.

1897 *Divagations.* (Recueil d'articles et de poèmes en prose.) Bibliothèque Charpentier.

1897 *Discours de M. Stéphane Mallarmé* (pour C. Mendès). Paris, h. c., 20 pp.

1899 *Les Poésies de S. Mallarmé.* Frontispice de F. Rops. Bruxelles, chez Edmond Deman (15 pièces nouvelles).

1913 *Poésies.* Édition complète contenant plusieurs poèmes inédits et un portrait. Éd. de la Nouvelle Revue Française (14 pièces nouvelles). Rééd. 1928, coll. « A la Gerbe ».

1914 *Un Coup de Dés jamais n'abolira le Hasard.* Poëme. Éd. de la Nouvelle Revue Française.

1920 *Madrigaux.* Images de Raoul Dufy. Éd. de la Sirène.

1920 *Vers de Circonstance.* Éd. de la Nouvelle Revue Française.

1924 *Autobiographie.* Albert Messein.

1925 *Igitur ou la Folie d'Elbehnon.* Éd. de la Nouvelle Revue Française.

1926 *Quant au Livre.* (Première édition séparée.) Maestricht. Éd. A. A. M. Stols.

1927 *Contes indiens.* L. Carteret.

1929 *Diptyque II.* Librairie de France.

1933 *La dernière Mode.* Publications of the Institute of French Studies, Inc. New York.

1937 *Thèmes anglais* pour toutes les grammaires. Préface de P. Valéry. Gallimard.

1938 *Poésies de Stéphane Mallarmé.* Éd. de luxe (88 ex.) contenant deux pièces inédites. La Compagnie Typographique.

1941 *Éventail* (dépliant in-8°). Daragnès.

1942 *Les Poèmes en Prose de S. Mallarmé.* Première édition séparée. Emile-Paul.

Les textes qui suivent ne figurent pas dans les *Œuvres complètes* de la Pléiade :

1943 *Un Faune* (état ancien de *L'Après-Midi d'un Faune*). Rombaldi.

1948 *Improvisation d'un Faune* (*id.*). Aux dépens de quelques bibliophiles.

1954 *Entre quatre Murs* (recueil poétique de Mallarmé lycéen), dans : *Mallarmé lycéen*, par Henri Mondor. Gallimard.

1957 *Le « Livre » de Mallarmé*, publié par J. Scherer. Gallimard.

1959 *Les Noces d'Hérodiade. Mystère*, publié par G. Davies. Gallimard.

1961 *Pour un « Tombeau d'Anatole ».* Publié par J.-P. Richard. Éditions du Seuil.

1962 *Les « gossips » de Mallarmé.* Athenaeum, 1875-1876. Présentés par H. Mondor et L.-J. Austin. Gallimard.

II. TRADUCTIONS, DIVERS

1875 *Le Corbeau. The Raven.* Poëme par Edgar Poe (traduction). Illustrations par Edouard Manet. Richard Lesclide.

1876 *Le Vathek de Beckford.* Réimprimé sur l'édition française originale avec préface par S. Mallarmé. Adolphe Labitte. Réimpression à la Librairie Académique Didier-Perrin, en 1893.

1881 Mrs W.-C. Elphinstone Hope : *L'Étoile des Fées* (traduction). G. Charpentier.

1888 *Les Poëmes d'Edgar Poe.* Traduction de S. Mallarmé. Bruxelles, chez l'éditeur Edmond Deman. Deuxième édition (fictive) de ce vol. en 1897. Seconde édition (véritable) chez Léon Vanier, en 1889. Réédition Crès, « Musée du Livre », 1926. Édition courante N.R.F., 1928.

1888 *Le « Ten O'Clock » de M. Whistler* (traduction). Librairie de la « Revue Indépendante », et Londres, Chatto and Windus.

1896 *Berthe Morisot (Madame Eugène Manet).* Préface au catalogue de ses œuvres. Galerie Durand-Ruel.

III. CORRESPONDANCE

Correspondance, 1862-1871, publiée par Henri Mondor et J.-P. Richard. Gallimard, 1959 (cité : *Corr.*).

Propos sur la Poésie. Recueillis et présentés par H. Mondor. Éditions du Rocher, Monaco, 1945. Édition augmentée, 1953 (citée : *P. P.*).

IV. ŒUVRES COMPLÈTES

Œuvres complètes. Bibliothèque de la Pléiade. Gallimard, 1945. Remarquable et exhaustive annotation de Henri Mondor et G. Jean-Aubry (cité : *O. C.*). Rééditions 1951, 1954.

V. OUVRAGES CONSACRÉS A MALLARMÉ

A. BIOGRAPHIE, DOCUMENTS

MONDOR (Henri) : *L'amitié de Verlaine et de Mallarmé.* Gallimard, 1940.

JEAN-AUBRY (G.) : *Une amitié exemplaire, Villiers de l'Isle-Adam et S. Mallarmé.* Mercure de France, 1942.

MONDOR (Henri) : *Vie de Mallarmé,* 2 vol., Gallimard, 1941-1942.
— *Mallarmé plus intime.* Gallimard, 1944.

Faure (Gabriel) : *Mallarmé à Tournon*. Horizons de France, 1946.

Mondor (Henri) : *Mallarmé, documents iconographiques*, Cailler, Genève, 1947.

— *L'heureuse rencontre de S. Mallarmé et de P. Valéry*. Lausanne, La Guilde du Livre, 1948.

— *Histoire d'un Faune*. Gallimard, 1948.

— *Eugène Lefébure. Sa vie, ses lettres à Mallarmé*. Gallimard, 1951.

— *L'Affaire du Parnasse*. Fragrance, 1951.

— *Mallarmé lycéen*. Gallimard, 1954.

— *Sur un poème de Mallarmé*. Éditions Estienne, 1961.

— *Autres précisions sur Mallarmé et inédits*. Gallimard, 1961.

« Empreintes » (Bruxelles), n° spécial, 1948 : *S. Mallarmé, inédits, études, documents*.

« Empreintes » (Bruxelles), n° spécial, n° 10-11, 1952 : *S. Mallarmé, lettres et autographes*.

B. Études critiques

Les ouvrages classiques, indispensables pour l'étude de Mallarmé, sont ceux de Thibaudet, Mme Noulet, Pierre Beausire, Mme Bernard, Léon Cellier, Charles Chassé Gardner Davies, Guy Delfel, Jacques Gengoux, Robert Goffin, Guy Michaud, Claude Roulet, Jacques Scherer, Camille Soula, Kurt Wais, à quoi il faut ajouter les articles de L.-J. Austin. On trouvera les références nécessaires dans la bibliographie de l'édition de la Pléiade.

On la complétera par l'excellente bibliographie, à jour en 1961, qui figure en appendice à la remarquable thèse de Jean-Pierre Richard : *L'Univers imaginaire de Mallarmé* (Seuil, 1961).

De 1962, trois nouvelles études non négligeables :

Chadwick (Charles) : *Mallarmé, sa pensée dans sa poésie* (Corti).

Chisholm (A. R.) : *Mallarmé's Grand Œuvre* (Manchester University Press).

Fowlie (Wallace) : *Mallarmé* (The University of Chicago Press).

TABLE DES ILLUSTRATIONS

Nous remercions les Éditions Pierre Cailler à Lausanne qui nous ont fourni les documents des pages 32₁, 64₃, 64₄, 96₄, 128₁, 128₃, 128₄, 160₁, ainsi que le portrait de couverture.

Mallarmé en 1862 .... 32_1

La maison de Tournon .... 32_2

Le Lycée de Tournon .... 64_1

Salomé, par le Titien .... 64_2

Mallarmé vers 1880 .... 64_3

Anatole Mallarmé .... 64_4

Croquis de Mallarmé par Verlaine .... 96_1

Mallarmé par Manet .... 96_2

Mallarmé vers 1882 .... 96_3

Renoir et Mallarmé .... 96_4

La maison de Valvins .... 128_1

L'éventail de Madame Gravollet .... 128_2

Le salon de Méry Laurent .... 128_3

Sonnet autographe .... 128_4

Mallarmé prononçant un toast au Banquet de la Plume ...... 160_1

Mallarmé vers 1896 .... 160_2

TABLE

I. Mallarmé avant Mallarmé 5

Signe d'eau, 5. Le complexe d'Apollon, 13. Complexes divers, 16. Pour copie conforme, 19.

II. Poésie et pauvreté 22

Spleen et rococo, 22. « Non omni homini reveles cor tuum » (*Imitation*), 24. L'illusion pédagogique, 27. La pauvre bien-aimée errante, 28. Tournon (Ardèche), 35. L'odeur de cuisine, 37. Le réel pédagogique, 39. Vève, 41. Le cheval de l'Arioste, 42.

III. « Le Parnasse Contemporain » 48

L'œuvre première, 48. *Le Placet, la négresse,* 49. *Le Guignon, le Sonneur, Aumône,* 52. *Renouveau,* 56. *Les Fenêtres, l'Azur,* 60. *Apparition, Soupir,* 71. *Angoisse, Tristesse d'été,* 77. *Le Chinois, les Fleurs, le Pitre,* 81. Adieu à trois maîtres, 86. *Brise marine,* 89. *Don du Poème, Sainte,* 92. « *Pages oubliées* », 96. Prends le lyrisme et tords-lui son cou, 107.

IV. D'Hérodiade au Faune 111

Beauté de l'ombre, 111. *Ouverture ancienne,* 117. En creusant le vers, 122. *Cantique de saint Jean,* 125. *Un Faune,* 127. Où l'indécis au précis se joint, 129.

V. Le Héros de l'absolu 136

Connaissance du néant, 136. Impuissance du cygne, 139. Dialectique du beau, 141. Vers le Grand Œuvre, 144. La mort spirituelle, 148. L'homme nouveau, 153. « *Igitur* », 155.

VI. LES MOTS DE LA TRIBU 163

Paris, 163. Rhétorique de l'absence, 164. Céder l'initiative aux mots, 169. Alternative, 172. Premiers tombeaux, 176. Valvins. Rue de Rome, 185. *Prose pour des Esseintes*, 189. Musique et symbole, 195. Poèmes de Poe, 202. Le Coffret de Laque, 207. L'explication orphique de la terre, 211. Derniers tombeaux, 218. Derniers sonnets, 223.

VII. UN COUP DE DÉS 232

Symphonie typographique, 232. Symphonie stellaire, 240. La mort aux yeux, 245.

BIBLIOGRAPHIE 249

TABLE DES ILLUSTRATIONS 254

Imprimerie AUBIN, LIGUGÉ (Vienne).
D. L., 1-1963. — Éditeur, n° 1.115. — Imprimeur, n° 2.960.
Imprimé en France.